El hombre preprogramado

Lo hereditario como factor
determinante en el
comportamiento humano

Alianza Universidad

I. Eibl-Eibesfeldt

El hombre preprogramado

Lo hereditario como factor determinante en el comportamiento humano

Versión española de
Pedro Gálvez

Alianza
Editorial

Título original:

Der vorprogrammierte Mensch — Das Ererbte als bestimmender Faktor im menschlichen Verhalten

© 1973 by Verlag Fritz Molden, Wien-München-Zürich
© Ed. cast.: Alianza Editorial, S. A., Madrid, 1977
    Calle Milán, 38 ☎ 200 0045
    ISBN 84-206-2176-5
    Depósito Legal: M. 42.302-1976
    Impreso en Grefol, S. A. Móstoles (Madrid)
    Printed in Spain

INDICE

Dedicado
al Prof. Dr. Konrad Lorenz,
en su 70.º cumpleaños

PROLOGO

Muchas de las ciencias del hombre se basan aún hoy en día en la hipótesis de que éste llega al mundo como una hoja en blanco y de que sólo a través de un proceso de aprendizaje adquiere los modos de comportamiento que le son típicos. En esta conjetura teórica sobre el medio ambiente se basan, entre otras, la pedagogía, las ciencias políticas, toda una serie de escuelas de la psicología y de la antropología y la sociología. Así, Karl Dieter Opp escribe en su obra sobre sociología teórica del comportamiento, publicada por Rowohlt en 1972:

> La aseveración de que la conducta humana es predominantemente aprendida representa hoy en día una tesis ampliamente aceptada. Los problemas solamente se presentan cuando se quiere explicar en qué condiciones concretas es aprendida una determinada conducta y cuándo se lleva a cabo la conducta aprendida.

Muchas de las utopías políticas parten de esta hipótesis, y como quiera que no existe presuntamente ninguna «naturaleza» propia del hombre, en el sentido de normas de conducta que le hayan sido dadas biológicamente, se trata por tanto sólo de programar «correctamente» al hombre mediante la educación. Y lo que es correcto lo determinan con frecuencia los ideólogos.

Pero hay otros investigadores del comportamiento humano, orientados también hacia la teoría del medio ambiente, a los cuales hay que tomar mucho más en serio. Uno de los más destacados es el psicólogo norteamericano B. F. Skinner (1971), quien funda-

13

menta de manera convincente la necesidad de conformar al hombre para su supervivencia («We must shape man for his survival») y
ofrece para ello la técnica del condicionamiento del comportamiento; técnica ésta que, a través del estímulo del castigo y de la
recompensa, desacostumbra los modos de conducta indeseables y
fortalece los deseables. Skinner deduce las normas que conducen a
esto de una manera funcional. Se orienta hacia el valor de supervivencia de la cultura («The survival of the culture functions as a
value»).

Si se buscan directrices para una terapéutica, entonces esto es
de hecho un punto de vista importante. Sin embargo Skinner parte
en su técnica del comportamiento de la idea de que es el medio
ambiente el que forma y controla a los hombres, y no al revés,
aunque naturalmente, como parte integrante de ese medio ambiente, lo «configura» también y se «configura» a sí mismo.
Skinner niega expresamente al hombre toda autonomía:

> El análisis científico del comportamiento destrona al hombre autónomo y hace
> recaer el control sobre el medio ambiente, sobre el cual ejerce él presuntamente
> dicho control... Es decir, que éste ha de ser controlado desde ahora por su medio
> ambiente y especialmente por sus semejantes (Skinner, 1971, pág. 196).

Pues bien, mediante el estudio comparado del comportamiento
en los animales se ha descubierto que existen preprogramaciones
en esferas perfectamente determinables del comportamiento; adaptaciones que se han ido desarrollando en el curso de la historia de
la especie. Los animales llegan al mundo dotados de un repertorio
de movimientos. Reaccionan ante determinados estímulos clave ya
en su primera confrontación con éstos, de una manera razonable y
tendente al mantenimiento de la especie, con modos de comportamiento determinados. Están dotados de maquinarias fisiológicas
que, como impulsos, ponen en movimiento al animal. Y traen
consigo finalmente capacidades innatas de aprendizaje que asegu-
ran el que el animal aprenda lo oportuno en el momento oportuno,
en resumen, que modifique su comportamiento adaptativamente.
Estos conocimientos tienen una significación especial para el
estudio del hombre, puesto que se impone la pregunta de si el
comportamiento humano no se encuentra también preprogramado
en determinadas esferas mediante adaptaciones filogenéticas. ¿No
existe acaso el «hombre autónomo», el hombre preprogramado
como construcción filogenética y, por consiguiente, actuante de
acuerdo a normas dadas, impulsado y dirigido por programas
hereditarios y enfrentado de esta manera, como sistema autónomo,
a las fuerzas conformadoras del medio ambiente? Cierto es que

también en este caso ha sido el medio ambiente el que ha conformado en última instancia al hombre, pero a lo largo de un proceso de adaptación filogenética en el desarrollo de la especie, no en el curso del crecimiento individual. Esto significaría que no puede ser conformado con igual facilidad en todas direcciones por las influencias del medio ambiente, sino que, por su propia construcción, opone a la modificabilidad ciertas resistencias. Si le han sido dadas, por ejemplo, ciertas normas éticas (pág. 73), habría que tenerlas entonces muy en cuenta y no educar al hombre de manera imprudente, basándose en consideraciones de tipo puramente funcional y en contra de las normas éticas que le son innatas, a menos que éstas se hayan manifestado como cargas históricas (pág. 81) que ya no se adecúan a las necesidades de los tiempos. Los programas educativos que se orientan exclusivamente por ideologías que ignoran la naturaleza humana pueden ser —como apuntó B. Hassenstein (1973)— completamente inhumanos, porque exigen constantemente demasiado de él.

Todo parece indicar que las preprogramaciones codeterminan el comportamiento humano, pues el hombre, pese a todas las experiencias de la historia, da muestras en su conducta social de una asombrosa incapacidad de aprendizaje. Lorenz señaló la desproporción que existe entre los extraordinarios éxitos que alcanza el hombre en el dominio del medio ambiente y su desesperante incapacidad para resolver los problemas intraespecíficos. Y explicó este hecho apuntando que el comportamiento para con los semejantes se encuentra determinado en mayor medida por componentes innatos y mucho menos por esfuerzos de aprendizaje de lo que es el caso en su comportamiento hacia el medio ambiente exterior a la especie.

Esta hipótesis se encuentra en contradicción con las mencionadas al principio. Por razones fáciles de entender, su comprobación tiene una importancia decisiva para las ciencias que tratan del hombre. Si el hombre no estuviese determinado exclusivamente en su comportamiento por el medio ambiente, sino que recibiese ya en sí algo decisivo con un preprograma —si existiese en este sentido por lo tanto el hombre autónomo—, entonces las ciencias de la educación tendrían que tomarlo en cuenta, claro está que no como una tolerancia y aceptación fatalistas de todo lo hereditario, pero sí en lo que atañe al desarrollo de las estrategias educativas (pág. 83).

En los capítulos que siguen probaré que el hombre, en lo que respecta a su comportamiento social, viene al mundo realmente dotado de preprogramaciones. Numerosas demostraciones de ello ofrecen las investigaciones realizadas con sordos y ciegos, así como las investigaciones de interacción en el estudio comparado de las culturas. El libro está dividido en cuatro partes. El estudio introductorio trata de los conceptos de la etología y de su significación para nosotros, los humanos, así como de la metodología y la importancia de la comparación animal-hombre. Discutimos las maneras en que pueden ser contrastadas, en lo que respecta a su validez para el hombre, las hipótesis sacadas del estudio del animal, y comprobamos la existencia de adaptaciones filogenéticas como determinantes del comportamiento humano.

En la segunda parte se investiga desde un punto de vista biológico el problema de la agresión, que tan discutido ha sido en los últimos años, y se descartan al mismo tiempo algunas falsas concepciones sobre el comportamiento social de los pueblos primitivos. La contrapartida natural a la agresión es tratada en la parte que sigue. En lugar de un estudio sumario se ofrecen, a modo de ejemplo, análisis especiales sobre el comportamiento en el saludo, sobre un ritual de cortejo en Nueva Guinea y sobre una fiesta india. En la discusión al particular se exponen cuáles son las estructuras generales del saludo que les son comunes a los rituales del vínculo, en apariencia tan diversos. Finalmente, en la parte cuarta, tomando como ejemplo las figuras balinesas de guardianes y amuletos japoneses, se demuestra cómo hasta la misma configuración de los objetos del culto está codeterminada por adaptaciones filogenéticas. Los ejemplos ilustran al mismo tiempo la amplia ramificación de la etología humana.

La selección de los estudios tuvo por criterio el familiarizar a un sector amplio de la opinión pública con la técnica de recolección de datos, de su análisis y del modo de argumentación de una disciplina que es hoy día foco de grandes discusiones.

El hombre preprogramado es simultáneamente nuestro problema y nuestra esperanza. Problema, pues mucho de aquello que recibimos como dado no se adecúa ya a la vida en la moderna sociedad de masas, y algunas cosas se manifiestan hoy hasta como perturbadoras. Por otra parte, en lo hereditario encontramos una base de relación que nos une a nosotros, los hombres. En lo cultural somos con frecuencia tan distintos unos de otros que se diría que pertenecemos a especies diversas; en lo biológico, por el contrario, representamos una unidad. Compartimos ciertos modos de comportamiento universales, al igual que determinadas normas éticas. Por encima de lo cultural nos asemejamos unos a otros en puntos esenciales de nuestra estructura de motivaciones y actuamos según «prejuicios» parecidos. Solamente por esto nos podemos entender y comprender y sentir una homogeneidad universal por encima de la pseudoespecificación cultural que nos divide. Sacamos además seguridad de esa base de lo innato, que ofrece a nuestro comportamiento ciertas directrices obligatorias.

No cabe duda que, en el hombre, la evolución cultural ha reemplazado a la filogenética. Skinner, de una manera completamente correcta, la caracteriza como un acto gigantesco de autocontrol («The evolution of culture is a gigantic exercise of self control», pág. 205). También la evolución cultural fue tentando al principio su propio camino en un probar a ciegas, según el principio del aprendizaje con el éxito, para lo cual fue la selección la que determinó la orientación. Hoy día apuntan indicios de una evolución cultural planificada con antelación y dirigida por el entendimiento. Mediante una evolución cultural dirigida por la razón el hombre se convertiría en una criatura soberana. La premisa para ello es la comprensión de los nexos causales.

Por su modo especial de plantear los problemas, la etología ilumina facetas poco observadas del comportamiento humano y pretende con ello contribuir a la autocomprensión del hombre. Orientada hacia otras disciplinas, se esfuerza así también por entablar el diálogo con las demás ciencias del hombre.

Primera parte
LA PREPROGRAMACION EN EL COMPORTAMIENTO SOCIAL HUMANO

Muy pronto se dieron ya cuenta los biólogos de que los animales vienen al mundo dotados de determinadas habilidades. Una mariposa se eleva por los aires inmediatamente después de haber salido del capullo. Una araña epeira, en un determinado estadio de su desarrollo, sin hacer largas pruebas y sin requerir aleccionamiento alguno, sabe construir una red. Cada especie animal dispone de un inventario de modos de comportamiento innatos, de un programa de comportamiento que le es dado.

Los biólogos se ocupan desde hace muchos años en la investigación sistemática de los modos innatos del comportamiento. Al estudiar los movimientos que realizan diversas especies de patos en la época del celo, el zoólogo berlinés Oskar Heinroth descubrió que los modos del comportamiento pueden ser comparados de la misma manera que las estructuras corporales. De las semejanzas graduales pudo sacar conclusiones sobre las relaciones de parenteco, y a partir de las series de transformaciones pudo reconstruir el origen y la filogenia de determinados movimientos del cortejo. Jakob von Uexküll descubrió que los animales son expertos en determinados estímulos del medio ambiente. Con sus detectores perciben sólo determinados detalles del medio ambiente que tienen significación para sus vidas. Ante tales «portadores de significación» reaccionan con actos completamente determinados según un rígido modelo prefijado. Sin embargo, en lo que respecta a los conceptos imperaba al principio todavía una gran confusión.

Fueron las investigaciones de Konrad Lorenz y de Niko Tinbergen las que condujeron por vez primera a un esclarecimiento
conceptual. Demostraron que los animales se encuentran en cierta
medida preprogramados en esferas perfectamente definibles de su
comportamiento, a través de una adaptación filogenéticamente
adquirida. Los animales vienen al mundo con una capacidad innata
de movimiento. Aparte de esto se hallan en condiciones de reaccionar ante determinados estímulos clave de una manera plena de
sentido y tendente al mantenimiento de la especie, sin necesidad
de aprenderlo previamente. Además les son innatas maquinarias
fisiológicas que actúan como mecanismos de impulsión: los animales no aguardan pasivamente a los acontecimientos, sino que en
cada uno de los «estados de ánimo» buscan situaciones estimulantes que permiten el curso de determinados modos de comportamiento. Finalmente, el aprendizaje se encuentra también programado de tal forma que los animales varían su comportamiento,
adaptándolo en el sentido del mantenimiento de la especie. No es
verdad que los animales aprendan con igual facilidad todo y en
todo momento, sino que prefieren determinadas cosas en base a
disposiciones innatas al aprendizaje.

Todas esas capacidades se desarrollan en el curso de la historia
de la especie, y por eso se habla de adaptaciones filogenéticas en el
comportamiento. Así pues, como quiera que nosotros conocemos
nuestro devenir filogenético, resulta razonable plantear la pregunta
de si el comportamiento humano no se encuentra también preprogramado de un modo similar. Si se llegase a establecer que
nosotros reaccionamos también en determinadas esferas de nuestro
comportamiento según normas que nos son prescritas por las
adaptaciones filogenéticas, entonces, por razones fáciles de comprender, esto tendría una importancia decisiva para todas las ciencias que tratan del hombre, y especialmente para la pedagogía y la
sociología. Vamos a analizar esta cuestión en las páginas siguientes,
y al particular procederemos exponiendo primero con ejemplos los
conceptos del estudio del comportamiento animal y discutiendo
después en cada caso las posibles correspondencias en el hombre.
Aquí no sacaremos del animal deducciones para el hombre, sino
que estableceremos en primer lugar únicamente semejanzas: cómo
han de ser interpretadas es algo que requiere cuidadosas investigaciones. Estas semejanzas resultan también notables cuando en el
curso de la historia de las especies se desarrollaron de manera
paralela como analogías puras, o sea, independientes de cualquier
tipo de relación genética. Gracias a su estudio nos enteramos de
aspectos esenciales sobre los principios de construcción y sobre los

factores de selección que produjeron esas semejanzas (sobre la comparación animal-hombre véase también lo dicho en la página 90). Lo que haremos, en esencia, es obtener del estudio del comportamiento animal ciertas hipótesis de trabajo cuya aplicabilidad para nosotros, los humanos, sólo puede ser comprobada, como es natural, mediante investigaciones en el hombre.

1. La capacidad innata

Un patito que acaba de salir del huevo puede andar y nadar con movimientos bien ordenados. Mediante complicados movimientos del pico rebusca comida en el fango, sabe limpiar y lubricar su plumaje, zambullirse en caso de peligro y algunas otras cosas más. Si se quisiese construir un aparato que realizase todos esos modos de comportamiento de un patito recién salido del cascarón, dicho aparato habría de poseer ya una estructura muy complicada. Un sencillo experimento demuestra que el patito no necesita copiar su comportamiento de la madre: hacemos que el patito sea empollado por una gallina clueca. A pesar de ello mostrará el comportamiento típico de un pato. En contra de los esfuerzos de la madre por alejarlo del agua, se dirigirá al agua y buscará comida en el fango. Nunca se le ocurrirá, siguiendo el ejemplo de la madre, ponerse a picotear en busca de granos. Evidentemente los modos de comportamiento le son innatos. Son transmitidos en el proceso de la herencia, y de ahí que se hable también de «coordinaciones hereditarias». Si queremos expresarnos con mayor precisión, no debemos decir que los modos de comportamiento son innatos como tales. Estos, o aún más precisamente, las estructuras orgánicas que les sirven de base (células nerviosas, órganos de los sentidos, órganos realizadores y sus conexiones), se desarrollan en virtud de las indicaciones de desarrollo establecidas en el código genético, y a saber: en un proceso de autodiferenciación, al igual que todo órgano. Cuando hablemos en las páginas siguientes de innato o de adaptado filogenéticamente, será exactamente esto lo que querremos decir. La descripción resumida facilita el entendimiento. Numerosos experimentos de los investigadores del comportamiento han demostrado que las coordinaciones hereditarias no tienen por qué encontrarse ya completamente desarrolladas al nacer o al salir del cascarón. Un ánade silvestre recién salido del huevo no puede cortejar todavía. ¿Tiene que aprender primero los movimientos del cortejo? Se puede comprobar fácilmente que no. Para ello criamos al pato aislado, de tal forma que no pueda copiarle los movimientos a ningún otro animal. Y sin embargo, cuando se presenta la madurez sexual, muestra los modos de comportamiento típicos de la especie. De manera similar puede comprobarse, criando con aislamiento de todo ruido, que a algunos pájaros les son innatas las estrofas del canto típico de la especie. Como en ambos casos se trata de modelos muy complicados de comportamiento, resulta improbable que hayan sido adquiridos por una especie de vía autodidáctica. Porque si fuese así, habría que aceptar entonces la existencia de disposiciones especiales innatas al aprendizaje. Por lo demás, los experimentos realizados con aves privadas artificialmente del oído han demostrado que algunas especies no necesitan ni siquiera escucharse a sí mismas para desarrollar el canto de la especie. También las gallinas completamente sordas desde su más temprana edad desarrollan las expresiones sonoras típicas de la especie.

Los psicólogos del aprendizaje han objetado una y otra vez que tales experimentos en aislamiento no demuestran nada, puesto que nunca se puede criar a un animal completamente libre de toda experiencia: siempre actúa un medio ambiente. Estamos completamente de acuerdo con esto, pero indudablemente es falsa la conclusión de que no se puede separar lo innato de lo adquirido. Si observamos que dos pájaros entonan la misma canción, es muy improbable que la coincidencia sea casual. Si llego hasta escuchar que todos los miembros de una especie cantan lo mismo, entonces hay que excluir con seguridad la casualidad. En un caso así he de aceptar que todos esos cantores han adquirido en un momento dado información sobre el modelo del canto típico de la especie. Podían haber oído el canto, por ejemplo, y haberlo aprendido después. Pero las informaciones que se refieren al modelo del canto podían haber estado también ya codificadas en la masa hereditaria de los animales. En este caso, la especie, en el curso de su historia y por la vía de la mutación, la recombinación y la selección, ha ido recogiendo «informaciones», y nos encontramos por lo tanto ante una adaptación filogenética. La cría con privación de experiencia permite aclarar la cuestión del origen de la adaptación. Si un pájaro, por ejemplo, entona el canto típico de la especie aun habiendo sido criado con aislamiento de todo ruido, entonces se sabe que la información que se refiere al modelo del canto se encuentra en el genoma y ha sido descifrada en el curso de la ontogenia. Naturalmente que al particular desempeñan un papel las influencias del medio ambiente. Lo importante, sin embargo, es la prueba de que en este caso no hubo que ofrecer, durante el desarrollo juvenil, ningún modelo informativo relativo al canto.

Lo que aquí ha sido expuesto con el ejemplo del canto de las aves reza igualmente para cualquier otra adaptación. Las adaptaciones moldean las particularidades del medio ambiente, y de ahí que haya tenido que haber siempre en alguna ocasión un enfrentamiento del sistema adaptado con aquella particularidad del medio ambiente con la que se demuestra que está adaptado. Este proceso de adaptación puede haber ocurrido mediante el aprendizaje individual en el curso del desarrollo juvenil o en el curso de la historia de la especie. Fue Lorenz (1961) quien expuso claramente por vez primera esos nexos causales.

Los mamíferos se encuentran dotados igualmente de coordinaciones hereditarias. En esas criaturas tan capacitadas para el aprendizaje se trata únicamente, en la mayoría de los casos, de breves decursos preprogramados que, mediante el aprendizaje, pueden ser sintetizados en unidades funcionales mucho más grandes. Las ratas, por ejemplo, disponen de una serie de movimientos innatos para la construcción del nido, pero han de aprender, a base de ensayos, la secuencia correcta de esos movimientos. Mas, aun entre los mismos mamíferos, son a veces innatos complicados decursos del comportamiento. Como es sabido, la ardilla de la Europa central esconde en el otoño nueces, bellotas y cosas similares como provisiones para el invierno. Arranca la nuez, se desliza hasta el suelo, busca hasta que tropieza con el tronco de un árbol, con un peñón o con alguna otra estructura destacada del medio, cava allí un agujero con las patas delanteras, deposita la nuez, la aprieta contra el suelo con rápidos movimientos del hocico, echa sobre la nuez con las patas delanteras la tierra que había removido y la apisona finalmente. Las ardillas recién nacidas no pueden hacer todo esto. Pues como «insesores» vienen ciegas y desnudas al mundo. Se las puede criar en aislamiento social y privarlas también de la oportunidad de aprender ese comportamiento mediante la autodomesticación, criándolas con alimento líquido en jaulas metálicas y de piso limpio, de forma que no puedan cavar ni manejar objetos macizos. Y sin embargo tales ardillas acaban dominando, de adultas, la técnica del ocultamiento de la comida. Si se les ofrecen nueces, se comerán las primeras por de pronto. Después de saciadas, no dejarán caer simplemente las nueces que se les sigan ofreciendo, sino que comienzan a explorar, con la nuez en el hocico, el piso del recinto de experimentación, mostrándose especialmente interesadas por los obstáculos verticales. Comienzan a arañar en las bases de las patas de las sillas o en un rincón del cuarto. Después de algunos movimientos tendentes a escarbar, depositan la nuez, tratan de hundirla con golpes del hocico, y, pese a que no pueden escarbar nada en el duro suelo, realizan después con las patas delanteras movimientos en el aire, como si echaran tierra y la apisonaran. Se trata, pues, de un programa de comportamiento que les es innato a los animales como adaptación filogenética. Por lo demás, todo aquel que tenga un perro conoce análogos modos de comportamiento en el animal. Hay muchos perros que antes de echarse a dormir dan vueltas en círculo, como si quisieran apisonar la hierba, o que tratan de enterrar sus huesos en piso firme y echarles «tierra» por encima con el hocico. Los ejemplos muestran de qué manera tan conservadora son transmitidos en el curso de la herencia tales modos de comportamiento, aun cuando son ya innecesarios. A menudo se desarrollan de manera ciega, sin comprensión de sus nexos causales.

¿Hay algo equivalente en el hombre? ¿Se encuentra también dotado de modos de movimiento innatos?

Esta cuestión se puede estudiar fácilmente en el recién nacido, comprobándose que a éste le es innata con seguridad una serie de movimientos. Si tuviese que aprender primero, por ejemplo, el juego entre respirar y tragar mientras mama del pecho, se atragantaría continuamente y moriría probablemente de hambre. El recién nacido realiza movimientos de locomoción si se le conduce erguido por una superficie. Si se coloca a un lactante de pocas semanas de edad boca abajo en una bañera y se le sostiene solamente por la barbilla, hará «movimientos de natación» con una coordinación cruzada. Los recién nacidos pueden agarrar una cuerda gracias a su fuerte reflejo de prensión con la mano. Con un movimiento pendular automático de la cabeza buscan el pecho de la madre; sonríen y dan berridos, por solo indicar algunos de los modos innatos del comportamiento. Menos fácil es contestar a la pregunta de si, además de esto, maduran también modos más complicados de conducta, que habrán de desempeñar un papel mucho mayor en la vida de los adultos. Esto —como hemos dicho— fue puesto durante largo tiempo en tela de juicio, injustamente, como indicaron los recientes experimentos con niños sordos y ciegos.

Sobre el comportamiento expresivo de sordos y ciegos de nacimiento hay muy pocos experimentos. En la mayor parte de las publicaciones sobre los sordos y ciegos se describe sólo en rasgos muy generales el comportamiento de las personas (Wade, 1904; Salmon, 1950; Myklebust, 1956). Una excepción es la publicación de Goodenough (1932), en la que se describe de manera muy precisa el comportamiento expresivo de una niña de diez años, sorda y ciega de nacimiento. La niña podía reír efusivamente cuando encontraba su muñeca; enojada, apartaba la cabeza y fruncía los labios; en la ira, sacudía la cabeza y mostraba los dientes apretados.

Como los sordos y ciegos crecen en determinadas condiciones

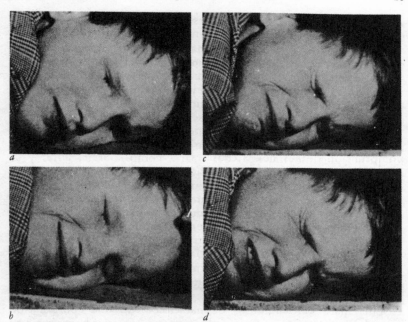

Figura 1: Diversas expresiones del rostro de Sabine, nueve años de edad, sorda y ciega de nacimiento: (a) sonriendo, (b)-(d) gimiendo hasta llorar.

de privación de experiencia que pueden ser exactamente descritas —no pueden copiar de nadie el modo de comportarse, ni tampoco pueden oír indicaciones—, su comportamiento es instructivo para quien estudie la cuestión de las adaptaciones filogenéticas en el comportamiento humano. Según la opinión de algunos investigadores orientados a la teoría del medio ambiente, el hombre aprende hasta la misma mímica, pese a que Darwin ofreció datos y razones suficientes para aceptar lo contrario. Esta opinión es sustentada, por ejemplo, por La Barre (1947), Birdwhistell (1970) y Montagu (1968), sin que, por cierto, ofrezcan prueba alguna de su hipótesis del aprendizaje. Desde 1966 el autor sigue el desarrollo de niños sordos y ciegos de nacimiento, primero en el Asilo de Ciegos de Hannover y luego en el Centro para Sordos y Ciegos de Hannover[1]. La minuciosa documentación fílmica demuestra que las

---

[1] Mientras se encontraba este libro en prensa apareció un tratado sobre el comportamiento expresivo de los sordos y ciegos de nacimiento («The Expressive Behaviour Of The Deaf and Blind Born») en el volumen *Nonverbal Behaviour and Expressive Movements,* editado por Carnach y Vine.

adaptaciones filogenéticas determinan el modelo de los movimientos del rostro.

Esos niños, que se crían en una oscuridad y silencio eternos, ríen y lloran como nosotros pese a que no han podido copiar estos gestos de nadie (figs. 1-3). En caso de enojo muestran las arrugas verticales de la ira y golpean con el pie en el suelo; en resumen: en esos niños van madurando poco a poco los complicados movimientos del rostro.

Las series de imágenes tomadas de una película muestran a una niña de nueve años, sorda y ciega de nacimiento; dan prueba de los principales movimientos del rostro, como sonreír, llorar y la expresión del enfado, y además modos de comportamiento tendentes al rechazo del contacto y a la búsqueda del mismo (figs. 4-8).

En ocasiones se ha alegado que los sordos y ciegos de nacimiento podían orientarse con ayuda del tacto sobre la mímica de sus semejantes y aprender así los gestos. He examinado a niños

Figura 2: Sabine riendo.

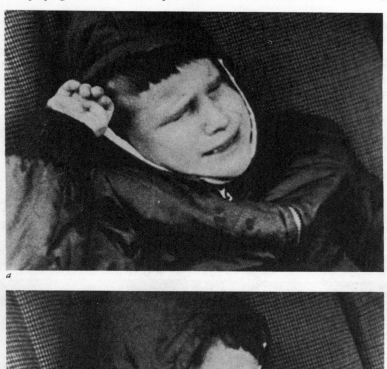

a

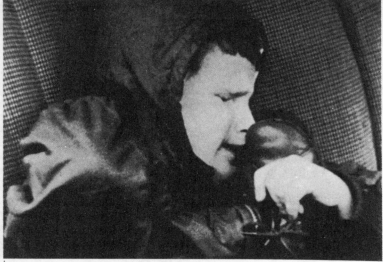

b

Figura 3: Sabine llorando. Expresión de gran desesperación. Se quedó atrás sola y se abrazó finalmente a su pie. Normalmente se hubiese abrazado a la persona que le sirve de referencia. El abrazarse a sí mismo puede observarse también en los pequeños primates no humanos cuando se quedan solos.

que por la acción del Contergan eran sordos y ciegos de nacimiento y que con sus muñones no podían orientarse sobre el
comportamiento de los semejantes. Pese a todo, muestran los
movimientos del rostro que le son típicos a nuestra especie (fig.
9). Finalmente hay que contar con la posibilidad de que los
semejantes conformen con sus respuestas el comportamiento de

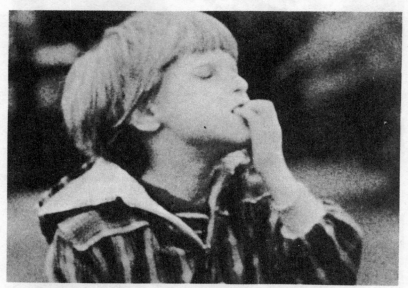

Figura 4: Sabine enfadada.

los sordos y ciegos. Recompensar un determinado comportamiento
es reforzarlo. Sabemos por los experimentos de Skinner que de
esta manera es posible formar, paso a paso, modelos realmente
complicados de comportamiento. Pero con los sordos y ciegos
nadie se toma ese trabajo. La única posibilidad que queda sería
un «shaping» impremeditado.

Uno se puede imaginar perfectamente que la sonrisa es reforzada por las amistosas respuestas que provoca. Pero antes que eso es
preciso que se presente reconociblemente como tal. Lo que resulta
difícil de imaginarse es cómo se adquiere de ese modo la mímica
de la ira y cosas similares, modos del comportamiento que, con
frecuencia, hasta tienen el castigo por consecuencia. Mencionemos finalmente que hasta niños con graves lesiones cerebrales, a quienes apenas se les puede enseñar a llevarse una cu-

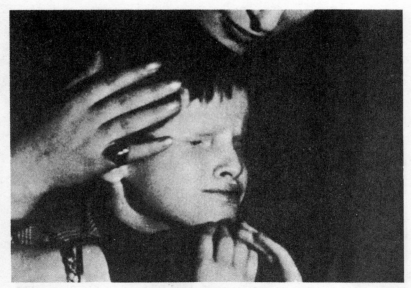

Figura 5: Buscando consuelo en la madre.

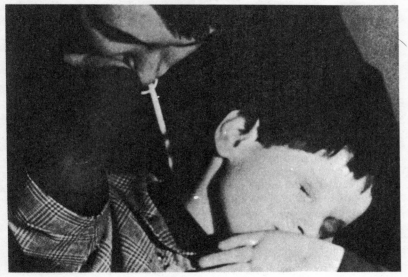

Figura 6: Toma activa de contacto con la madre.

chara a la boca, dominan los complicados movimientos del rostro. En julio de 1972, en el Instituto para Ciegos de Taipei, pude observar y filmar a un niño chino de diez años, sordo y ciego de nacimiento. Las películas, que se encuentran archivadas en el Humanethologischen Filmarchiv de la Max-Planck-Gesellschaft (Archivo Fílmico de Etología Humana de la Sociedad Max Planck), muestran que la mímica del niño chino coincide en lo esencial con la de su compañero de fatigas europeo.

Mediante las observaciones realizadas con sordos y ciegos puede considerarse como refutada la hipótesis de que la mímica humana es aprendida: de ahí que tengan un gran interés teórico. Algunos modelos de expresión más complejos, como el del embarazo, por ejemplo, no logré hallarlos. Pero esto no demuestra que esos modelos hayan de ser aprendidos. Para desencadenar tales modos del comportamiento son necesarias complicadas señales ópticas y acústicas, que nunca pueden ser recibidas por sordos y ciegos. Entre los ciegos de nacimiento pueden desencadenarse ya de manera verbal expresiones tan complicadas como la del embarazo. Discusiones más detalladas sobre este tema y un inventario de los modos de comportamiento de los sordos y ciegos de nacimiento pueden encontrarse en Eibl-Eibesfeldt, 1972a y 1973.

Además se comprueba también entre los sordos y ciegos que ciertas actitudes sociales básicas maduran incluso en contra de los esfuerzos de los educadores. Así, aunque todo el mundo intenta infundirles seguridad a esos niños, siendo simpáticos con ellos, los niños, por medio de su sentido del olfato, distinguen a las personas extrañas de las conocidas y desarrollan también —entendámonos: sin haber tenido nunca experiencias desagradables con los forasteros— el temor por el forastero, que le es típico a todo niño. El rechazo al forastero, que se observa en las más diversas culturas, se basa tal vez en esta disposición.

El cuidadoso examen de sordos y ciegos puede contribuir también a dilucidar la cuestión de si ciertas normas éticas son innatas (véase también pág. 73). Al respecto quisiera remitirme a algunas observaciones que pude hacer con un niño de trece años que había quedado ciego y sordo a los 18 meses[2]. A ese niño le asaltaban ocasionalmente ataques de rabia. Cuando se le pasaban, se comportaba como si tuviese remordimientos de conciencia, pese

    [2] Por su colaboración en la recogida de datos quisiera darle aquí mis más efusivas gracias a la señora U. Sigmund, quien, en calidad de maestra de sordos y ciegos, cuida de esos niños en el asilo regional para ciegos de Hannover. Expreso además mi agradecimiento al maestro de sordos y ciegos K. H. Baaske, director del asilo, por el apoyo que me prestó en mi trabajo.

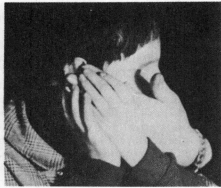
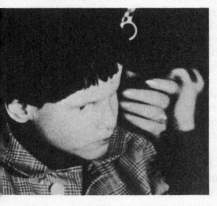

Figura 7: Sabine invita a su madre a que la acaricie. Atrae hacia sí activamente la mano de la madre.

a que no se le imponían castigos corporales. Después de tales ataques de rabia se quedaba tranquilo, se chupaba el pulgar y alargaba después de un rato la mano abierta, movimiento éste que utilizaba siempre que buscaba contacto. Dominaba ya algunas palabras con el alfabeto por tacto, y se relajaba inmediatamente cuando se le otorgaba el contacto. En cierta ocasión mordió a la maestra. Al día siguiente, mientras jugaba, rozó la reciente cicatriz en su brazo. Hasta ese momento había reído. Enmudeció inmediatamente después e hizo la señal de «dolor» (¿duele?) con el lenguaje de signos por contacto. Cuando la maestra respondió con la contrapregunta «¿Quién lo ha hecho?», respondió él con su nombre: «Harald». Entonces le transmitió la maestra: «Mañana estará de nuevo bien», ante lo cual Harald se puso de nuevo alegre, se echó a reír y comenzó un juego que solo hacía cuando estaba de muy buen humor: abrazó a la cuidadora y le restregó la cabeza con su frente.

Dado que por entonces Harald no se encontraba todavía en condiciones de conversar con sus semejantes sobre temas complicados y conceptos abstractos, su comportamiento diferenciado resulta muy notable. Mostraba evidentemente «conciencia». Es difícil imaginarse cómo habría podido aprender eso. Es cierto que se trató de enseñarle las palabras «bueno» y «malo», escribiéndole en la mano, por ejemplo, después de morder a alguién: «Harald es malo, muerde a Sabine». Además de esa objetiva comunicación, Harald nota temporalmente una interrupción del contacto amistoso cuando es agresivo. Pero tales suspensiones del contacto se dan varias veces al día, también en otras situaciones, y son abruptas en la mayoría de los casos, pues él no percibe las señales preparatorias que indican que un compañero tiene la intención de retirarse. Esas rupturas de contacto no llevan a ninguna depresión. La capacidad de lamentarse a continuación por su comportamiento y de mostrar remordimientos de conciencia podría ser perfectamente la expresión de una disposición innata. También es importante otra observación hecha en Harald en relación con el tabú del incesto, que será objeto de discusión más adelante (pág. 80). Harald no da muestras de ningún tipo de interés sexual por aquellas niñas con las que se crió, pero sí por las personas adultas del otro sexo que sólo llegó a conocer más tarde en su vida.

Con todo, no se debe olvidar que la información obtenida del estudio de sordos y ciegos es más bien limitada. Muchos de los más complicados modos de comportamiento interhumano son provocados, como ya se ha dicho, por señales ópticas y acústicas. Sonreímos a nuestros semejantes, coqueteamos con determinados movimientos de los ojos, hacemos cumplidos al decir cosas agradables y recibimos por ello las respuestas esperadas. Si se quiere saber lo que se oculta de innato en tales modos de conducta más complicados, hay que seguir otros caminos. En primer lugar se pueden hacer experimentos con los ciegos de nacimiento, que reaccionan de manera muy sensible a la palabra hablada. Una niña de diez años, a quien felicité por su bella interpretación al piano, clavó en mí brevemente sus ojos muertos, cesando en ese momento los inquietos movimientos oculares que se observaban por lo común en ella, bajó luego la cabeza, se sonrojó, sonrió «azorada» y me miró de nuevo, como haría cualquier muchacha normal cuando se encuentra azorada. Otro de los experimentos que hemos realizado consiste en pedir a un ciego de nacimiento que nos represente determinadas situaciones y comparar la expresión de su rostro con

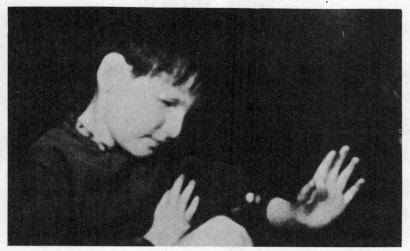

Figura 8: Sabine rechaza una tortuga. Obsérvese el gesto de rechazo con la mano.

la de los niños videntes en situaciones idénticas. También aquí se observa que muchos de los delicados detalles de nuestra mímica y de nuestra gesticulación aparecen de igual modo tanto en los ciegos de nacimiento como en los videntes.

Aún más allá nos conduce la comparación entre culturas. Se puede partir de la idea de que los hombres tienden a transformar culturalmente sus modelos de comportamiento. La multiplicidad de costumbres culturales y el rápido desarrollo de la lengua son pruebas de esa predisposición. Tan solo en Nueva Guinea se hablan varios centenares de lenguas. Se habla expresamente de la evolución cultural como una «pseudoespeciación» (cuasi-desarrollo de la especie). Por otra parte, se encuentran modos del comportamiento que, en contra de esa tendencia, permanecen iguales por encima de las culturas. La suposición de que tales universales fueran otrora transmitidos por contacto cultural no es satisfactoria y en concreto no explica el por qué de ese aferrarse conservador a un modelo.

Por el contrario hay que contar con la posibilidad de invenciones independientes. Se dan casos, efectivamente, en los que los universales pueden ser explicados funcionalmente. Así como la

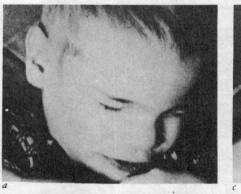
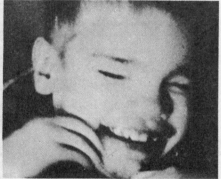

a   *c*

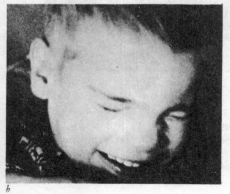

b

Figura 9: Niño de cinco años, sordo y ciego (caso de Contergan), riéndose. El niño sólo tiene muñones muy cortos en vez de manos y no puede, por lo tanto, obtener mediante el tacto ningún tipo de información sobre la mímica de sus semejantes.

forma de la hoja de un hacha se deduce de su función y las hachas muestran por lo tanto en todas partes una forma similar en su hoja, así se explican también las semejanzas en el comportamiento defensivo, por ejemplo, mediante la función de la defensa. Hay que contar también con el hecho de que durante la infancia, hay determinadas influencias formadoras del medio que son idénticas en todas las culturas y que, por lo tanto, pueden conformar de igual modo un comportamiento en las diversas culturas. Sin embargo, no todos los universales pueden ser explicados en modo alguno de esta manera. Nuestra mímica y nuestros gestos, por ejemplo, se desarrollan, al igual que nuestro léxico, al servicio del entendimiento, y el modelo especial de movimientos solo puede ser explicado de manera funcional en el caso de algunos gestos muy particulares. La forma especial de la señal se basa más bien en un «acuerdo» entre el emisor y el receptor. El rígido aferramiento a un código desarrollado en un momento dado en el caso de los universales, apoya la idea de que en estos casos se trata de adaptaciones filogenéticas. Además de esto se puede deducir la presencia de una base innata cuando en determinadas culturas se desarrollan determinadas inclinaciones en contra de los esfuerzos de la educación y en los más diversos ambientes.

Podría creerse que resulta relativamente fácil aislar las cosas comunes que unen a los hombres por encima de las diferencias culturales. El hombre es, con toda seguridad, la criatura más filmada en la tierra, y lo lógico es que uno espere encontrar en los grandes archivos fílmicos del mundo numerosas tomas de gente saludándose, coqueteando, de personas airadas y de muchas otras cosas similares de las diversas culturas, y a saber: no con expresión teatral, sino natural. Si uno se toma la molestia de localizar tales películas, constatará rápidamente que escasean los documentos no ficticios del comportamiento social humano. Encontrará abundante documentación sobre la preparación del pan, el tejido de esteras, la construcción de botes, las maneras de hacer fuego y similares, pero cómo mima a sus hijos una madre papúa, una samoana, una india waika y una mujer esquimal, cómo se comportan cuando se enfadan o sienten timidez, nada de esto ha sido filmado. Lo cual es tanto más de lamentar por cuanto tales modos de comportamiento no suelen dejar, en la mayoría de los casos, ninguna huella fósil. Mientras que la técnica del tejido de esteras puede ser reconstruida después, en caso de necesidad, basándose en el tejido, no es posible reconstruir modos de comportamiento social cuando los portadores de una cultura se han extinguido o han sido transculturados. Busco desde hace tiempo, por ejemplo, tomas fílmicas del comportamiento de los aborígenes en los primeros contactos con los europeos, y apenas he encontrado nada hasta la fecha. Si se ha omitido el filmar tal comportamiento, entonces se ha perdido para siempre la oportunidad de hacerlo. Por esa razón nos esforzamos desde hace algunos años por obtener documentación del comportamiento social humano, en tomas fílmicas y magnetofónicas no preparadas, sobre todo entre los pueblos primitivos, que tan rápidamente cambian.

Aprendimos muy pronto que los hombres son increíblemente recelosos y, por lo tanto, difíciles de filmar sin que se percaten de ello. Hemos trabajado con teleobjetivos y desde escondites, y en ocasiones logramos tomas realmente buenas. Pero en seguida notaban los fotografiados nuestra intención, y entonces cambiaban su comportamiento. De lo recelosos que son los hombres puede convencerse fácilmente cada quien, observando a personas que coman solas. Siempre que se llevan un bocado a la boca elevan la mirada como ausentes, y los ojos recorren por un momento el horizonte, para volver a posarse de nuevo en la comida. El procedimiento es tan automático como eficaz resulta ese cerciorarse. La persona no parece estar conscientemente atenta, pero en cuanto algo varía en su entorno, percibe inmediatamente el cambio. Al filmar entre los pueblos primitivos observamos finalmente que el objetivo dirigido directamente a las personas provoca temor, incluso entre gentes que no conocen la existencia del cine. Mi viejo amigo Hans Hass, con quien he colaborado frecuentemente en el proyecto de la documentación del comportamiento social humano, resolvió el problema mediante un artificio técnico: un accesorio que se acopla a la lente de la cámara y que lleva una ventanilla lateral. Un prisma colocado ante el lente refracta los rayos luminosos en 90 grados, de tal forma que se puede filmar de lado (figs. 10 y 11). Ese método ha sido probado por Hass, junto con el autor de este libro, en diversos continentes (Eibl-Eibesfeldt y Hass, 1967). Con esta técnica se puede filmar inadvertidamente a personas incluso a grandes distancias. Los movimientos rápidos los filmamos a cámara lenta, con 48 imágenes por segundo. Si se quiere analizar más tarde los documentos así obtenidos resulta imprescindible levantar *in situ* una ficha técnica exacta. Es preciso saber lo que hacía la persona antes de que fuese filmada, lo que siguió después y en qué contexto se presentó su comportamiento. Sin esta forma del análisis etológico de motivaciones se corre el peligro de caer en interpretaciones subjetivas.

También en la Europa central pudimos filmar inadvertidamente con esos objetivos, incluso desde muy cerca. Los filmados advier-

Figura 10: Cámara con objetivo de espejo. (a) La cámara con el objetivo. (b) El objetivo ampliado.

ten por supuesto al cámara y lo contemplan interesados, pero pronto pierden su interés y prosiguen sus quehaceres originarios. Montando el objetivo de espejo delante de un teleobjetivo, se puede filmar a grandes distancias sin ser observado. Aun entre los pueblos primitivos que nada saben de la cinematografía resultan útiles los objetivos de espejo. Apuntar directamente con la cámara infunde temor al sujeto. Después de una toma con el objetivo de espejo, hemos hecho a veces la prueba de girar la cámara de tal forma que apuntara directamente a la persona o al grupo filmado. Por lo general cambiaba entonces el comportamiento del individuo.

Los acontecimientos que nos cogen por sorpresa los filmamos, por supuesto, directamente. También cuando las personas se encuentran profundamente sumidas en danzas o en otras actividades, dan buenos resultados las tomas directas. Preferimos, sin embargo, las tomas con el espejo, observando con la cámara. Los modos de comportamiento los fotografiamos tal como se desarrollan en su curso natural, aunque a veces los desencadenamos nosotros: por ejemplo hacemos que el intérprete plantee preguntas, cuando queremos filmar, sin ser notados, la afirmación o la negación; o hacemos que las personas prueben diversos alimentos, para obtener, por ejemplo, la expresión de la náusea. Existe una serie de situaciones-test estandarizadas, que permiten provocar en diversas culturas determinados modos de comportamiento (sobresalto, risa, etc.). En los casos últimamente mencionados se eligen de antemano para la toma determinados modos de conducta, mientras que la observación con la cámara es menos selectiva y mucho más libre de prejuicios por parte del observador. Al proceder así filmamos toda interacción social, y, a ser posible, empezamos a disparar cuando la situación permite esperar una referencia social, aunque no sepamos con antelación qué va a ocurrir exactamente. Filmamos, por ejemplo, cuando dos personas se dirigen una hacia la otra, cuando se vuelven una hacia la otra, o cuando una madre coge a su hijo; o sea: cuando tiene lugar una toma de contacto. Dejamos de filmar cuando no sigue ninguna referencia, cuando el comportamiento se repite y el proceso ya lo hemos documentado minuciosamente, y, finalmente, cuando las razones técnicas nos obligan a ello (que se termine el rollo, p. ej.).

La necesidad de obtener documentos que puedan ser analizados también por otros investigadores, en relación con otros problemas, impone exigencias especiales a la recolección adicional de datos.

Ante todo ha de resultar claro el contexto en que se encuentra el modo de comportamiento filmado. Esto se desprende a menudo de la película misma, pero no siempre. Hay que anotar, por lo tanto, en qué *contexto social* se presentó el comportamiento y también qué hizo la persona antes y después de ser filmada.

Esos protocolos sobre la *secuencia* y el *contexto* permiten una valorización ulterior mediante el análisis de correlaciones. Sería falso efectuar la interpretación únicamente a partir de la imagen filmada. Cuando investigamos el comportamiento animal no partimos tampoco de una impresión subjetiva. No decimos que ésta es una actitud de amenaza y aquélla una actitud de cortejo, porque así nos parezca. Sabemos más bien que a esa actitud le sigue regularmente un ataque y a la otra, por el contrario, un apareamiento, y

*ura 11: El autor filmando con el objetivo de espejo ante una choza bosquimana. (Foto: Dieter
.nemann).*

sólo esa experiencia estadísticamente cierta permite deducir la
existencia de una función subordinada. Igualmente hemos de proceder al investigar el comportamiento de los hombres.

Es importante, además, ofrecer también, junto al lugar y la
fecha, datos generales sobre la descripción de la situación. ¿Cómo
fue introducido el investigador en el correspondiente grupo de
personas? ¿Cómo se desarrolló el primer contacto? ¿Qué hizo para
acostumbrar a las personas a su presencia? ¿Hubo acontecimientos
especiales (defunciones, guerras) en el pasado inmediato? ¿Qué
contactos tiene el grupo con blancos y otras personas ajenas a la
tribu? ¿De qué tipo son las interacciones entre el observador y los
observados? ¿Hay intercambio de actos de cortesía? ¿Regalos?
¿Vive en el grupo? Y otros datos por el estilo.

Filmamos con material de 16 mm. Como las películas en color
son menos estables, preferimos las de blanco y negro. La velocidad
de toma cambia. Filmamos la mayor parte de los acontecimientos a
cámara lenta (50 imágenes/ segundo) o con frecuencia normal (25
imágenes/ segundo). Preferimos la cámara lenta, puesto que hace
posible el análisis de rápidos desarrollos de movimiento. Si se tratan
de retener interacciones más largas, utilizamos entonces también la

técnica de la cámara rápida. Esta permite retener protocolos sobre decursos del comportamiento de más larga duración y fijar, por ejemplo, el modelo general del curso de una danza. Con esta técnica se hacen visibles aquellas regularidades que normalmente escapan a la vista. De ese acto de cerciorarse que mencionamos antes solo nos dimos cuenta al revisar las tomas a cámara rápida de personas comiendo. Hans Hass (1968), quien desarrolló este método, ofrece en su libro una serie de pruebas de la ventaja del mismo. Juntos con los documentos fílmicos recogemos, sin ser notados, grabaciones sonoras. Cuando resulta posible filmamos con sincronización sonora. Sobre el archivo, la publicación y el análisis de las películas véase Eibl-Eibesfeldt (1971 b).

Recogiendo de este modo documentos del comportamiento social humano, encuentra uno una serie de pautas comunes, que llegan hasta el detalle. Así, vemos que los hombres de todas las culturas, al saludar amistosamente, sonríen, inclinan la cabeza y elevan las cejas con un rápido movimiento de cerca de un sexto de segundo. Ese saludo con los ojos lo filmé entre los indios de las selvas en los altos del Orinoco, entre los papúas, samoanos, balineses, europeos y entre algunos más (figs. 12-14). Existen diferencias culturales, pero solo se refieren a la facilidad con la que puede ser desencadenado el comportamiento. A los japoneses les parece impropio; los samoanos, por el contrario, saludan a todo el mundo de esa forma y utilizan también esa seña para darle fuerza a una afirmación. Nosotros, los europeos, nos encontramos aproximadamente en el medio. No saludamos así a todo el mundo, pero lo hacemos francamente con nuestros mejores amigos. Utilizamos además el saludo con los ojos al coquetear y cuando damos muy contentos nuestra aprobación. En su significación más general representa un sí a un contacto social. La significación que tiene esa seña en la convivencia humana, como medio silencioso de comunicación, se desprende, entre otras cosas, del hecho de que las mujeres le dediquen a sus cejas tanto amor y atención; colorean también con frecuencia sus párpados superiores y las partes bajo las cejas que quedan expuestas al elevar las mismas. Y sin embargo, ese saludo con los ojos le era desconocido a la ciencia hasta hace poco. Los poetas lo mencionan como un chispeo de los ojos, pero se buscará inútilmente su mención en las obras sobre la mímica humana. Esto se explica por la particularidad de que nosotros

Figuras 12-14: Ejemplos del saludo con los ojos en diversas culturas. Sonriendo al entablar contacto c la mirada y levantando las cejas finalmente (figura 12: de una película de 16 mm. de H. Ha figuras 13 y 14: de una película de 16 mm. del autor).

Figura 12: Francesa.

Figura 13: Bosquimana !kung.

Figura 14: Papúa.

reaccionamos inconscientemente a esa señal, casi de manera refleja. Lo percibimos, pero no conscientemente.

Para obtener una pista del desarrollo filogenético hay que investigar en qué otras situaciones elevamos los humanos las cejas. Lo hacemos cuando observamos con curiosidad algo nuevo, cuando algo nos sorprende y cuando esperamos respuesta a una pregunta. Lo común a todas esas situaciones es que abrimos las puertas de los sentidos para poder percibir mejor. La elevación de las cejas viene a ser un movimiento que acompaña al de abrir los ojos. Fue ritualizado, sin embargo, como movimiento expresivo de la sorpresa.

La rápida elevación de las cejas (saludo con los ojos) ha de ser deducida de esa expresión como diferenciación ulterior. Se trata de una expresión de alegre sorpresa, que se torna inequívoca en este sentido mediante la sonrisa adicional. Por lo demás, existen todavía otras formas del «lenguaje de los ojos». Así, elevamos las cejas cuando estamos de mal humor, y la mirada adquiere con ello algo amenazador (véanse al respecto también las observaciones sobre la mirada fija de amenaza, pág. 149). Arqueamos además las cejas cuando nos apartamos altaneros de un semejante: la cabeza se levanta con un movimiento hacia atrás y se bajan los párpados. Se trata de un cierre simbólico hacia los estímulos sensoriales que parten del individuo despreciado. Algunas personas espiran en ese momento de manera recalcada, como si quisieran expresar que no pueden ni oler a la persona que tienen delante. Por cierto, los griegos han generalizado ese gesto del rechazo social, convirtiéndolo en un movimiento que acompaña a la negación objetiva (véase pág. 47).

También existen, como patrimonio común a muchas culturas, otros modos de comportamiento del contacto amistoso y de la ternura, como el abrazo y el beso; los cuales, por cierto, pueden ser observados entre los chimpancés y han de ser, por tanto, filogenéticamente muy antiguos (fig. 15). Los chimpancés se abrazan mutuamente durante los saludos y establecen contacto con los labios. Ocasionalmente se dan de comer en dicha oportunidad de boca a boca, como hacen también las madres chimpancés —y por cierto, también las madres humanas en numerosas ocasiones—cuando dan de comer a sus pequeños después del destete. Se supone que el beso entre los chimpancés y entre los hombres es un dar de comer ritualizado; coincide con esa interpretación el que en el acto de besar puedan observarse de hecho movimientos con los labios y la lengua tendientes a dar y a aceptar comida, y también, lo que no es nada raro, la transmisión de alimentos (dulces, vino).

En los últimos años hemos recogido una gran cantidad de tomas

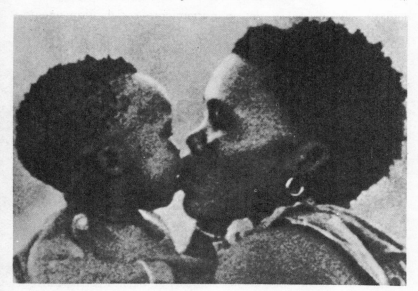

Figura 15: Alimentación de boca a boca (alimentación de beso) entre los bosquimanos !ko. La chica ha puesto sus labios sobre la boca del lactante y le mete comida en la boca empujando con la lengua (de una película de 16 mm. del autor).

naturales de secuencias de comportamiento social; últimamente, sobre todo, entre los indios waika y los bosquimanos del Kalahari (Eibl-Eibesfeldt, 1971 c, d, e, 1972 b, c); actualmente nos dedi-

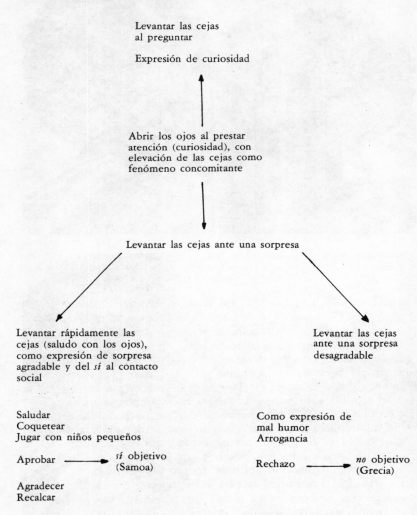

Levantar las cejas
al preguntar

Expresión de curiosidad

Abrir los ojos al prestar
atención (curiosidad), con
elevación de las cejas como
fenómeno concomitante

Levantar las cejas ante una sorpresa

Levantar rápidamente las
cejas (saludo con los ojos),
como expresión de sorpresa
agradable y del *sí* al contacto
social

Levantar las cejas
ante una sorpresa
desagradable

Saludar
Coquetear
Jugar con niños pequeños

Como expresión de
mal humor
Arrogancia

Aprobar ⟶ *sí* objetivo
(Samoa)

Rechazo ⟶ *no* objetivo
(Grecia)

Agradecer
Recalcar

camos a crear un archivo fílmico de etología humana en el seno de la sociedad Max Planck. El estudio comparado de las culturas muestra que en el comportamiento humano hay una gran cantidad

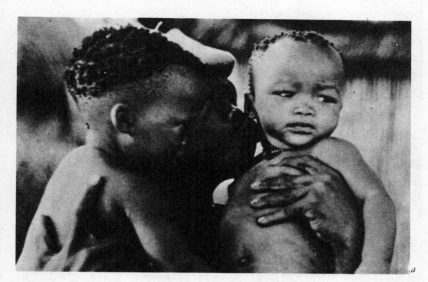

Figura 16: Diversas formas del beso entre los bosquimanos !ko (de una película de 16 mm. del autor). (a) Padre besando a su hija en la mejilla; (b) bosquimana enviándole un beso a un lactante; (c) besando la mano al aceptar un regalo. (b y c en la pág. siguiente).

de universales (figs. 15-18). Tal como ya dijimos, puede ser que algunos de ellos surgieran de condiciones similares en el desarrollo juvenil. Así, en muchas culturas se niega sacudiendo la cabeza, pero de ninguna manera en todas. La amplia difusión del acto de sacudir la cabeza podría haberse desarrollado a partir de un movimiento de rechazo del lactante, el cual, cuando ha saciado su hambre, aparta la cabeza del pecho. Si se le sigue ofreciendo el pecho al niño, este mueve la cabeza hacia ambos lados en actitud de repulsa. No es difícil imaginarse que ha partir de ese primitivo *no* se desarrollara nuestro movimiento que acompaña a la negación. Pero, como se ha dicho, no es verdad que en todas partes se niegue de igual modo. Recordemos que los griegos niegan con un comportamiento igual al del movimiento expresivo de la indignación (fig. 19). Los indios ayoreo del Paraguay, al negar, hacen un remilgo con la boca hasta poner un morro, cierran los ojos y fruncen la nariz (Fig. 20).

Todos esos movimientos que acompañan a la negación tienen en común el recurrir a movimientos expresivos de rechazo ya existentes: al sacudir la cabeza, al sacudirse (uno se sacude también

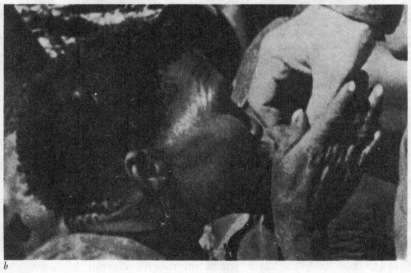

lo desagradable en sentido figurado); el *no* griego, a un gesto de
rechazo social; y el *no* de los ayoreo, al cerrarse funcional ante
estímulos sensoriales indeseables. El rígido cerrar de los ojos y el
fruncimiento de la nariz pueden ser desencadenados, por ejemplo,
molestando a una persona con olores fuertemente desagradables o
cuando se le aplica por sorpresa una excitación táctil. En esas
circunstancias hasta los sordos y ciegos de nacimiento muestran esa
expresión (fig. 21). Por consiguiente, el aporte cultural en el
desarrollo de los diversos movimientos expresivos de la negación
no consiste tanto en la invención de movimientos fundamental-

a   c

Figura 17: Movimientos evasivos rituali-
zados al coquetear: reacción de una chica
samburu ante el contacto con la mirada (de
una película de 16 mm. del autor).

b

Figura 18: Rechazo al contacto con la mirada por parte de un waika. Nuestra visita no fue bien recibida, y mi intento de entablar contacto mediante una sonrisa amistosa tuvo por respuesta un cerrar de ojos y el echar la cabeza hacia atrás. En nuestros ademanes de arrogancia hay elementos de ese rechazo (de una película de 16 mm. del autor).

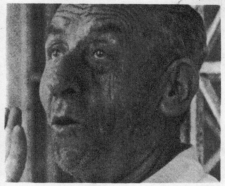

Figura 19: Griego negando: alza la mano en señal de repudio, aparta la vista, echa la cabeza hacia atrás y cierra finalmente los ojos (de una película de 16 mm. del autor).

mente nuevos al servicio de la comunicación averbal, como en el hecho de que a partir del repertorio existente de movimientos de negación se generalizó, por consenso, uno determinado y convertido en un *no* objetivo.

Hay un paralelo interesante al particular en los movimientos de afirmación. En una distribución estadística encontramos que la inclinación de cabeza es el movimiento más difundido de cuantos acompañan a la afirmación. Sin embargo, ya dijimos que algunas culturas (samoanos, indios ayoreo) han elevado el rápido arqueo de cejas a la categoría de movimiento que acompaña también a la afirmación objetiva; lo cual, como puede recordarse, es en su origen un movimiento de afirmación utilizado en el contexto social. Sobre una forma muy interesante de la afirmación, nuevamente de origen distinto, me llamó la atención Harald Sioli (comunicación

Figura 20: Mujer ayoreo negando: cierra los ojos y frunce los labios (de una película de 16 mm. del autor).

epistolar). Observó que los indios mundurucú de las orillas del
río Cururú no sólo expresan la afirmación por medio del tan ampliamente difundido «m - m», sino también mediante una percepti-
ble aspiración doble por la boca abierta. Pues bien, la aspiración
recalcada (un oler ritualizado) se utiliza con frecuencia como
expresión del testimonio de simpatía: como antítesis se espira
frecuentemente en caso de antipatía. Supongo que la aspiración,
como movimiento acompañante de la afirmación, se deriva de una
tal demostración de simpatía.

Antes mencionamos ya la posibilidad de que movimientos
similares hayan podido ser aprendidos, en condiciones similares, en
culturas distintas y de manera independiente. Es así como los
niños, al sentir timidez, esconden el rostro entre las manos, y he
podido observar que en muchísimos pueblos los adultos se comportan de igual modo. Es perfectamente imaginable que la ritualización haya sido aprendida en el curso del mismo desarrollo
juvenil. Al colocar las manos delante del rostro, uno no ve nada y
se encuentra en cierto modo oculto. Efectivamente, los niños

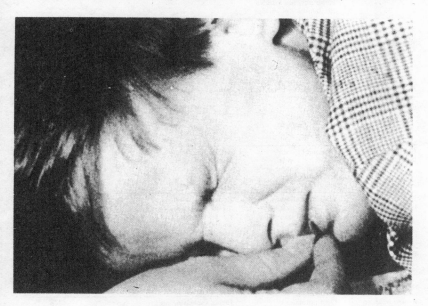

*Figura 21: Sordo y ciego de nacimiento en actitud de rechazo: obsérvese la forma convulsiva
de cerrar los ojos y compárese con las figuras: 18 b y 20 b.*

MOVIMIENTOS EXPRESIVOS AFINES DE DIVERSOS PRIMATES

Nombre	Rostro	Situación	Galago	Lemúrido
Rostro relajado			Sí	Sí
Rostro atento	Ojos muy abiertos, los labios pueden estar despegados	Novedad, etc.	Sí	Sí
Rostro tenso	Ojos muy abiertos, la boca estrecha, hendida	Amenaza segura o ataque	No	No
Mirada fija, con la boca abierta	Ojos muy abiertos, boca abierta, los labios replegados sobre los dientes	Amenaza refrenada o acoso a una fiera	Sí, intención de morder	Sí
Mirar fijamente y enseñar los dientes	Ojos muy abiertos, la boca fruncida en las comisuras, son visibles los dientes y el paladar	Sobresalto, huida, ataques de rabia	Sí	Sí
Fruncir las cejas y enseñar los dientes	Los ojos entrecerrados, las cejas fruncidas, la boca fruncida en las comisuras, son visibles los dientes y el paladar	Sumisión total, animal joven en peligro	No	No
Enseñar los dientes en silencio	Los ojos miran fijamente o se apartan, las cejas relajadas o arqueadas, la boca fruncida en las comisuras, los dientes son visibles	Temor social, o sumisión, o acercamiento amistoso, o mal olor	Sí, en reacciones de protección, no social	Sí
Rostro necio, enseñando los dientes	Lo mismo, con breves manifestaciones sonoras	Sumiso conflicto de huida-acercamiento, malestar de un animal joven	Sí, junto a sonidos de amenaza defensiva, o chasquidos de la boca en un animal joven	Sí
Chasquear con los labios	Movimientos de absorción con la dentadura y sacar la lengua, ojos muy abiertos	Saludo, cuidado sexual de la piel	No	Raramente
Fruncir los labios	Ojos muy abiertos, la boca proyectada hacia adelante en las comisuras, boca en posición de pronunciar la «o	En sonidos tendientes a establecer contacto, y especialmente en el animal joven al pedir	No	Sí
Rostro gritón	La boca muy proyectada hacia delante en las comisuras, «boca de trompeta»	En manifestaciones sonoras a través de grandes distancias	No	Sí
Rostro relajado y de boca abierta	Ojos normales o estrechos, la boca abierta y altas las comisuras, cejas en posición normal	Juego, especialmente en riñas juguetonas	No	No

Capuchino	Ateles	Pavián	Macaco	Chimpancé	Hombre	Denominación en el hombre
Sí	Sí	Sí	Sí	Sí	Sí	
Sí	Sí	Sí	Sí	Sí	Sí	
Sí, ¿cejas enarcadas?	¿?	Sí, cejas enarcadas	Sí, cejas en posición normal	Sí, cejas fruncidas	Sí, cejas fruncidas	Mirada silenciosa y penetrante
Sí, cejas enarcadas	Sí	Cejas arqueadas	Cejas en posición normal	Cejas fruncidas	Cejas fruncidas	Llamada airada o insulto
Sí	Sí	Cejas arqueadas	Cejas en posición normal	Cejas arqueadas	Cejas arqueadas	Gritar
¿?	¿?	Sí	Raramente	Sí	Si, ojos estrechos	Llorar intenso
Sí	Sí, pero también al atacar	Sí	Sí	Sí, frecuentemente al saludar	Si, ojos estrechos	Sonreír amistosamente
Sí, junto a sonidos de amenaza defensiva y chillidos en el animal joven	¿?	Sí	Sí	Sí	Sí	Gritar implorando, risa nerviosa
Sí	Sí	No	Si, cejas arqueadas	Raramente	No	
¿?	¿?	Sí, cejas arqueadas	Sí	Sí	Principalmente en el lactante	Mostrar enfado, implorar
¿? (notado en monos aulladores al aullar)	No	¿?	¿?	Sí	Raramente	Vociferar, plañir
No	Sí	Sí	Sí	Sí, al regañar y gruñir	Sí, al reír, ojos estrechos	Reír, jugar

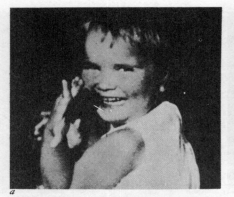

Figura 22 (a)-(c): Niña de tres años ocultando tímidamente el rostro. La pequeña se había lavado las manos y le pregunté: «¿Están limpias? ¡Enséñamelas!», a lo que respondió coquetamente «No»; pero luego me enseñó sus manos y ocultó a continuación el rostro. Obsérvese también el levantamiento de los hombros como posición de ocultamiento (de una película de 16 mm. del autor).

(d)-(f): Niña de seis años (germanoamericana) ocultando tímidamente el rostro (de una película de 16 mm. del autor).

pequeños juegan al escondite ocultándose únicamente mediante un cerrar de ojos. Pero a esta interpretación completamente plausible se le opone el que los ciegos de nacimiento oculten igualmente el rostro ante un gran azoramiento (figs. 22, 23, 24, 25).

Muchos de los movimientos expresivos del hombre tienen modos homólogos de comportamiento entre los primates no humanos (figs. 26, 27, 28). En el cuadro anterior, que hemos tomado de un trabajo de Jolly (1972), se encuentran ordenados de manera clara una serie de movimientos expresivos afines de diversos primates.

2. *El conocimiento innato*

Los animales no solamente se encuentran dotados de determinados modos de movimiento, también están en condiciones de

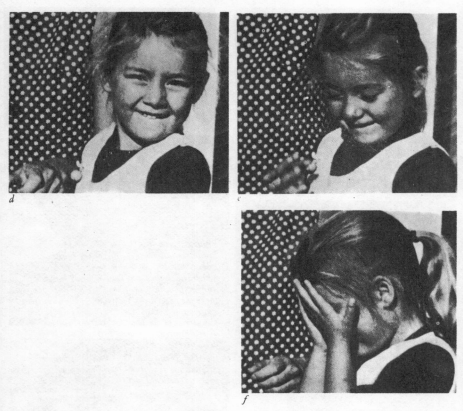

reaccionar ante determinados estímulos o combinaciones de ellos
aun cuando los perciban por primera vez en su vida.

Una rana que, recién transformada, trepa a la orilla no ha de
aprender primero a cazar insectos con un golpe de lengua. Pese a
que hasta ese momento, como renacuajo, había vivido de algas,
que raspaba por la base con sus mandíbulas corniformes, de ahí en
adelante sabe atrapar pequeñas presas mediante un certero golpe
con la lengua. Experimentos hechos con simuladores demostraron
que trata de coger al vuelo todo cuanto se mueva, incluso pequeñas
hojitas o piedrecillas. Pero en seguida aprende a evitar lo incomes-
tible, y de esta forma la reacción no selectiva le conduce a objetos
móviles, pues en la mayoría de los casos la presa se mueve en el

Figura 23: Una joven !ko ocultando tímidamente la parte inferior del rostro. Reacción al piropo «Eres guapa». Obsérvese también el lenguaje con los ojos: bajar los párpados y apartar la mirada como medio para interrumpir temporalmente el contacto, y, finalmente, reestablecimiento del contacto con la mirada (de una película de 16 mm. del autor; fotos 1, 9, 13, 25, 30 y 38 de una secuencia filmada a 50 fotogramas/segundo).

a

b

c

d

e

f

campo visual de la rana. La capacidad de reaccionar de manera innata a simples estímulos clave —en este caso, objetos en movimiento— presupone un aparato que, como un filtro de estímulos, reaccione ante determinados estímulos del medio ambiente y que únicamente en presencia de éstos desencadene determinados modos de comportamiento. Ese mecanismo es denominado el mecanismo desencadenador innato. Podría hablarse también de detectores innatos.

A través de tales mecanismos desencadenadores innatos son desencadenadas muchas de las reacciones sociales de los animales, como el cortejo, la lucha, las reacciones consecutivas, la sumisión, etc. En el caso del comportamiento macho-hembra, el compañero ha desarrollado en la mayoría de los casos señales que le son igualmente innatas (manchas de colores, dibujos en el plumaje, movimientos expresivos, olores, manifestaciones sonoras y similares) y con las cuales se encuentran sintonizados los mecanismos desencadenadores innatos de los receptores. A esos rasgos característicos, desarrollados al servicio de la emisión de señales, se les llama «desencadenadores». La mayoría de los peces de los corales no ven jamás de jóvenes a sus padres, pues se crían en el plancton del mar. Solamente después de finalizar su estadio de larva pueblan los bancos de coral, y cuando se presenta la madurez sexual han de «saber» en qué se reconoce a un rival o a un compañero de la unión sexual. Ese conocimiento sólo puede ser innato.

Experimentalmente se ha comprobado esto en una serie de animales. Los gasterósteos machos ocupan un territorio por la época de la procreación. Al mismo tiempo adquieren un vientre rojo y expulsan a los rivales. Las hembras, por el contrario, se caracterizan por un abultado vientre plateado y son cortejadas. Pues bien, si se le exhibe a un macho gasterósteo una imitación exacta, pero que no presente ni un vientre rojo ni uno hinchado y plateado, entonces el macho no hará caso alguno a ese objeto. Sin embargo, atacará inmediatamente a una simple salchicha de cera

Figura 24: Formas de ocultar tímidamente el rostro:
(a) Balinesa, reacción al piropo «Me gustas».
(b) Samoana (había contemplado la foto de un joven); reacción a la observación: «Parece que te gusta mucho».
(c) Chica papúa de la tribu de los woitapmin; reacción ante la sonrisa de un europeo.
(d) Joven bosquimana !ko; se había burlado de mí y creía no haber sido vista; a continuación la contemplé sonriente.
(e) Indio waika; había coqueteado con una chica y a continuación le hicieron burlas sus compañeros de tribu.
(f) Turkana; reacción a un piropo.
(De una película de 16 mm. del autor.)

que sea roja por abajo; y cortejará a salchichas de cera que estén plateadas y abultadas en la parte inferior. También los gasterósteos que son criados en aislamiento se comportan de tal modo (Tinbergen, 1951; Cullen, 1960).

Hay casos en los que los estímulos desencadenadores son configurados. Es así como la hembra de una de nuestras luciérnagas de la Europa central emite un modelo luminoso compuesto por dos columnas y dos puntos. Los machos de esa especie se dejan caer ante la vista de ese modelo, y aterrizan así juntos a sus hembras. Con una plantilla adecuada, que se coloca ante una linterna, se pueden recolectar machos de esa especie.

Numerosos experimentos han dado por resultado que, con frecuencia, los modos de comportamiento pueden ser activados a través de varios estímulos clave; cada uno de ellos, sin embargo, actúa también perfectamente por separado. Si se ofrecen juntos, se suman entonces sus eficiencias. Se ha hallado, además, que se pueden preparar simuladores artificiales que superan con mucho en eficacia al objeto natural desencadenador. Si se le ofrece a un pájaro ostrero un huevo que sea linealmente cuatro veces mayor, abandonará entonces su puesto y tratará de colocarse sobre ese huevo gigantesco.

Recientemente ha podido probarse hasta en los mismo monos la existencia de mecanismos desencadenadores innatos. Sackett crió a monos Rhesus en aislamiento, en jaulas en las que no podían ver el exterior ni observar tampoco sus imágenes reflejadas. Sus experiencias visuales las adquirían mediante diapositivas que les eran proyectadas en la pared de la jaula. Se trataba de imágenes de monitos, paisajes, figuras geométricas y otras cosas parecidas. Apretando una palanca, los monitos podían proyectarse ellos mismos cada imagen, una vez que ésta les había sido proyectada. Se iluminaba entonces durante 15 segundos, y durante un período de 5 minutos podían repetir los monitos la proyección autónoma. La frecuencia de la elección de una imagen era expresión de las simpatías de que gozaba la misma.

Se comprobó que los monitos contemplaban con gusto las imágenes de otros monitos. La frecuencia de las exposiciones voluntarias de tales imágenes aumentó rápidamente y los monitos emitían al verlas sonidos tendientes al contacto, se acercaban a las

Figura 25 (a)-(b): Reacción de un niño ciego de nacimiento, de unos once años, a la pregunta: «¿Tienes una amiga?» Ocultó el rostro y dijo: «¡No filmen!»

(c)-(e): Reacción del niño cuando fingió alegre sorpresa, encontrándose, sin embargo, realmente avergonzado.

(De una película de 16 mm. del autor.)

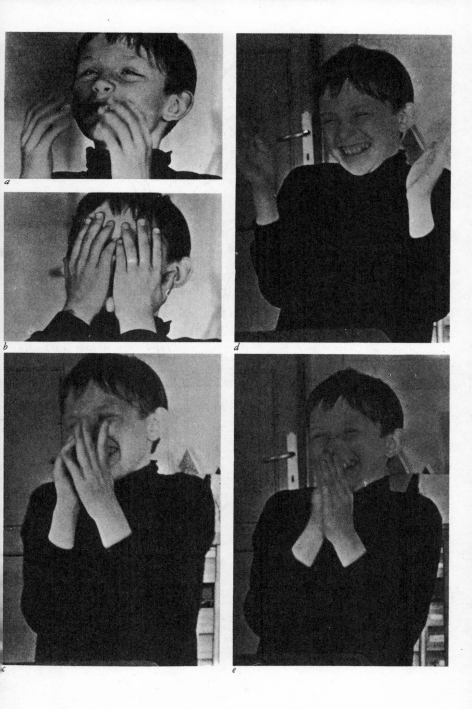

Figura 26: Juego interespecífico. El chimpancé, en el papel activo, muestra la expresión facial relajada con la boca abierta (relaxed open mouth display), *acompañándola de llamadas «aj-aj». El niño, que asume un papel más bien pasivo, ríe. Tomado de Eibl-Eibesfeldt (1972 a), según J. A. van Hooff (1971).*

Figura 27: Los homólogos de la sonrisa y la risa humanas en los chimpancés: (a) rostro con la boca abierta (sonrisa); (b) rostro relajado con la boca abierta (risa). Tomado de Eibl-Eibesfeldt (1972 a), según J. A. van Hooff (1970).

Figura 28: La evolución filoge-nética de la sonrisa y de la risa según J. A. van Hooff (1971). A la izquierda la línea evolu-tiva que conduce al gesto mudo de enseñar los dientes (silent bared-teeth display) *y al gesto de enseñar los dientes emitiendo chillidos* (bared-teeth scream). *El gesto mudo de enseñar los dientes es al principio una reac-ción de sumisión, más tarde una reacción amistosa.* hbt = horizontal silent bared-teeth display; vbt = vertical silent bared-teeth display; obt = o-pen mouth silent bared-teeth display. *A la derecha: línea evo-lutiva que conduce a la risa partiendo de la expresión facial relajada con la boca abierta* (play face, relaxed open mouth face) *como señal del juego. Tomado de Eibl-Eibesfeldt (1972 a), según J. A. van Hooff (1971).*

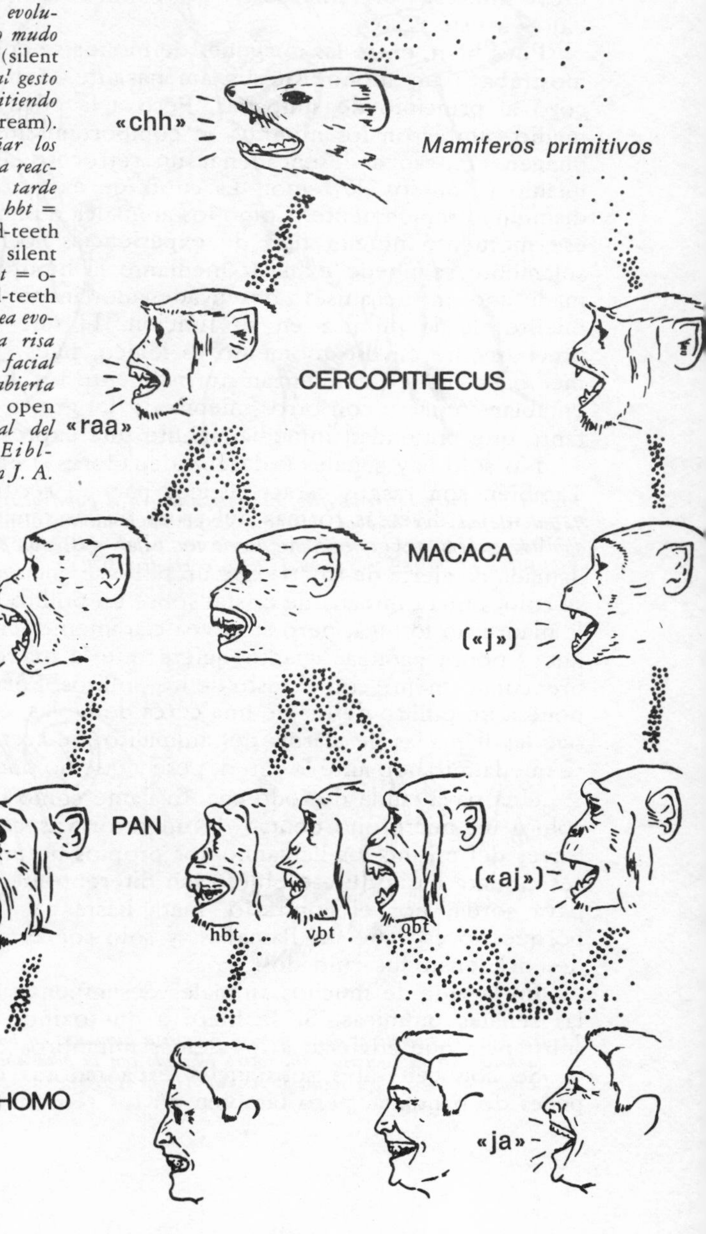

imágenes y trataban de jugar con ellas. Las imágenes que no
mostraban a ningún monito sólo despertaban, por el contrario, un
breve interés, y el número de exposiciones voluntarias se mantenía
bajo en este caso.

Pues bien, entre las imágenes de monos se encontraba una que
mostraba a un mono Rhesus amenazante. También esa imagen
gozó al principio de simpatías. Pero a la edad de dos meses y
medio cambiaron los monitos su comportamiento. De repente la
imagen empezó a desencadenar un retroceso, un abrazarse a sí
mismo y sonidos de temor. La cuota de exposiciones voluntarias
disminuyó rápidamente. Como los animales no habían tenido hasta
ese momento ningún tipo de experiencias sociales, ese cambio
solamente se puede explicar mediante la hipótesis de que había
madurado un mecanismo desencadenador innato para el reconocimiento de la mímica en su función. El que esto tenga lugar
precisamente en ese momento es lógico, pues a los dos meses y
medio es cuando comienzan normalmente los animales jóvenes a
entablar contacto con otros miembros del grupo, y aquí es importante que entiendan inmediatamente una expresión de amenaza.

No sólo hay señales («desencadenadores») en la esfera óptica.
También son rasgos característicos para el reconocimiento de la
especie las diversas formas del croar de las ranas, el canto de los
grillos o los gorgojeos de las aves. Las gallinas solo notan por la
llamada de alerta de su cría que un pollo se encuentra en apuros. Si
se coloca una campana de cristal sobre un pollito, de tal suerte que
la madre no lo oiga, pero sí lo vea claramente, entonces el peque-
ñuelo podrá patalear cuanto quiera que la madre se alejará des-
preocupadamente con el resto de los pollitos. Por el contrario, si se
pone a un pollito detrás de una cerca de tablas, entonces la madre
oye las llamadas de alarma del animalito. Se acerca rápidamente y
se queda mirando ante la pared, pese a que no puede ver a su hijo.

Una pava cuida de todo cuanto llame como un pavezno. Si se
coloca un micrófono dentro de un turón disecado y se envían a
través del mismo los llamamientos propios de un pavezno, entonces cuidará hasta de ese objeto tan diferente de un pavezno. Una
pava sorda, por el contrario, mata hasta a su propio pavezno
porque no escucha sus llamadas, y sólo son estas señales las que
desencadenan sus cuidados.

En la vida de muchos animales desempeñan un papel especial
las señales químicas. Si se hiere a un foxino, éste segrega una
substancia que advierte a los demás miembros del cardumen.
Se conocen tales substancias espantadoras en muchos otros
peces de bandada, pero también en los renacuajos del sapo *Bufo*

bufo, que nadan en grupos. Muchas de las hembras de mariposa atraen por medio de especiales substancias olorosas. Los machos de los bómbices se encuentran tan delicadamente afinados para la recepción de esas substancias que pueden encontrar a una hembra situada a kilómetros de distancia. Muchos mamíferos se entienden gracias al lenguaje de los olores, como sabe todo aquel que tenga un perro. En los perros desempeñan un papel especial las marcas olorosas, que pone el animal en el territorio en que vive, igual que las placas de las puertas.

Hoy en día podemos contestar ya afirmativamente a la pregunta de si también nosotros, los humanos, asimilamos determinados datos del medio ambiente en base a detectores que nos son innatos y antes de poseer una experiencia al respecto. Steiner y Horner (1972) demostraron que las expresiones del rostro que siguen a los sabores dulce, ácido y amargo pueden ser desencadenadas ya con certeza en los recién nacidos. Hasta dos lactantes nacidos sin cerebro (aencefálicos) mostraban las reacciones típicas. De ahí que la capacidad de responder a determinadas impresiones gustativas con determinados modos de comportamiento no dependa de los procesos de aprendizaje.

En el año de 1971 apareció en la revista americana *Science* un artículo de los investigadores Ball y Tronick, que experimentaban a la sazón con lactantes de dos a once semanas de edad. Ya a esa temprana edad, los niños, sujetos con hebillas a sillitas, reaccionaban ante sombras que se agrandaban simétricamente, como si se acercase un objeto que fuese a chocar contra ellos. Hacían movimientos para defenderse y apartarse y se mostraban agitados. Por el contrario, si las sombras se extendían asimétricamente, como si un objeto pasase de largo, entonces no se observaba ninguna de esas reacciones. T. G. Bower (1971) expuso su opinión sobre esos experimentos de la manera siguiente:

La precocidad de esa reacción es realmente sorprendente desde el punto de vista tradicional. Efectivamente, me parece que esos descubrimientos son fatales para las teorías tradicionales del desarrollo humano. En nuestra cultura resulta inverosímil que un niño de menos de dos semanas de edad sea golpeado en la cara por un objeto que se aproxima, de tal forma que ninguno de los niños en estudio puede haber aprendido a tenerle miedo a un objeto que se acerca y a esperar de él propiedades táctiles. Sólo podemos sacar la conclusión de que en el hombre hay una unidad primitiva de los sentidos, con consecuencias táctiles de especificación visualmente variable, y de que esa unidad primitiva se encuentra anclada en la estructura del sistema nervioso humano.

(The precocity of this expectation is quite surprising from the traditional point of view. Indeed, it seems to me, that these findings are fatal to traditional theories of human development. In our culture it is unlikely that an infant less than two weeks old has been hit in the face by an approaching object, so that none of the

infants in the study could have learned to fear an approaching object and expect it
to have tactile qualities. We can only conclude that in man there is a primitive unity
of sense, with visual variables specifying tactile consequences, and that this primitive unity is built into the structure of the human nervous system).

La facultad de aunar impresiones visuales y táctiles antes de
toda experiencia se desprende también de otros experimentos de
Bower. Ya a la edad de dos semanas, los lactantes tratan de coger
los objetos que ven, aunque con mala orientación, desde luego. Si
con una técnica de proyección especial se le crea a un lactante la
ilusión de un objeto situado ante él, entonces el lactante se
muestra claramente perturbado si coge en el vacío durante sus
intentos de agarrar. Aumenta la frecuencia de su pulso y llora con
frecuencia. Si, por el contrario, se le deja que coja también un
objeto visto, permanecerá sereno. El mundo se corresponde entonces con sus esperanzas y está en orden.

Si se pone a un lactante sobre una placa de cristal colocada
encima de un foso, el niño se queda petrificado. Da muestras de un
miedo innato a sufrir una caída. Como pudo comprobarse, los
niños que participaron en el experimento no habían tenido experiencias al respecto.

Al hombre le son igualmente innatas diversas manifestaciones
de percepción de constancias. En cierto experimento se adiestró a
lactantes para que accionasen mediante un movimiento de cabeza
un conmutador eléctrico colocado en sus cabezales, cuando apare-
cía un cubo de 30 cm. de arista, que se les enseñaba a 1 m. de
distancia. Una vez aprendido esto, se les mostraba, a 6 m. de
distancia, un cubo de 90 cm. de arista, intercambiándolo con el
cubo de adiestramiento. Resulta notable que los niños sólo reaccionaban raras veces ante el cubo mayor, pese a que éste, a 6 m. de
distancia, proyecta en la retina una imagen del mismo tamaño que
la del cubo de adiestramiento a 1 m de distancia.

Si un objeto rueda por el suelo y va a parar detrás de otro que
lo oculta a la vista, sabemos, sin embargo, que el objeto sigue
estando allí. Según la teoría clásica, aprendemos esto haciendo de
niños las experiencias correspondientes cuando buscamos objetos
desaparecidos. Bower, en presencia de lactantes, ocultó objetos con una pantalla. Si al retirar después la pantalla el objeto quedaba
visible de nuevo, los niños no daban muestra ninguna de intranquilidad. Pero si había quitado el objeto disimuladamente, hasta los
niños de 20 días de edad se mostraban claramente intranquilos. Es
evidente que esperaban ver de nuevo el objeto. «La poca edad de
los niños y la novedad de esa situación test hacen improbable que
esa reacción fuese aprendida» (Bower, 1971, pág. 35).

Con ello se comprueba la existencia de mecanismos computadores que nos son innatos, confirmando la opinión sustentada por Konrad Lorenz desde hace años de que muchas de nuestras formas de pensar y de juzgar se basan en mecanismos desencadenadores innatos.

Finalmente, la actuación de aparatos de «cálculo» independientes de la experiencia puede ser deducida también por la manera incorregible con que caemos regularmente en ciertas ilusiones ópticas. Percibimos siempre, por ejemplo, que la luna se mueve en dirección contraria a las nubes, pese a que sabemos perfectamente que no es así.

Para nosotros resulta importante poder reaccionar inmediatamente ante un objeto que se mueve. Así, pues, nuestro aparato de percepción está adaptado a la percepción de objetos en movimiento. Para ello se sirve de la «experiencia» (acumulada probablemente en el curso de la filogenia) de que, por lo general, no se mueve el escenario, sino los objetos que están en él, es decir: sólo una parte porcentualmente pequeña del campo visual. El aparato que procesa los datos del medio ambiente está construido de tal forma que, ante la percepción de un movimiento, interpreta la mayor parte del campo visual como si estuviese en reposo. Cuando observamos la luna en una noche ligeramente nublada, esta circunstancia conduce a errores, al igual que cuando miramos un río desde un puente y creemos flotar junto con el puente en contra de la corriente. El hecho de que siempre sucumbamos a esa ilusión indica que el proceso de datos subyacente se resiste al aprendizaje. Es evidente que resulta ventajoso mantener el aparato libre de perturbaciones, en el sentido de una interpretación del medio no sujeta a la reflexión y rápida por lo tanto. Podría aducirse en contra de esa hipótesis que nosotros percibimos a fin de cuentas día tras día que el medio ambiente está en reposo, que, por lo tanto, las situaciones descritas se basan en errores de cálculo e interpretaciones equivocadas. Sin embargo, también sabemos por experiencia que el puente no flota contra la corriente, y a pesar de ello sufrimos con regularidad esa ilusión. En mi opinión, esto apoya la hipótesis de que el error de cálculo se basa en un aparato regulado filogenéticamente. Por lo demás, el ejemplo se presta muy bien a ilustrar el hecho de que los seres vivientes no sólo retratan su medio ambiente con mayor o menor detalle, de acuerdo con retículas que son distintas según la especie, sino que la percepción se basa también en procesos de cálculo que representan una interpretación específica de la especie.

Hasta qué punto desempeñan también un gran papel en el comportamiento social de los hombres los mecanismos desencade-

Figura 29: El esquema infantil: muñecas y representaciones preciosistas de animales. Obsérvense l proporciones cabeza-tronco, las extremidades cortas, las formas redondeadas del cuerpo y, en l representaciones de animales, también los desproporcionados «ojos como platos» (tomade de Eib Eibesfeldt, 1972 a).

nadores innatos y los «desencadenadores» con ellos sintonizados es algo que hoy todavía no puede decirse con seguridad, pero que resulta altamente probable. Lorenz ha investigado cuáles son los rasgos característicos del niño pequeño a los que respondemos con reacciones de atención, qué es lo que nos parece en él gracioso o «tierno». Comprobó que reaccionamos ante configuraciones muy simples de estímulos, que pueden ser superadas en experimentos con simuladores y que son también eficaces por separado (fig. 29). Una característica importante es la proporción cabeza-tronco. Los lactantes y los niños pequeños tienen una cabeza relativamente grande y extremidades muy cortas. La industria ofrece un sinnúmero de muñecas y figuras de animales que ofrecen un aspecto gracioso única y exclusivamente en base a esos rasgos de relación. El tamaño de la cabeza se exagera aquí hasta lo grotesco. También en las caricaturas de Walt Disney se representan criaturas graciosas, con grandes cabezas redondas y un tronco diminuto. Otro rasgo característico es el que se refiere a la relación cráneo-rostro. Los lactantes tienen un rostro relativamente pequeño y un cráneo relativamente grande. La frente, redondeada, parece relativamente alta y abombada. Se exagera igualmente ese rasgo en las muñecas y en los dibujos. Piénsese, por ejemplo, en el rostro de redondeada frente y corto hocico del popular cervatillo Bambi. Los mofletes son otra señal que desencadena el cuidado y predispone amistosamente. También se tiene la costumbre de exagerar ese rasgo en el experimento con simuladores que hace la industria. La interpretación de que se trata de reacciones innatas a características también innatas se encuentra apoyada por el hecho de que las mismas señales son eficaces en culturas muy distintas.

El efecto de disposición amistosa que tienen las señales infantiles lo aprovechan diversas culturas para predisponer pacíficamente a los semejantes y demostrar intenciones amistosas. Cuando los australianos querían entablar contacto con los europeos, colocaban a un niño delante de ellos y ponían las manos sobre sus hombros. Los guerreros waikas que visitan una aldea amiga llevan niños consigo. En la danza individual de los guerreros participan los niños agitando verdes abanicos, mientras que los hombres hacen alardes bélicos (véase pág. 258). En las naciones de Occidente se tiene por costumbre saludar a los invitados de un estado por mediación de un niño.

Lorenz ha señalado además que el hombre cae en la trampa de simuladores muy simples de las expresiones del rostro humano. Un círculo, con dos puntos a manera de ojos y una línea arqueada hacia arriba en ambos extremos, como boca, es entendido inmediatamente como algo amistoso. Si giramos la línea curva 180 grados, de manera que las comisuras de la boca apunten hacia abajo, percibiremos inmediatamente un rostro triste. Esa reacción ante rasgos de relación tan simples conduce también a una interpretación completamente irracional y casi fanática de las fisonomías animales. El camello siempre nos parece altanero y antipático, porque sus canales semicirculares están dispuestos de tal modo que, en posición normal, siempre lleva en alto la nariz, como un hombre arrogante. Las comisuras bucales, ligeramente arrugadas hacia abajo, fortalecen esa impresión de desprecio y desdén. El águila, por el contrario, debido a la construcción ósea de su cráneo, ostenta siempre la expresión de valerosa decisión y es por eso un animal que se utiliza a menudo en los blasones. Ni siquiera el certero conocimiento de que no hay nada en las condiciones emotivas del animal que se corresponda con esa expresión puede hacer que nos sustraigamos a esas falsas impresiones (fig. 30).

Ekman (1971) examinó la comprensión de expresiones en hombres de diversas culturas y no encontró diferencias significantes. Los papúas, que se encuentran todavía en la edad de piedra, interpretaron de manera totalmente correcta, en un porcentaje muy alto, las cintas de películas con expresiones faciales de los japoneses. La comprensión de las expresiones es universal por consiguiente.

En ciertos casos parece ser que los mecanismos desecadenadores innatos sobreviven, en los hombres, a las señales que estaban sintonizadas con ellos. Leyhausen da al particular un ejemplo notable. Se percató de que los hombres suelen acentuar sus hombros, bien sea con charreteras o con hombreras. Cuando se puso a investigar el problema de por qué era así, descubrió que los hombres presentan en la espalda una disposición del pelo que se diferencia notablemente de la de los antropoides más cercanos. En los omóplatos y en la parte superior de los brazos, la dirección del

Figura 30: Al observar a un camello, un mecanismo desencadenador innato, que se encuentra afinado los movimientos expresivos del hombre, interpreta mal la posición relativa de los ojos con respecto a la nariz, que sólo en el hombre significa apartarse de alguien despreciativamente. De ahí que consideremos arrogante al camello. En el águila real vemos los arcos superciliares como arrugas en la frente. Esto junto con las comisuras de la boca muy echadas hacia atrás, da la impresión de «orgullo y arrojo» (tomado de Lorenz, 1965).

pelo se dirige hacia arriba, de manera que algunas personas presentan todavía en los hombros verdaderos mechoncitos de pelos. Leyhausen conjetura que nuestros todavía peludos antecesores, al ir adoptando la posición erguida, desarrollaron mechones de pelos en los hombros, en calidad de órganos de intimidación. Después se vio reducida la pelambre por otros motivos, pero no el mecanismo desencadenador innato sintonizado a ello, el cual crea un prejuicio en nuestro gusto y dirige así —con abstracción de las culturas, por cierto— el comportamiento de los hombres en la moda (figs. 31 y 32).

Nuestra percepción olfativa se encuentra igualmente predeterminada por adaptaciones filogenéticas. Le Magnen demostró, por ejemplo, que las mujeres reaccionan de manera más sensible que

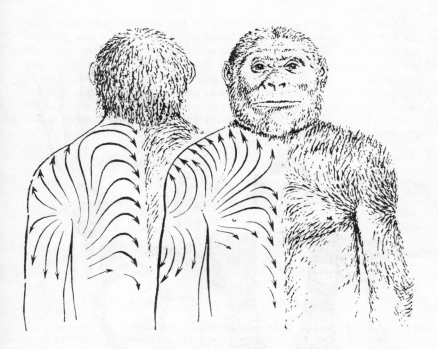

Figura 31: La corriente pilosa del hombre actual sigue un curso tal que, si todavía tuvié-semos pelambre, se agrandarían sobre todo los contornos de los hombros al erizarnos. Lo más pro-bable es que así ocurriera entre nuestros antecesores, como lo expresa hipotéticamente una reconstrucción de P. Leyhausen. En ella se señala el curso que siguen las ondulaciones pilosas en el hombre actual, por delante y por detrás, trasladado a un antepasado hipotético, para mostrar el aspecto que posiblemente presentaría al erizársele el pelo. Las personas muy peludas todavía tienen mechones en los hombros. Incluso al reducirse la pelambre le quedó al varón la tendencia a hacer resaltar sus hombros (tomado de Eibl-Eibesfeldt, 1972 a).

los hombres a determinadas substancias almizcleñas (exaltadores). Perciben esas substancias incluso en disoluciones que un hombre no puede oler. Sin embargo, las mujeres adquieren esa facultad solamente cuando se presenta la madurez sexual, y desaparece con la menopausia. Además, el umbral olfativo presenta fluctuaciones cíclicas: la capacidad perceptiva de la mujer es especialmente alta en el momento del desprendimiento del óvulo. Esto indica que las hormonas desempeñan un papel decisivo, y de hecho puede reba-

Figura 32: En las más diversas culturas tiende el varón a resaltar los hombros mediante la moda. Arriba: indio waika; en el centro: actor kabuki (Japón; ambos según fotografías del autor); abajo: Alejandro II de Rusia (según un retrato de la época). Dibujos de H. Kacher (tomado de Eibl-Eibesfeldt, 1972 a).

jarse el umbral olfativo de los hombres para los exaltadores, inyectándoles la hormona femenina estrógeno.

Finalmente, los universales que encontramos en las melodías tiernas, tristes o irritadas del idioma indican que en el modo de hablar existen claves ante las cuales reaccionamos de manera innata. Kneutgen (1970) ha señalado algunos universales notables en la música.

Según sus experimentos, las canciones de cuna de pueblos muy distintos tienen por base una estructura común. De acuerdo con esto, una canción de cuna china ejerce también en un niño alemán un efecto adormecedor y calmante. La construcción de la canción de cuna se corresponde con la forma lenta y regular de la respiración de un durmiente. Si se hace escuchar una canción de cuna por un magnetófono, la respiración de los oyentes se adapta a la melodía: las aspiraciones se alargan hasta acloparse al período de la canción. La fase de aspiración coincide con el lento ascenso de la melodía; la fase de espiración, con el descenso al final de cada período. La pequeña gama tonal de la melodía de una canción de cuna se corresponde con la serenidad de la respiración. Se puede decir en cierto modo que la persona adormecida «respira» la melodía.

Lorenz ha llamado también la atención sobre la existencia de situaciones de estímulo desencadenadoras que hacen reaccionar a nuestro juicio valorativo ético. Las normas éticas se encuentran prescritas en cierto modo en determinados clichés situacionales. Los archiconocidos clichés de la fidelidad al amigo, de la valentía del hombre, del amor a la patria, al cónyuge o a los padres, en resumen, las nobles motivaciones elementales de la actuación humana, se repiten en la literatura mundial como estampadas por un sello de goma, desde la antigüedad hasta nuestros días, desde Asia hasta Europa.

De hecho hay muchas cosas que indican la existencia de normas del comportamiento ético vinculantes para la especie. Con esto se coloca una ética biológicamente fundamentada al lado de la moral de Kant, basada en la razón y de la que se desprende la libre responsabilidad por las consecuencias de una acción. Y de hecho, el hombre no reflexiona por lo general sobre si podría elevar su actuación a la categoría de ley universal; actúa más bien de manera espontánea y racionaliza solamente después. Sobre ello escribió ya Schiller —citado tan a menudo por Lorenz en este contexto— lo siguiente: «Sirvo con gusto al amigo, pero lo hago desgraciadamente por inclinación, por lo que sospecho con frecuencia que no soy virtuoso».

Muchas de las cosas que tenemos por realizaciones de una

moral racional y responsable se basan en realidad en normas
innatas de acción y reacción. En relación con esto, Lorenz señala
los modos de comportamiento pseudo-morales de los vertebrados
superiores y discute en especial aquellos mecanismos inhibidores
que impiden matar a un congénere (véase pág. 94).

Wickler (1971) ha publicado recientemente sobre ese tema una
investigación notabilísima. En su *Biologie der Zehn Gebote (Biología
de los diez mandamientos)* indica que en la vida social de los animales
existe una serie de «posiciones críticas», es decir, de situaciones
que se repiten una y otra vez y en las cuales los animales tienden a
reacciones que sería ventajoso para la especie reprimir. Entre los
mamíferos superiores, por ejemplo, los animales jóvenes adoptan
muchas cosas del ejemplo que les dan los más viejos y experimen-
tados. Como el bagaje de experiencias se acrecienta con la edad,
resulta ventajoso que los viejos no sean rechazados a causa de la
disminución de sus fuerzas físicas, sino que sigan siendo respetados
como miembros del grupo. En las luchas intraespecíficas existe el
peligro de que el vencido sea asesinado. Los dispositivos de
seguridad en contra de esto son ventajosos para la especie (pág.
94). Los animales sólo pueden formar sociedades eficaces y
altamente organizadas si logran impedir la rivalidad permanente
entre los compañeros de la unión sexual. De hecho, entre algunos
mamíferos (entre los hamadrías, por ejemplo) se desarrollan en los
machos inhibiciones de cortejar a una hembra apareada. La disputa
constante por el alimento sería también una carga para la convivencia. Entre toda una serie de mamíferos existen claras inhibiciones
de quitarles la comida a los miembros del grupo. En cierto modo
respetan la propiedad. Un chimpancé que se ha apoderado de una
gacela joven o·de un mono colobo, puede quedarse tranquilamente
con la presa, aun cuando ocupe un rango inferior en el seno del
grupo. Entre las especies que viven desde hace mucho tiempo en
unidades familiares existiría el peligro de que se efectuasen apa-
reamientos en el seno de la familia, puesto que el vínculo amistoso
existente facilita el acercamiento. Pero esto precisamente anularía
el efecto de la reproducción bisexual: el experimentar con nuevas
combinaciones genéticas. En tales casos se desarrollaron en diversas especies (en el ánsar gris y en el hombre, por ejemplo)
inhibiciones ante el incesto, que impiden que uno se aparée con
quien se ha criado junto a él pág. 80 y Bischof, 1972 a, b).

Wickler enumera cinco posiciones críticas en la vida de los
animales sociales, en las cuales se ha de garantizar, mediante
dispositivos de seguridad adicionales, la exclusión de reacciones
perjudiciales para la vida grupal:

1. Transmisión de la tradición y autoridad, el respeto por los ancianos.
2. Matar a congéneres.
3. Las relaciones sexuales entre compañeros.*
4. Posesión y propiedad.
5. Entendimiento fiable y «verdadero».

Wickler señala que esos «puntos vulnerables» de las sociedades se encuentran también marcados en la sociedad humana por mandamientos.

El comportamiento social de los animales se encuentra regulado como por medio de mandamientos, y la etología se esfuerza, entre otras cosas, por hallar las leyes fisiológicas y las otras leyes biológicas de ese comportamiento análogo a la moral (pág. 74).

El modo preciso de alcanzar ese comportamiento prescrito es muy variable. La inhibición a matar es activada en la mayoría de los casos por señales apaciguadoras, ante las cuales reacciona un mecanismo desencadenador innato. El tabú del incesto, por el contrario, parece estar basado en cierta disposición al aprendizaje (pág. 80).

Los mecanismos desencadenadores del hombre están todavía en buena parte sin investigar, y muchas de las cosas que decimos al respecto tienen necesariamente un carácter especulativo, aunque es verdad que, por los experimentos mencionados al principio, conocemos la existencia de detectores que nos son innatos, y podemos contar por lo tanto con la posibilidad de que éstos desempeñen un gran papel en nuestra convivencia social. De ahí que tengamos que analizar la cuestión. Reza como seguro el que nosotros, los humanos, podemos ser manipulados por estímulos realmente simples, e igualmente seguro es que los demagogos y los especialistas en propaganda no siempre utilizan esto en nuestro provecho. Piénsese, por ejemplo, en la propaganda que se le hace a los cigarrillos, la cual, de manera perfectamente criminal, trata de asociar a los cigarrillos la imagen de lo joven, de lo masculino, de lo sano y de lo elegante, haciendo olvidar así, las consecuencias mortíferas de ese estuperfaciente. Como detrás de ello se encuentran grupos de inte eses de gran potencia financiera, será difícil proteger a la población.

Todo hace suponer que se abusa con frecuencia de las disposiciones innatas del hombre a reaccionar ante determinados clichés; piénsese si no en la manera simple y sin embargo tan eficaz, de

---

* Compañero = *Partner* en el original = socio en un determinado círculo funcional. [N. del T.]

apelar a un cierto status, utilizada por ejemplo por algunas firmas automovilísticas (Kadett, Kapitän, Diplomat, Admiral)*. Cuanto menos consciente sea uno de eso, tanto más fácil será embaucarle. Por este motivo resultan tan apremiantes la investigación y la divulgación en este campo.

3. Impulsiones

Los animales no son autómatas reflejos que reaccionan exclusivamente ante estímulos. Puede observarse que también actúan por impulsión interna. La investigación ha comprobado que puede tratarse de impulsiones muy diversas. Un animal, por ejemplo, puede estar animado por el hambre, por la sed o por el sexo, o estar agresivo, y comenzará entonces a buscar intranquilo. El estado fisiológico (se habla también de «estados de ánimo») predominante se reconoce por la disposición específica a reaccionar con respecto a los estímulos exteriores. El animal animado por el sexo no hará mucho caso de los alimentos o de las presas, pero sí reaccionará a los estímulos del compañero en el vínculo sexual; el animal con un estado de ánimo agresivo, por el contrario, reaccionará en primer lugar ante rivales. Los animales se encuentran por lo general programados de tal modo que un comportamiento que no haya sido ejercido durante mucho tiempo tiende a manifestarse de cuando en cuando. Un estornino, al que Lorenz mantenía en cautiverio y que siempre había estado bien alimentado, pero que no había tenido la oportunidad de desahogarse en acciones de caza, abandonaba de vez en cuando, sin motivo exterior evidente, el palo en que se posaba, remontaba el vuelo, trataba de cazar lo no existente, regresaba entonces al palo, hacía allí movimientos destinados a matar, como si hubiese apresado a un insecto, hacía como que tragaba y, finalmente, recobraba la calma por un rato.

Es evidente que existen procesos fisiológicos que impulsan a un animal a una conducta determinada. Si no puede ejercer un comportamiento durante largo tiempo se produce una especie de contención de la excitación, que lleva a veces a que el comportamiento se desate en el vacío. Se basan también en tales impulsiones simples decursos de movimiento, como el roer o el correr. La fisiología de los mecanismos impulsores ha sido bien investigada en algunos casos. Se sabe que son estímulos sensoriales internos, hormonas e instancias del sistema nervioso central los responsables

---

* Cadete, Capitán, Diplomático, Almirante. Tipos de automóvil de marca Opel. [N. del T.]

de la espontaneidad del comportamiento. Es así como los modos de locomoción de diversos vertebrados se basan en grupos de células motoras en el sistema nervioso central que son espontáneamente activas (véase Holst, 1969).

Los sistemas de motivación se resumen a veces bajo la denominación única de impulsiones o impulsos, y se habla, por ejemplo, de un impulso de roer, de un impulso de apresar, etc. No deja de ser desconcertante el hecho de que la motivación en diversos niveles de integración de la «jerarquía de los instintos» reciba ese nombre, aparte de que las impulsiones pueden basarse en mecanismos muy diversos según los casos. Incluso hay que contar con la posibilidad de que las impulsiones, como *el* impulso de agresión, por ejemplo, se hayan desarrollado de manera convergente en diversos grupos animales y se basen en mecanismos completamente distintos. De todos modos, el concepto de «impulso» ha dejado de ser un concepto místico —una mera fórmula explicativa, por lo tanto—: designa, de manera descriptiva, un principio funcional, a saber, el hecho de que un comportamiento descansa también en causas impulsoras internas.

Que el sistema nervioso central desempeña aquí un importante papel no es nada asombroso, pues sabemos que la espontaneidad es una característica constitutiva de todas las neuronas (células nerviosas) (Roeder, 1955). Además no debe de ser tan fácil construir algo no espontáneo a partir de células nerviosas.

Cosa cierta es que también el hombre está sometido a variaciones periódicas en sus estados de ánimo que no se explican solamente por los cambios en su medio ambiente. Podemos sentirnos hambrientos o sexualmente excitados o estar agresivos, y según el estado de ánimo buscaremos compañía o también pendencia. La contención de la agresión y la descarga de la misma han sido investigadas experimentalmente en el hombre (véase pág. 113).

4. Disposiciones al aprendizaje

En un medio en el que solo se produzcan pequeñas transformaciones, los seres vivientes podrían arreglárselas con las mencionadas adaptaciones filogenéticas. Las condiciones cambiantes exigen, sin embargo, una modificabilidad adaptativa del comportamiento. Los animales tienen que aprovechar sus experiencias, tienen que poder aprender; y además aprender lo oportuno en el momento oportuno y en el espíritu del mantenimiento de la especie (Lorenz, 1969). En calidad de adaptaciones filogenéticas, las disposiciones innatas al aprendizaje determinan el proceso de aprendi-

zaje. Los animales demuestran tener dotes para aprender que
le son características a la especie, tanto en lo que se refiere al
objeto como al momento del aprendizaje y a la capacidad de
retención. Así, hay aves que tienen que aprender su canto. Pero
algunas reconocen de manera innata el canto que han de imitar. Si
se les hace escuchar diversos cantos registrados en cinta magnetofónica, eligen como ejemplo el canto de la especie. En muchos
casos aprenden sólo durante un determinado período sensible y se
atienen a lo que aprendieron en esa ocasión. Es así como algunas
aves aprenden a reconocer el objeto de los actos impulsivos
sexuales mucho antes de que aparezca la madurez sexual. Grajos y
pavos que han sido criados artificialmente cortejan después a los
hombres, aun cuando hayan vivido con congéneres durante el
tiempo intermedio. Esa preferencia se mantiene incluso después de
haberles obligado a aparearse con los suyos; su fijación hacia los
hombres se resiste al tratamiento terapéutico.

Entre los hombres existe toda una serie de disposiciones al
aprendizaje altamente específicas; piénsese, por ejemplo, en nuestra especial facultad para aprender a hablar. No es raro que un niño
de año y medio esté ya en condiciones de imitar una palabra que se
le haya dicho, o sea, de transformar lo oído en movimientos
musculares. Pero el mismo niño no está en condiciones de imitar
un círculo, dibujándolo con la mano, pese a que esto exige una
coordinación de movimientos mucho más fácil.

Además, por las investigaciones de los psicólogos y de los
psicoanalistas sabemos que en el desarrollo humano hay períodos
sensibles en los que se adquieren y graban ciertas actitudes básicas.
En el segundo año de vida adquiere el hombre, por ejemplo, la
confianza «original». Es una piedra angular de toda personalidad
sana y premisa de una convivencia ordenada. En la vida cotidiana
hemos de confiar constantemente en personas que nos son totalmente desconocidas, y así lo hacemos. El que pueden presentarse
perturbaciones en el proceso de adquirir esa confianza es algo
que se aprendió por primera vez observando niños hospitalizados.
Spitz, Bowlby y Erikson descubrieron que aquellos niños que
habían tenido que padecer a muy temprana edad una larga estancia
en un hospicio sufrían con frecuencia graves perturbaciones. El
niño siente la separación de su madre como un shock. Pero supera
poco a poco el temor que le infunden las personas extrañas que lo
cuidan y trata de entablar contacto con una enfermera. En ocasiones esto llega a realizarse, pese a que resulta difícil, pues las
enfermeras apenas disponen de tiempo para los niños. En la
mayoría de los casos hay que atender a demasiados. Pero aun

cuando el niño establezca contacto con la persona referida, éste no es duradero por lo general. La enfermera puede que se vaya de vacaciones o que tenga guardia y sea sustituida en su puesto por otra. El niño revive de nuevo el shock de la separación y quizá se adapte otra vez. Pero el cambio repetido conduce a un daño en el niño. Muchos se encierran en sí mismos y se quedan rezagados en su desarrollo. Se tornan enfermizos, algunos hasta llegan a morir en un estado de depresión, y aquellos que llegan a mayores manifiestan en la vida adulta una gran pobreza de contactos. Otros niños se adaptan al cambio, aprendiendo a establecer rápidamente vínculos nuevos pero sólo superficiales. Son amables con todo el mundo, todas las personas son trocables para ellos, las relaciones no tienen para ellos una gran significación. Esos niños tampoco lloran ya cuando sus padres, después de visitarles, se marchan. En la vida ulterior son incapaces, por lo general, de entablar un vínculo profundo.

Estos diagnósticos merecen un poco de atención, porque en las comunas actuales se trata de educar a los niños en el grupo, sin vínculos con los padres, en la falsa creencia de que el vínculo individualizado es la raíz de una actitud egocéntrica. Se espera educar así a personas que se encuentren indiscriminadamente unidas al colectivo, olvidando sin embargo, el hecho de que el niño quiere unirse a una persona que le sirva de punto de referencia porque está programado filogenéticamente de esta manera, y de que toda represión de la tendencia a establecer un vínculo individualizado desencadena episodios de privación. Esta es una de las cosas que han revelado con total claridad las investigaciones de Bruno Bettelheims en niños de los kibutz. Los niños sufren por la impuesta separación de sus padres, con los que están juntos solamente dos horas al día. Bien es verdad que más tarde se encuentran muy unidos a su colectivo, pero la iniciativa individual y la capacidad de juicio son francamente bajas. Y así parece oportuno, y también natural, que el niño adquiera, a través del amor a la madre, la capacidad de amar a sus semejantes.

En ulteriores períodos sensibles se lleva a cabo la identificación con el rol sexual. Especial interés reviste el período alrededor de la pubertad, en el que el joven se encuentra a la búsqueda de valores. En ese período trata de identificarse con los valores del grupo. A esa edad los hombres se hacen alemanes, franceses, rusos o norteamericanos, y una vez que se han identificado con los valores del grupo respectivo, se aferran por lo general a ellos. Esta es una premisa para la continuidad de las culturas, que confieren variedad a la humanidad.

De ahí que en principio no pueda ser rechazado, de ninguna manera, ese proceso. La disposición a la identificación sólo es peligrosa en la medida en que a los hombres se les puede inculcar la intolerancia a esa edad, y hacia ello tienden los esfuerzos de ciertas asociaciones políticas y religiosas. Cierto es que uno tiene que definirse de cara a los distintos sistemas de valores, pero también se ha de estar dispuesto a reconocer la justificación de los que no se comparten. Sabiendo lo resistentes que son las fijaciones a la terapéutica, habrá que preguntarse si es en modo alguno justo grabar en los jóvenes, antes de que adquieran la capacidad de libre decisión, otros valores que no sean los universalmente reconocidos por la humanidad.

Shepher (1971) ha señalado una especie de fijación negativa. Las personas que se crían en el kibutz nunca eligen por cónyuge a un miembro del mismo kibutz, pese a que no existe la menor presión social en este sentido. En los 2.769 matrimonios investigados, las personas siempre habían contraído matrimonio con un compañero de otro kibutz. La educación común en el grupo, desde el nacimiento hasta la edad escolar, hace que los niños se consideren más o menos como hermanos. Cultivan estrechas relaciones de amistad, pero no se enamoran entre sí. La experiencia social a una edad determinada establece en cierta medida de quién no ha de enamorarse uno (véase también Bischof, 1972 a, b).

5. *Perspectivas*

En las secciones anteriores nos hemos ocupado de las adaptaciones filogenéticas en el comportamiento humano, ya que ese aspecto de su comportamiento ha recibido escasa atención hasta ahora. Hasta dónde alcanzan en detalle las preprogramaciones en nuestro comportamiento social es algo que todavía no sabemos hoy en día. Muchas cosas parecen indicar que la aspiración de alcanzar un cierto rango, la disposición a la sumisión y a la obediencia, la intolerancia frente al intruso, la agresión, pero también nuestras inclinaciones altruistas y la tendencia a establecer un vínculo amistoso, en resumen: el amor en su sentido amplio, se encuentran prescritos por adaptaciones filogenéticas.

Si esto es así, ¿significa entonces que hemos de ceder también ante todos los impulsos que nos son innatos? ¿Que nos encontramos a su merced y que no podemos emprender nada en contra de su actuación? En ciertas ocasiones puede escucharse la opinión de que la etología, al ocuparse de lo innato, se pone al servicio de las doctrinas conservadoras; por ejemplo, al servicio de aquellas que predican la inmutabilidad de la sociedad.

Burdos reproches, que apuntan en esa dirección, provienen últimamente de la sociología. La clásica teoría sociológica de los roles parte de la idea de que el hombre es integrado en la sociedad como portador de un papel a desempeñar. Cada individuo se enfrenta a una proposición de rígidas expectativas pertenecientes a un rol, y ha de arreglárselas con ellas. Las expectativas de un rol limitan al individuo. Las coacciones sociales, culturalmente trasmitidas, constriñen el libre desarrollo del hombre. Son la causa de nuestra falta de libertad. La misión del hombre consiste en liberarse, emanciparse. Aquí se acusa a la etología de enemiga de la emancipación, puesto que, con su referencia a lo hereditario, presenta como inevitables ciertas coacciones —por ejemplo, aquellas en que se basa la jerarquía social—, cimentando así ideas conservadoras.

El peligro de un tal uso impropio es real —Haedecke lo señala con razón—, pero, con el fin de impedirlo, los etólogos han recalcado repetidas veces que no toda adaptación filogenética es adaptativa en el tiempo presente. Así como el apéndice ileocecal ha perdido su valor de adaptación y es arrastrado ahora como una carga histórica, de igual forma podrían revelarse como «apéndices» algunas de nuestras inclinaciones. Hay que acabar con ese lastre histórico, y como «criaturas culturales por naturaleza» (A. Gehlen) estamos en condiciones de hacerlo. Mientras que, entre los animales, además de las impulsiones innatas se encuentran fijadas en su totalidad también las secuencias —una iguana marina, por ejemplo, lucha siguiendo reglas fijas como en un torneo—, no ocurre lo mismo en el caso del hombre. Es verdad que nace con ciertas impulsiones así como con breves secuencias de movimientos, en la forma de coordinaciones hereditarias, y algunas reacciones a estímulos incondicionados. También parece ser que ciertas normas éticas se encuentran enclavadas en las adaptaciones filogenéticas; pero el decurso global de su comportamiento no está subordinado a ningún control estricto; con frecuencia es variable dentro de amplios límites, aun cuando no arbitrariamente. Tan sólo las normas de control cultural le imponen límites estrechos a esa variabilidad. Pero como esas normas culturales pueden ser distintas de un lugar a otro, los hombres pueden adaptarse rápidamente a las diversas condiciones del medio ambiente.

Como especialista en la no especialización (Lorenz), el hombre es una especie «eurieco» por naturaleza. En los helados desiertos del norte puede sobrevivir igual de bien que en las selvas tropicales, con sus estaciones lluviosas, o en las altas montañas. Cada uno de esos medios exige, por cierto, estrategias de supervivencia muy específicas, que el hombre inventa y transmite. Las adaptaciones culturales son las que hacen de él un especialista: mediante la cultura el hombre se convierte en cierta medida en estenotípico. Las adaptaciones culturales reflejan exigencias especiales del medio. Se reflejan también, entre otras cosas, en las particularidades locales de la estructura social humana.

Un esquimal necesita, a fin de cuentas, unos controles para el decurso de sus impulsos agresivos o sexuales que son distintos a los de un masai, por ejemplo, o a los del moderno habitante de una gran ciudad en Europa. Además, las normas de control cultural para nuestro comportamiento pueden variar con los tiempos, si esto se torna necesario, y nosotros asistimos precisamente a una época tal de bruscas transformaciones. Y aquí hasta hay quienes opinan que no es en modo alguno necesario ofrecerle directrices al niño o al adolescente. El hombre ha de desarrollarse a partir de sí mismo, se dice. Pero, ¿a partir de qué? ¿A partir de su propia constitución? ¡Pero si es esencialmente impulsiva! Las preprogramaciones filogenéticas del hombre tampoco son suficientes para garantizar un control sin fricciones de la convivencia social. El hombre depende de la transmisión de normas de control cultural, si es que ha de adaptarse a la sociedad en su vida ulterior. Por lo tanto, a los representantes extremos de la educación antiautoritaria, por ejemplo, no se les puede dejar de reprochar el que experimenten imprudentemente con niños. Resulta grotesco que aquellos que le otorgan una importancia tan grande a la formación de los hombres por el medio renuncien a una tal formación cultural precisamente allí donde se trata de impartir directrices.

Muchos aspectos en el comportamiento del niño indican que está preprogramado para recibir experiencias de sus semejantes por medio de la tradición. Los niños dan muestras de un innegable «comportamiento interrogativo», con el fin de enterarse de qué es lo que han de hacer o dejar de hacer. Antes de que un niño de un año coja algo que no conoce, mira interrogativamente a la persona adulta que le sirve de punto de referencia. El comportamiento interrogativo se manifiesta también claramente en sus interacciones sociales. He aquí un ejemplo de su secuencia típica: un niño de año y medio ataca a un compañero de juego algo mayor y trata de hacerlo caer. Interrumpe su acción, contempla atentamente a los adultos, y sólo cuando éstos no manifiestan ni disgusto ni aprobación prosigue su agresión (fig. 39). Con sus agresiones el niño comprueba con frecuencia la libertad social de movimiento y espera informaciones de respuesta. Si éstas faltan, se torna inseguro: le falta la orientación. Habría que investigar si más de una neurosis no tiene sus raíces en esa inseguridad del niño pequeño. En su comportamiento interrogativo el hombre demuestra estar preprogramado como criatura cultural.

Cierto es que las recetas culturales no han de quedarse estancadas. Es necesario un cambio, pero, biológicamente, la evolución marcha a pasitos, al igual que el desarrollo cultural. Como recalcó Lorenz (1970), es altamente improbable que de repente, de una generación a la otra, ya no sea válido todo cuanto fue desarrollado como adaptaciones culturales. De ahí que exista realmente el peligro de que los ideólogos radicales, a través de una ruptura con la tradición, sigan el camino de la destrucción en lugar de el de la evolución.

Para que la evolución cultural no avance a tientas, dando palos de ciego es importante investigar la naturaleza del hombre. La comprensión de los nexos causales, especialmente de nuestras preprogramaciones, nos puede ayudar en la búsqueda de recetas para una terapéutica de nuestra convivencia social, indudablemente perturbada.

Se puede partir de la idea de que las formaciones complejas en la estructura del cuerpo y en el comportamiento son el resultado de presiones de la selección natural, que originaron esas «adaptaciones». Por consiguiente, cuando nos encontramos ante particularidades del comportamiento que pueden ser observadas con regularidad, hemos de plantear la pregunta: ¿para qué? Solo cuando haya sido descubierto el efecto tendiente a la conservación de la especie —la función—, podrán ser descubiertas y tratadas también ciertas perturbaciones funcionales. Junto a los teóricos del aprendizaje estamos convencidos de que la terapéutica del aprendizaje ha de desempeñar un papel decisivo en el tratamiento de las perturbaciones de la convivencia entre los hombres. Precisamente aquellos teóricos del aprendizaje que se orientan a la práctica harían bien en tener en cuenta el hecho de nuestro devenir filogenético. No ya solamente porque las predisposiciones naturales desconocidas pueden manifestarse como trampas, mientras que un esclarecimiento de la conciencia puede significar ya un paso decisivo hacia la terapéutica —piénsese, por ejemplo, en la posibilidad de inmunizar, mediante la enseñanza, contra la propensión a ser manipulado por clichés—, sino también porque el respeto hacia lo hereditario se manifiesta como adecuado en interés de una formación de la personalidad lo más libre posible de frustraciones. Quien parta de la hipótesis —falsa, como hemos podido señalar— de que el comportamiento social del hombre es exclusivamente aprendido y, en conformidad con esto, eduque al hombre siguiendo puntos de vista puramente funcionales, corre el peligro de imponerle coacciones innecesarias y de impedir la deseada emancipación. Al libre desarrollo de la personalidad se corresponde también el desarrollo más libre posible de las predisposiciones innatas. Cuanto menor sea la coacción que requiera nuestra vida impulsiva para adaptarse a las necesidades sociales, por ejemplo, tanto mejor será para el desarrollo individual, pues sabemos que una reglamentación demasiado rígida trae consigo el peligro de la deformación neurótica. En la ética de Skinner, exclusivamente orientada a la práctica, se echa completamente de menos la debida consideración a una «naturaleza» preprogramada en el hombre. Aquí, una teoría extrema del medio conduce a horripilantes modelos de control autoritario del comportamiento.

A menudo me han preguntado qué valor se le puede otorgar a lo innato dentro del comportamiento humano. Nunca he entendido del todo que querían decir con ello los que hacían la pregunta, porque por lo general no acertaban a indicar métodos de cálculo para determinar ese valor. Algunos entendían por ello la relevancia sociopolítica, y esta la hemos expuesto. Resulta imposible, por el contrario, establecer una apreciación valorativa de las diversas partes de acuerdo con su significación (¿importancia?). Ningún proceso fisiológico puede ser desprendido de su todo funcional y apreciado como «más importante» o «menos importante». Por ese motivo, en definitiva, tampoco tienen mucho sentido las apreciaciones cuantitativas destinadas a establecer qué porcentaje del comportamiento humano es innato y qué porcentaje es aprendido. Esa conjetura carece de toda base de relación racional.

Resumen

Con el desarrollo del concepto de adaptaciones filogenéticas en el comportamiento, Konrad Lorenz le dio un contenido al «concepto de instinto», tan impreciso en su origen. En la actividad motora se encuentran esas adaptaciones como coordinaciones hereditarias y movimientos de orientación (taxias); y en la esfera receptora, como mecanismos desencadenadores innatos. Desencadenadores especiales se desarrollaron al servicio de la emisión de señales. Como impulsiones existe un gran número de mecanismos fisiológicos. De gran importancia son aquellos sistemas motivadores que se basan en la actividad espontánea de las estructuras neuronales. También el aprendizaje, como modificación adaptativa del comportamiento, se encuentra prescrito por adaptaciones filogenéticas.

A partir de esos conocimientos obtenidos del estudio de los animales se establecieron hipótesis de trabajo que pueden contribuir a un mejor entendimiento del hombre. La etología humana analiza la importancia de esas hipótesis para nosotros, los humanos. Las investigaciones realizadas con sordos y ciegos y con lactantes, así como el estudio cultural comparado de las interacciones sociales, demuestran que también el comportamiento humano, en esferas exactamente determinables, se encuentra preprogramado por adaptaciones filogenéticas.

Segunda parte
SOBRE LA HISTORIA NATURAL
DE LA AGRESION

El comportamiento agresivo humano ha pasado a ser en los últimos años tema central de las discusiones. El interés cada vez mayor que despierta se explica, por una parte, por el hecho de que, dado el nivel actual de la técnica bélica, un conflicto armado puede poner en peligro la existencia futura de la humanidad civilizada. Además, en el seno de las anónimas sociedades de masas, las agresiones perturban en medida creciente la convivencia armónica. Los disturbios internos, una criminalidad en continuo ascenso, el desmoronamiento creciente de la familia y las tensiones cada vez más agudas entre las generaciones son probablemente otros tantos síntomas de una excitación generalizada que va a más.

En las obras sobre la agresión se señalan una y otra vez esas perturbaciones del comportamiento social humano, y aquí se coincide, en lo esencial, en que debería hacerse algo por establecer un control eficaz de la agresión. Sobre las vías a seguir, por el contrario, divergen las opiniones. Las estrategias propuestas cambian según las teorías de la agresión que les sirven de base. Si el interesado parte de un modelo basado en la sicología del aprendizaje, según la cual los modos del comportamiento agresivo son aprendidos a muy temprana edad a través del ejemplo social y el éxito, entonces se esforzará por crear los arquetipos correspondientes y otras condiciones de condicionamiento. Si tiende, por el contrario, al modelo frustración-agresión, según el cual las agresiones se deben a experiencias de privación en otras esferas de los impulsos, entonces sus propuestas estarán orientadas a impedir, mediante una educación tolerante, la experiencia de privación a temprana edad. Y otra será de nuevo la estrategia que propondrán aquellos que aceptan la existencia de un impulso de agresión innato. Y lo curioso es que todos esos puntos de vista y modelos se basan en observaciones y experimentos, de tal forma que uno se admira de la parcialidad con que los defensores de los diversos modelos argumentan unos en contra de otros.

Al revisar la literatura pertinente pronto se apreciará que los investigadores de la agresión tienen considerables dificultades de comunicación, basadas no solo en la utilización de distintas terminologías. Se comprobará una y otra vez que los diversos grupos están muy escasamente informados del método y de los hechos estudiados por el grupo vecino. Además, al estudiar esas obras salta a la vista que la mayoría de los investigadores de la agresión se dedican exclusivamente a la agresión, pasando así por alto que junto a la agresión se desarrollan también sus contrarios naturales. De ahí que solo se pueda entender verdaderamente el fenómeno cuando se tenga en cuenta en la investigación el repertorio de modos apaciguadores y vinculadores del comportamiento. Y finalmente, hay que constatar que el número de páginas que han sido impresas en los últimos años sobre el tema de la agresión no guarda ninguna proporción con los hechos analizados.

Los estudios aquí impresos se refieren a las diversas teorías de la agresión. En base a nuevos hechos exponemos los motivos de por qué las teorías del aprendizaje han de renunciar a su pretensión de exclusividad. Ofrecemos un modelo de interacción y discutimos las consecuencias que de él se desprenden para un control de la agresión.

Capítulo 1
ADAPTACIONES FILOGENETICAS
EN EL COMPORTAMIENTO
AGRESIVO DEL HOMBRE

En los últimos años se ha discutido vivamente la cuestión de los determinantes del comportamiento agresivo. En el esfuerzo por entender el fenómeno y dirigirlo así también, han sido desarrollados diversos modelos explicativos:

a)　El *modelo de la sicología del aprendizaje* parte del supuesto de que los modos del comportamiento agresivo son aprendidos. A edad muy temprana, las exigencias agresivas conducen a éxitos, que a su vez refuerzan ese comportamiento. Además de esto, en la adquisición de modos de comportamiento agresivo desempeñaría un gran papel el aprendizaje social a través del ejemplo (Bandura y Walters, 1963).

b)　Según el *modelo de frustración-agresión,* el comportamiento agresivo es despertado por episodios de privación a muy temprana edad. Como éstos no pueden ser evitados nunca del todo en la práctica, el desarrollo del comportamiento agresivo se produciría casi inevitablemente (Dollard y colaboradores, 1939).

c)　El *modelo de los impulsos de Lorenz y Freud* sobre la agresión parte del supuesto de que existe un impulso de agresión innato en todos los hombres. Se habla también de un modelo de los instintos sobre la agresión (Lorenz, 1963). En una versión algo más amplia, la *teoría de los instintos* dice que las adaptaciones filogenéticas preprograman el comportamiento agresivo: en su totalidad o en esferas parciales, como, por ejemplo, en la esfera de las impulsiones, mediante adaptaciones en la actividad motora y/o en la receptora, etc.

Todos esos modelos se basan en observaciones y experimentos, de tal forma que uno se admira de la vehemencia con que algunos representantes del modelo de la sicología del aprendizaje defienden, de manera monística, la validez *exclusiva* de sus concepciones, como si existiese una contradicción incompatible entre las diversas interpretaciones. Y al particular resulta evidente, basándose en los hechos, que hay que desarrollar un *modelo de interacción* que sea aplicable a todas las tendencias. Trataremos de intentarlo en las páginas siguientes, pero antes hemos de explicar brevemente algunos conceptos etológicos y exponer nuestros modos de proceder.

I. El concepto de adaptación filogenética

Son frecuentes las divergencias de opiniones acerca de los conceptos de instinto e instintivo. La aclaración de esos conceptos no se logró hasta época muy reciente. Según Lorenz (1961), los animales están dotados de determinados modos de movimientos cuando llegan al mundo. A lo largo de su crecimiento los animales desarrollan otras facultades. Muchas de ellas son aprendidas, pero, con la técnica del experimento en aislamiento, se puede probar que ciertos movimientos maduran independientemente de la experiencia, o sea, sin que necesiten ejercicio o ejemplo. Así, hay aves que desarrollan, incluso siendo criadas con aislamiento de sonido, las llamadas y las estrofas del canto de la especie. (Sauer, 1954; Konishi, 1963, 1964, 1965). Los modos de movimiento les son «innatos» a los animales, tal como se suele expresar de manera resumida. De ahí que se hable también de coordinaciones hereditarias. Innato significa que las estructuras neuromotoras que sirven de base a esos modos de movimiento se han ido desarrollando en un proceso de autodiferenciación debido a las directrices de desarrollo fijadas en la masa hereditaria. Además, los animales se encuentran en condiciones de «reconocer» de manera innata determinadas situaciones estimulantes y de responder a ellas con modos de comportamientos completamente determinados. Así pues, los animales están dotados de mecanismos procesadores de datos (detectores). Aquellos a través de los cuales se desencadenan determinados comportamientos son llamados mecanismos desencadenadores innatos. Además, los animales no reaccionan sólo de manera pasiva a los estímulos exteriores. También son activos de por sí, impulsados por maquinarias fisiológicas que, como mecanismos motivadores empujan al animal —hambriento o sediento o sexualmente excitado, por ejemplo— a buscar situaciones estimulantes que permitan realizar acciones finales que satisfagan al impulso. Finalmente, también el aprendizaje está dispuesto de tal forma que, por regla general, las modificaciones que de ahí resultan para el comportamiento son adaptivas, es decir, que contribuyen a la supervivencia del individuo. Resulta claro que las diversas especies han desarrollado con ese fin diversas disposiciones al aprendizaje propias de la especie (para detalles sobre el concepto de adaptación filogenética véase Eibl-Eibesfeldt, 1972 a).

Quien pretenda discutir la problemática etológica debería tomarse la molestia de comprender los conceptos etológicos. La mayoría de los críticos de la problemática etológica combaten un concepto de instinto que ya ha sido superado hace unos buenos treinta años, y esto dificulta evidentemente el diálogo.

Existen además malentendidos en torno a la significación de la comparación animal-hombre. Así, por ejemplo, en la obra de Schmidt-Mummenday, 1971, pág. 13, se dice: «Todas las explicaciones de Lorenz y de Eibl-Eibesfeldt sobre el comportamiento agresivo en el hombre se basan en analogías entre el pez, el ganso o el lobo y el hombre, las cuales, ajenas a los resultados de la sicología humana, no son demasiado valiosas para el comportamiento humano, para su análisis, control y predicción». Y poco antes se dice en la misma página: «No es admisible la generalización de los resultados de las observaciones practicadas en algunas especies animales, predominantemente peces y gansos en Lorenz, a todas las especies, incluyendo la humana».

Esos reproches resultan incomprensibles, ya que la etología ha recalcado una y otra vez expresamente que es inadmisible sacar deducciones de una especie para otra. Lo que se obtiene son hipótesis de trabajo, cuya validez para otra especie —para el hombre, por ejemplo— solo puede ser comprobada mediante el estudio de esa especie. La fisiología realiza desde hace ya mucho tiempo una investigación tal de modelos, y con ello ha adquirido muchos conocimientos sobre los nexos funcionales. Las analogías puras, es decir: las semejanzas que no tienen una raíz de parentesco común, son instructivas cuando se quiere conocer las propiedades estructurales unidas a una función (Wickler, 1971). Si alguien está interesado, por ejemplo, en estudiar las leyes bajo las que se presenta la monogamia, entonces hará mal en investigar a nuestros más cercanos parientes, los primates, los cuales, en la adaptación a otras condiciones de vida, no desarrollaron precisamente ese rasgo. Mucho más instructivo puede ser el estudio de insectos o pájaros monógamos. Sí, por el contrario, se quiere indagar las homologías, o sea, las semejanzas que se apoyan en una base genética común, entonces son los primates, con los que estamos más íntimamente emparentados, un objeto de estudio mucho más apropiado. Es decir, si se quiere saber cuáles son los principios generales de construcción que tenemos delante, hay que investigar estructuras que tengan la misma función en la mayor variedad posible de organismos. Todas las alas, independientemente de que se hayan formado a partir de un pliegue cuticular o que hayan surgido de la transformación de extremidades anteriores de vertebrados, están construidas de acuerdo con las mismas leyes funcionales.

Si se quiere establecer, por el contrario, qué es lo que se puede sacar de una base genética existente, entonces es mejor estudiar especies emparentadas que vivan en condiciones de vida lo más diversas posible. De este modo, el estudio del radio de adaptación de los primates nos enseña cosas fundamentales sobre las potencialidades que se encierran en ese grupo. De ahí que la investigación de analogías nos informe sobre cómo se construye algo; la investigación de homologías, por el contrario, sobre el potencial de que dispone un grupo; sobre qué se puede construir, por lo tanto (Wickler, 1972).

II. La agresión intraespecífica

1. *Modelos del comportamiento agresivo y controles biológicos de la agresión*

Después de esa breve aclaración vamos a analizar la cuestión de si el comportamiento agresivo de los animales y del hombre se encuentra preprogramado por adaptaciones filogenéticas del tipo anteriormente expuesto. Como modos del comportamiento agresivo designamos a aquellos que llevan a la huida, a la evitación, a la subordinación y a veces también al daño físico de un congénere. Los modos de comportamiento de la agresión, junto con aquellos de la huida y de la defensa, son resumidos frecuentemente en el concepto «comportamiento agonístico».

En las obras de sicología se indica frecuentemente como rasgo determinante del comportamiento agresivo la «intención» de perjudicar a un congénere. Por razones fáciles de comprender, los biólogos no pueden hacer absolutamente nada con un rasgo determinante de ese tipo. Aquí nos limitaremos a la investigación de la agresión intraespecífica. En las discusiones se mezclan con frecuencia los comportamientos agresivos interespecíficos e intraespecíficos; así, por ejemplo, en Ardrey (1966) y Kuo (1960/61). Esto es inadmisible, pues se trata con frecuencia de modos de comportamiento fundamentalmente distintos, que son controlados también por distintas partes del cerebro. Un gato al acecho de su presa se comporta de manera completamente distinta a como lo haría en lucha contra un congénere.

Los animales combaten con frecuencia contra miembros de la misma especie. Si se junta a dos perros mastines que no se conozcan bien, lo probable es que se peleen inmediatamente. Y esa agresividad no está limitada en modo alguno a los predadores. Los herbívoros no son menos diligentes al particular; los toros combaten entre sí, y lo mismo hacen las gallinas domésticas. Cuando un biólogo observa, pues, un fenómeno tan ampliamente difundido, no se inclinará a aceptar de buenas a primeras que se trata de un epifenómeno o de una degeneración de algún otro proceso adaptativo. Pensará más bien que un comportamiento que se repite con tal regularidad se ha desarrollado al servicio de una determinada función o —por expresarlo de manera menos teleológica — que debe su origen a una determinada presión de la selección natural.

Las investigaciones realizadas en numerosas especies animales han constatado la certeza de esa conjetura. Se puede comprobar que el comportamiento agresivo encierra muchas ventajas para la selección. Con gran frecuencia se ha observado que los animales sólo combaten a sus iguales en un área determinada. Esa intolerancia espacial conduce a que el animal defienda para sí una zona como territorio suyo. En la mayoría de los casos no lo hace aislado. Los pájaros cantores defienden con frecuencia por parejas un territorio común, y muchos mamíferos lo hacen en grupos cerrados. El efecto es siempre el mismo: mediante la presión ejercida sobre los congéneres se obliga a la difusión de la especie. Los animales se extienden por un territorio mayor y pueblan así también territorios marginales menos favorables. Junto a esto se impide en muchos casos la superpoblación en un territorio. Las ventajas del comportamiento intolerante son bien claras. Supongamos que los petirrojos no combatiesen a sus iguales. Las diversas parejas podrían aprovechar entonces con demasiada facilidad una oportunidad favorable para hacer el nido bajo el mismo techo de un granero. En cuanto llegase el primer período de mal tiempo todo el grupo correría el peligro de perder la cría, pues los pájaros, con su limitado radio de acción, agotarían muy rápidamente las existencias de insectos de la vecindad.

Con frecuencia la intolerancia está restringida únicamente a un corto período de reproducción. Las iguanas marinas de las islas

Galápagos pueblan la mayor parte del año en armonía los arrecifes de sus orillas. No es raro ver a centenares de ellas, tumbadas apretadamente unas junto a otras. Solo en la época de la reproducción se vuelven los machos intolerantes. Delimitan pequeños territorios en la orilla y expulsan a los rivales que se acerquen (Eibl-Eibesfeldt, 1955). Mediante esas luchas entre rivales se seleccionan para la reproducción los más fuertes y diestros y, con ello, los más sanos; y este es el mecanismo que se opone a una posible degeneración. Además, entre las especies que cuidan de la cría, los machos fuertes pueden defender también mejor a la prole.

Entre los vertebrados superiores se observan también luchas entre los miembros del mismo grupo. Esas luchas conducen a la formación de una jerarquía, para lo cual la posición de rango superior no solo trae consigo aspectos agradables, sino también, como posición dirigente, obligaciones; esto reza especialmente para los monos superiores. También aquí resulta claro que los individuos sanos y fuertes pueden cumplir mejor esa tarea.

Estas y otras ventajas para la selección explican la amplia difusión del comportamiento agresivo. Muy distante de ser un epifenómeno o una mala costumbre, cumple con una serie de importantes tareas al servicio de la conservación de la especie.

Ahora bien, no se trata en modo alguno de que, como resultado de esas presiones de la selección, se hayan desarrollado criaturas incontiblemente agresivas. A veces se afirma que Caín impera en el mundo (Szondi, 1969). Pero quien observe atentamente a los animales podrá comprobar muy pronto que, por lo general, evitan matar a los congéneres. El comportamiento agresivo no está dirigido a la destrucción física del adversario. ¡Todo lo contrario! Aquellas especies que están dotadas de armas peligrosas y que, por lo tanto, pueden matar fácilmente a sus rivales en la lucha, han desarrollado en la mayoría de los casos mecanismos especiales de inhibición, que impiden que se le inflijan al compañero serias heridas. Es verdad que los perros comienzan la lucha a mordiscos, pero, si uno de ellos se da cuenta de que no está a la altura del otro, puede someterse, eligiendo entre dos actitudes de sumisión: presentarle a su adversario la zona del cuello o dejarse caer sobre la espalda como un cachorro. En ambos casos se ofrece indefenso al vencedor, el cual, a continuación, se encuentra claramente inhibido a seguir mordiendo. El comportamiento de cachorro puede llegar hasta desencadenar un comportamiento de atención (lamer al que está tumbado en el suelo, especialmente la zona genital) e iniciar con ello una relación amistosa.

En ciertas ocasiones todo el enfrentamiento se lleva a cabo

Figura 33: Posiciones de combate (a) y de sumisión (b) en la iguana marina (fotos: autor).

como un «torneo». Una tal incruenta medición de fuerzas es la que observamos, por ejemplo, entre las iguanas marinas de las islas Galápagos (fig. 33).

En la época de la reproducción los machos combaten a sus iguales. Cuando se acerca un rival, el que ocupa el territorio adopta la actitud de amenaza: abre la boca, como si quisiera morder, mueve la cabeza de arriba para abajo y se balancea de un lado a otro frente al rival, con las piernas estiradas. Al mismo tiempo le muestra su flanco, que ensancha al erizar las escamas del cuello y del dorso. Si el rival no se muestra impresionado por esa conducta de intimidación, se llega entonces a la lucha. Los adversarios se lanzan el uno contra el otro, y después de haberse amenazado mutuamente con la boca abierta podría esperarse que se mordieran también. Pero esto no sucede. Las iguanas inclinan más bien la cabeza antes de que se produzca la colisión, de forma que son sus bóvedas craneanas las que chocan entre sí. Cada una de ellas tratará ahora de sacar al otro del campo, y ese pugilato puede durar mucho tiempo. Frecuentemente los animales hacen también descansos en los combates, permaneciendo el uno frente al otro en actitud amenazante. Si uno de ellos advierte, finalmente, que no se encuentra a la altura del otro, pondrá fin a la lucha, aplastándose sobre el vientre contra el suelo frente al adversario. Este respeta la actitud sumisa del contrario y espera, sin proseguir la lucha, a que despeje el campo (Eibl-Eibesfeldt, 1955). La lucha es, por lo tanto, un torneo completamente incruento que se lleva a cabo siguiendo reglas fijas. Triunfa el más fuerte sin que el más débil sea herido; lo cual redunda en beneficio de la especie. Si las iguanas marinas se mordiesen con sus afilados dientes, habría veces que una de ellas caería. La especie correría el peligro de acabar con sus reservas de machos; se perjudicaría, por lo tanto, a sí misma.

Por ese motivo se han desarrollado entre muchos vertebrados los torneos (duelos estudiantiles). Conocidos son especialmente los combates a bocados de los cíclidos, los pugilatos de las serpientes venenosas y la multiplicidad de torneos de los antílopes. Aquí cada especie ha desarrollado reglas de combate adecuadas a la forma de sus cuernos, para lo cual, en la lucha con los congéneres, la cornamenta se emplea siempre hasta el límite en que el adversario podría salir herido. Un antílope *Oryx,* con cuernos en forma de sable, nunca embestirá a su adversario por sus indefensos flancos. Tratará más bien de entrelazar sus astas con las del adversario, para empujarlo después y hacerle salir del campo. Esos antílopes solo utilizarán como armas sus puntiagudos cuernos contra enemigos carniceros (Walther, 1966).

En algunas especies animales la inhibición de matar se encuentra limitada únicamente a los miembros de un grupo. Las señales apaciguadoras solo actúan cuando uno de los compañeros también las conoce; las señales de animales ajenos al grupo quedan sin efecto. Tal es el caso, entre otros, del león, que vive en manadas y que mata a todo el que sea ajeno a ella (Schenkel, 1966). Finalmente, carecen de inhibiciones para matar aquellos animales que o bien no poseen armas o, después de un breve intercambio de mordiscos, pueden alejarse unos de otros gracias a su capacidad de huida, altamente desarrollada. En estos dos casos no se llega a herir, normalmente, al compañero. Ocasionalmente se producen accidentes, pero estos no originan una presión de selección lo suficientemente fuerte como para que se formen inhibiciones a matar. Cómo son estas relaciones entre los hombres es algo que habremos de discutir todavía.

Por el momento retengamos lo siguiente: el comportamiento de lucha intraespecífico se desarrolló en el curso de la filogenia, al servicio de diversas funciones. A la presión selectiva de la agresividad se le oponen presiones selectivas que se originaron para la protección del congénere. El resultado de esas presiones selectivas, que a primera vista parecen encontrarse en un conflicto irresoluble, fue el desarrollo de las luchas a modo de torneos y de las inhibiciones para matar.

2. *Adaptaciones filogenéticas en el comportamiento agresivo de los animales*

A. ACTIVIDAD MOTORA

Dado ese estado de cosas puede esperarse perfectamente que los animales no solo estén dotados de los órganos de lucha propios de la especie, sino que también su comportamiento en el combate esté prescrito en gran medida por las adaptaciones filogenéticas. Esto ha sido comprobado también mediante la cría en aislamiento. Las iguanas marinas criadas en aislamiento, sin experiencia social, luchan a golpetazos de cabeza, al igual que las criadas en circunstancias normales; las iguanas del género *Tropidurus,* criadas en iguales condiciones, a golpetazos con la cola, como es propio de la especie. Los cíclidos criados en aislamiento muestran el patrón de comportamiento típico de la especie, de amenazar y luchar con la boca; los gallos de pelea y las ratas, sin experiencia social, combaten con los modos de comportamiento típicos de la especie (Eibl-Eibesfeldt, 1972 a, donde se encontrarán otras indicaciones bibliográficas). En esos y muchos otros experimentos se ha comprobado, por lo tanto, que a los animales les son innatos los modos de movimiento de la lucha. Pero las adaptaciones filogenéticas no se encuentran únicamente en la esfera motora.

B. ESTÍMULOS DESENCADENADORES (DESENCADENADORES)

El comportamiento agresivo de muchos vertebrados es desencadenado por estímulos específicos del congénere, los cuales pueden ser imitados fácilmente en todo momento con simuladores. Los petirrojos, por ejemplo, reaccionan con un ataque ante la mancha roja en el pecho del congénere. Si en el territorio de un petirrojo macho se coloca un petirrojo disecado, este será atacado. Si al petirrojo disecado se le quitan las plumas rojas, dejará entonces de ser observado. Si se hace un penacho, atando las plumas rojas, y se coloca sobre una rama, este penacho de plumas será atacado como si se tratase de un rival (Lack, 1943). En el lagarto de los setos, *Sceloporus undulatus,* los machos presentan franjas azules en los costados; las hembras son grises. Si se le pintan franjas azules a una hembra, será atacada; si se tapan las franjas azules del macho con pintura gris, será cortejado entonces por otros machos (Noble y Bradley, 1943).

C. DISPOSICIONES AL APRENDIZAJE

Muchos investigadores han señalado que la oportunidad de amenazar o combatir a un congénere es un estímulo para el amaestramiento. Los peces de pelea del Siam aprenden a moverse en un laberinto si, como recompensa, pueden atacar al simulador de un congénere, colocado detrás de una placa de cristal. Algo similar fue descubierto entre las gallinas (Thompson, 1963, 1964). Los ratones aprenden a resolver una tarea si, como premio, pueden combatir a otro ratón. (Tellegen y Horn, 1972). Es evidente que el combate y la amenaza están recalcados por el placer. También la disposición e inclinación de mamíferos superiores a imitar el ejemplo de congéneres de rango superior exigen especiales disposiciones innatas al aprendizaje.

D. IMPULSO DE AGRESIÓN

Los experimentos han demostrado además que los animales no reaccionan siempre con igual intensidad ante el mismo estímulo desencadenador. Hay oscilaciones en la disposición agresiva a la acción, la cual, entre otras cosas, está condicionada por las hormonas. La hormona sexual masculina aumenta la agresividad de muchos mamíferos y pájaros machos en la época de la reproducción (bibliografía en Eleftheriou y Singer, 1971). Un animal excitado busca en lo que se llama un comportamiento apetitivo, los estímulos desencadenadores que les permitirán desahogar sus apetencias de combate. En algunas especies animales, la motivación endógena de combate —el impulso de lucha— es tan fuerte que la falta de una oportunidad de luchar conduce al desahogo en un objeto sustitutivo y hasta a fenómenos del tipo de la acción en el vacío. Los cíclidos machos (*Etroplus maculatus*) se vuelven cada vez más agresivos a medida que pasa el tiempo que son mantenidos en aislamiento. Si se le ofrece una hembra a un macho mantenido durante largo tiempo en aislamiento, entonces no será cortejada, sino atacada y matada. Pero si se añade a tiempo otro macho, este será atacado y la hembra, cortejada. Si se saca al primero, la hembra se convertirá de nuevo en el blanco de las agresiones contenidas (Rasa, 1969, 1971) (fig. 34). Wickler (1971), sin embargo, no considera que estos experimentos sean concluyentes, ya que podría suponerse también que la hembra, por su similitud con el macho, va incitando lentamente la disposición a la lucha. En su medio natural, el macho tiene la oportunidad de desplegar sus fuerzas en contra de otros machos. En cautiverio, la agresión reactiva incitada por la hembra se convertiría en nefasta para ésta. Puede que sea así, pero no está comprobado en modo alguno. Verdaderamente reveladores son los experimentos de Rasa con la perca de los arrecifes (*Microspathodon chrysurus*). Estos peces aprenden un sencillo laberinto en T si ante el cristal de la cámara-meta se les presenta un congénere al que puedan ver y combatir a través del cristal. El tiempo de permanencia voluntaria en la cámara-meta varía de acuerdo a las ansias agresivas de los peces, y éstas aumentan con el aislamiento (fig. 35). Hay que recalcar, por cierto, que la fisiología de la agresión no es en modo alguno igual en todas las especies. Cambia incluso entre los cíclidos.

Los gallos de pelea, criados en aislamiento, combaten su propia sombra a falta de un rival. Intentan también picotearse la cola y clavarse los espolones, y dan en ese intento vueltas en redondo, de una manera que parece completamente absurda. (Kruijt, 1964, 1971). No cabe duda que los gallos no han desarrollado esas ansias de lucha en base a experiencias sociales. Cierto es que no todos los vertebrados están motivados de igual modo en su agresión por mecanismos impulsores fisiológicos, pero en muchos casos puede comprobarse la existencia de componentes endógenos. Hasta qué punto desempeñan un papel en la constitución de un estado de ánimo combativo ciertos factores del sistema nervioso central —en la forma de circuitos neuronales autoexcitadores, por ejemplo, al igual que en los hombres (véase pág. 115)— es algo que no se

El hombre preprogramado

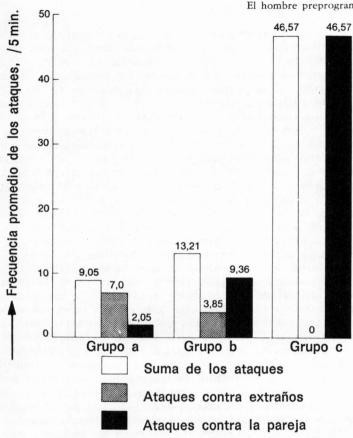

Figura 34: Promedio de los ataques de los cíclidos machos (Etroplus maculatus) *durante la fase de reproducción. En el grupo A la pareja vivía junto a algunos congéneres adultos no apareados y con algunos individuos jóvenes. Tres de estas parejas así mantenidas fueron observadas durante un total de 83 horas y 15 minutos. Dos de estas parejas desovaron dos veces y una tres veces. En el grupo B un cristal separaba a la pareja de sus congéneres. Podían ver a sus vecinos, pero sólo podían atacarlos a través del cristal. Dos parejas, que criaron con éxito a 5 frezas, fueron observadas durante un total de 62 horas y 40 minutos. En el grupo C la pareja estaba completamente aislada de sus congéneres. En tres parejas así mantenidas se rompió el vínculo que las unía, y para protegerlas se tuvo que sacar a la hembra del acuario. El vínculo que unía a la cuarta pareja también se rompió, pero los animales volvieron a aparearse poco antes del desove. Desovaron, pero devoraron los huevos y volvieron a pelearse. Un día más tarde volvieron a aparearse y permanecieron juntos hasta la eclosión de los huevos. Después el macho expulsó a la hembra y acabó matándola, 3 días después de la salida de las crías del huevo. Crió a estas por sí sólo de forma completamente satisfactoria. Tiempo total de observación para el grupo C: 84 horas y 17 minutos (tomado de Eibl-Eibesfeldt, 1972 a; según Rasa, 1971).*

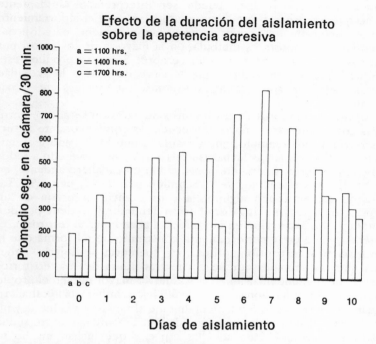

Efecto de la duración del aislamiento sobre la apetencia agresiva

a = 1100 hrs.
b = 1400 hrs.
c = 1700 hrs.

Promedio seg. en la cámara/30 min.

a b c

Días de aislamiento

Figura 35: Aumento del tiempo de permanencia en la cámara meta después de períodos de aislamiento de distinta duración. Se trata siempre de los mismos cinco peces, que son examinados después de 0, 1, 2, 3, etc. días de aislamiento con un simulador que pueden ver a través del cristal de la cámara-meta. El aumento del tiempo de permanencia fue disminuyendo claramente en el segundo y el tercer examen (tomado de Eibl-Eibesfeldt, 1972 a; según Rasa, 1971).

sabe, pero, mediante la estimulación eléctrica del cerebro pueden desencadenarse apetencias de lucha (von Holst y von Saint Paul, 1960).

Notables al particular son las investigaciones que hizo Jouvet (1972) con gatos. Durante el «sueño paradójico», el gato se encuentra en un estado atónico, los ojos se mueven rápidamente, pueden observarse además movimientos de las orejas, de los pliegues de la piel y de las patas, y la respiración es irregular. Los hilos de derivación muestran al mismo tiempo una gran actividad eléctrica en determinadas regiones del cerebro. Si se les extirpa a los gatos una zona en el cerebro posterior, esos individuos mostrarán, en el 80 por ciento de los casos, un comportamiento de rabia durante el «sueño paradójico». Esto puede ser interpretado rápidamente como que los centros que le sirven de base a ese comportamiento son espotáneamente activos y provocan el «sueño paradójico». Una descarga motora es inhibida, en la mayoría de los casos, por centros en la parte posterior del cerebro. Si no se produce esta inhibición, la espontaneidad que le sirve de base a la actividad motora agresiva conduce a explosiones espontáneas de movimiento.

Contra la hipótesis de un impulso de agresión se adujo, entre otras cosas, que éste tendría consecuencias completamente absurdas, «como, por ejemplo, que un animal que ha llegado a asegurarse por fin, tras largas luchas, su territorio y ha expulsado a todos sus competidores, saldría entonces, como un caballero andante, en busca de nuevos enemigos...» (Schmidbauer, 1972, pág. 29). Tal cosa no es, en modo alguno, la consecuencia necesaria de un impulso de agresión. Una disminución del umbral no tiene por qué conducir ni a una acción en el vacío ni a abandonar el territorio. El sistema puede estar perfectamente construido de tal forma que la vinculación al territorio reprima toda apetencia de dejarlo. Sabemos que los animales que se encuentran fuera de sus territorios presentan una tendencia a huir y a esquivar mayor que en el propio territorio. En una zona que no le sea familiar, el «caballero andante» es propenso fundamentalmente al miedo y a la huida y no a la lucha y al ataque. La agresión y la huida mantienen entre sí una relación antagónica. Para aquellas especies que luchan mucho es seguramente ventajoso el que lleguen a estar más dispuestas a la agresión mediante las impulsiones correspondientes. Por lo demás, es seguro que la motivación para atacar varía de una especie a otra, de acuerdo con las exigencias ecológicas. Wickler ha indicado también, y con razón, que es probable que la agresión haya sido desarrollada repetidas veces y de manera independiente en diversos grupos animales, como las alas de los pájaros, de los insectos y de los murciélagos.

E. GENÉTICA

La base genética de la disposición agresiva puede darse por probada. Lagerspetz (1969), entre otros, ha realizado experimentos con colonias de ratones agresivas y pacíficas. Las crías de madres pacíficas fueron entregadas a madres agresivas, y los hijos de estas fueron criados por madres pacíficas. Tal intercambio no transformó en nada el comportamiento de los jóvenes animales. Los hijos de madres agresivas se hicieron agresivos, y los de madres pacíficas siguieron siendo pacíficos. Esto no significa que las experiencias sociales no desempeñen ningún papel o que solo desempeñen un papel insignificante. Mediante el correspondiente adiestramiento, Scott (1960) logró aumentar o atenuar de manera significativa la agresividad de los ratones caseros. Lo que es cierto, sin embargo, es que el comportamiento agresivo de los animales se encuentra codeterminado genéticamente de manera decisiva.

III. Agresión y control de la agresión en el hombre

1. *Modos de movimiento innatos*

Sobre la agresión humana han sido publicadas muchas opiniones contradictorias, que se basan, en parte, en que los polemistas no entendieron en su totalidad las concepciones de sus adversarios. Así, es corriente equiparar el «concepto de instinto» de la agresión con la aceptación de un impulso innato de agresión; y con el rechazo del concepto dinámico de la agresión, desechar también el concepto de instinto. Por lo anteriormente expuesto debería de estar claro, sin embargo, que el problema hay que plantearlo de forma más diferenciada. «Instintivo» significa en su versión moderna «filogenéticamente adaptado» (Lorenz, 1961), y una adaptación tal puede encontrarse tanto en la actividad motora como en la receptora, tanto en la esfera de los desencadenadores como en el sistema de impulsiones y también en una disposición al aprendizaje. De acuerdo con esto, al investigar el comportamiento agresivo humano hemos de plantear la pregunta ¿existen modos de movimiento universales, es decir, que pueden ser observados en todas las culturas, en lo que respecta a la amenaza y a la lucha? ¿Existen situaciones estimulantes desencadenadoras universales? ¿Existen mecanismos de impulsión y disposiciones innatas al aprendizaje?

Para dar respuesta a esas preguntas, habrá que consultar diversas fuentes de información. De gran interés teórico son las observaciones hechas en hombres criados en condiciones definibles de privación de experiencia. Niños sordos y ciegos de nacimiento desarrollan inclinaciones de intolerancia, siempre que estos niños no presenten graves defectos cerebrales. Esas inclinaciones se desarrollan con frecuencia pese a los esfuerzos educativos. A una edad determinada tienen siempre una actitud de rechazo ante las personas extrañas, que se manifiesta al principio como temor al forastero. Si han reconocido como extraña a una persona por el olor, entonces se apartan o buscan el contacto con una persona que les sirva de referencia. Esta actitud de rechazo se desarrolla pese a que todo el mundo se esfuerza por criar a los niños en una atmósfera de protección. Seguro es que nunca tuvieron malas experiencias con forasteros, que habrían podido justificar una actitud tal. De ahí que haya de tratarse de procesos de maduración naturales en las actitudes sociales. A medida que van creciendo, el rechazo al forastero adquiere también rasgos agresivos. El niño sordo y ciego no sólo se aparta, sino que golpea al extraño cuando este sigue esforzándose por establecer contacto. La reacción según el esquema: extraño = enemigo, conocido = amigo se desarrolla sin que sean necesarias malas experiencias con forasteros.

Algunos niños desarrollan también hábitos de lugar. Insisten en mantener su puesto en la mesa y lo defienden frente a otros. También pude observar la defensa de «propiedad» (paquetes con regalos). Los modos de comportamiento agresivo de los sordos y ciegos se asemejan mucho a aquellos que pueden ser observados entre las personas normales. En las peleas muerden, le largan manotadas al adversario, lo empujan con las palmas de las manos o tratan de alejarlo a golpes. Como movimientos expresivos del enfado, uno observa arrugas verticales en la frente y el apretar de dientes, los cuales son mostrados en ciertas ocasiones mediante el repliegue de los labios. La cabeza es echada con frecuencia hacia atrás, con lo que se demuestra rechazo al contacto. El movimiento recuerda a nuestro gesto de arrogancia. Cuando se enfadan, los niños se muerden también la propia mano y patalean, golpeteando con los pies. Cuando se separan bruscamente, golpean también en el suelo con un solo pie. Con frecuencia, cierran los puños. El llorar y el hacer pucheros son modos del comportamiento de sumisión. El niño inclina la cabeza y, si está sentado, se acurruca (Eibl-Eibesfeldt, 1973). En principio, los modos de comportamiento se asemejan a los que pueden ser observados entre los niños sanos, pero su repertorio es más rico. La comparación entre culturas, a la que habremos de referirnos todavía, muestra que los modos de comportamiento en la amenaza y en la lucha son universales (véase Eibl-Eibesfeldt, 1972 a, b).

Kortlandt (1972) señaló numerosos aspectos comunes en el comportamiento de amenaza y de lucha de los chimpancés, los gorilas y el hombre. Estas tres especies, al amenazar, por ejemplo, golpean con la palma de la mano sobre una superficie. Pisotean o dan patadas al tronco de un árbol, sacuden ramas con ambas manos (el hombre lo hace con el adversario cogido), arrancan plantas violentamente, rompen ramas, blanden ramas y palos con la mano en alto, tiran objetos, golpean con cosas, etc. Jolly (1972) señaló hace poco rasgos comunes en la mímica de amenaza y sumisión. Las adaptaciones filogenéticas al servicio del comportamiento ago-nístico (agresión, defensa, sumisión) son por consiguiente, en lo que se refiere a la actividad motora, realmente viejas, con toda seguridad.

2. La tendencia a delimitar espacios y guardar distancia

Las distancias individuales varían en las diversas culturas (Hall, 1966). En todas partes hay situaciones que permiten también el contacto con extraños, por ejemplo: en un ascensor lleno o alrede-dor de una fogata en un campamento. Tal contacto, sin embargo, no está siempre permitido, y los hombres guardan también distan-cia en todas partes.

El primero en ocupar un territorio tendrá en él ciertos dere-chos adquiridos, y así uno pregunta educadamente antes de ocupar un puesto aún libre en la mesa de un restaurante. Felipe y Sommer (1966) hicieron experimentos en bibliotecas, sobrepasando las distancias individuales y sentándose como por casualidad justo al lado de personas que estaban allí leyendo. Las víctimas intentaban primero apartarse del intruso. Cuando no podían, levantaban ba-rreras artificiales con libros, reglas y otros objetos similares. Muy notables son al particular las observaciones de Esser (1970) y Palluck y Esser (1971 a, b) en niños retrasados mentales y, por lo tanto, con impedimentos para el aprendizaje. En un cuarto de experimentación, profusamente dividido, cada uno de los 21 niños dio muestras de un acusado comportamiento territorial, en el sentido de una intolerancia ligada al espacio. Cada uno ocupaba un determinado lugar en el cuarto y lo defendía en contra de los demás. Incluso hubo peleas al principio. Más tarde eran suficientes las amenazas para afirmar el puesto. El comportamiento territorial de esos niños, cuyo coeficiente de inteligencia estaba por debajo de 50, era más marcado que entre niños normales; lo cual es com-prensible, puesto que se trata de un rasgo primitivo del comporta-miento social, que por lo común se encuentra bajo control cortical. El comportamiento territorial de los niños apenas se dejó influir por el castigo verbal, que, en otras circunstancias, resulta comple-tamente eficaz. Palluk y Esser (1971) sustentan la opinión de que el comportamiento territorial tiene una importancia fundamental para la constitución de un orden social y de una organización entre esos niños. Entre otras cosas porque a todo aquel que se encuentre en su puesto (un puesto que ha tenido que ganarse en lucha) nadie le molesta. Los niños sanos, ya a la edad de un año o de año y medio, defienden sus puestos frente a sus iguales. La territorialidad parece ser un rasgo universal en el hombre.

3. *Los resultados del estudio comparado de las culturas (veáse también pág. 129 y ss.)*

Se afirma a veces que el comportamiento agresivo solo puede ser el resultado de la educación, pues hay culturas en las que no se puede observar ningún tipo de manifestación del comportamiento agresivo (Helmuth, 1967; Schimidbauer, 1970). Esas afirmaciones no resisten en absoluto una comprobación crítica (Weidkuhn, 1969; Eibl-Eibesfeldt, 1972 b). Los hopi, quienes presuntamente carecen de agresión, muestran crueles rituales de iniciación; los presuntamente pacíficos esquimales llevan a cabo sus disputas en la forma de duelos a bofetadas, luchas de canto o duelos de canciones. La manera cambia en las diversas tribus. En la obra *Einführung in die Psychologie (Introducción a la sicología)* de Schjelderup (1963) se puede leer, entre otras cosas: «A los indios kwakiutl parece serles desconocido nuestro llamado instinto de lucha» (pág. 38). Y sin embargo se puede leer en cualquier manual de antropología sobre las celebraciones del potlach entre los kwakiutl, en cuyo transcurso los caciques invitados compiten en destruir y dilapidar propiedades con el fin de avergonzar al adversario. Esas intenciones son también claramente manifestadas, y hay pruebas de ellas. Así, uno de los caciques, al destruir una de sus más valiosas placas de cobre cantaba: «Mi orgullo me exige, además, que destruya en este fuego mi lámina de cobre Dandalayu. Todos sabéis lo que he pagado por ella. Por 4.000 mantas la he adquirido. Ahora voy a destruirla, para vencer de este modo a mis rivales. ¡Por vosotros, hijos de mi misma tribu, convertiré mi casa en campo de batalla! ¡Regocijaos, caciques, que ésta es la primera vez que se celebra un potlach tan grande!» (citado de Benedict, 1955, pág. 151). Otros ejemplos en Boas (1895).

Me resulta inexplicable cómo se puede deducir del comportamiento de esas gentes precisamente la falta de un instinto de lucha. Recientemente se ha afirmado que los bosquimanos viven en hordas abiertas y carentes de agresión. Y que como esto era así precisamente entre esos cazadores y recolectores de la edad de piedra, había que suponer que la falta de agresión se corresponde con la naturaleza primitiva del hombre, puesto que mas del 99% de nuestra historia la hemos pasado en ese estadio cultural. O sea, que si en nuestra constitución genética estuviésemos de algún modo biológicamente adaptados a una criatura viviente, entonces sería precisamente a esa. En los últimos años me he ocupado precisamente de los bosquimanos, visitándolos repetidas veces, en el marco de mi programa de establecer una documentación comparativa de las culturas.

Resultó que no podía hablarse de una sociedad carente de agresión, cosa que en realidad podría haberse leído ya en los escritos de la antigüedad. En ellos se informa, entre otras cosas, de la agresión territorial de las hordas de bosquimanos, tema que pasaron por alto premeditadamente los defensores de las modernas ideas rousseaunianas. He filmado y enumerado los enfrentamientos agresivos en grupos de niños bosquimanos jugando. En un tiempo de observación de 191 minutos pude observar 166 actos agresivos en un grupo de nueve niños (véase pág. 144 y ss.). En el comportamiento agresivo (muecas y gestos de amenaza) los niños bosquimanos se asemejaban cualitativamente en todo a los niños europeos. No siempre se convertía la disputa en pelea a golpes. El enfrentamiento se limitaba con frecuencia a insultos y a miradas fijas. Ese duelo de miradas solía acabar cuando uno se rendía, inclinaba la cabeza y ponía hocico, lo que parecía apaciguar a los otros. Un comportamiento similar puede observarse perfectamente también entre nosotros, y he de añadir que lo he constatado desde entonces en toda una serie de pueblos. Sin duda alguna se trata aquí de universales en la esfera motora, concretamente de aquellos que se desarrollaron como adaptación a los enfrentamientos agresivos, en lo cual resulta especialmente notable la ritualización del acto de mirarse fijamente, seguido de sumisión.

Es interesante el hecho de que los niños bosquimanos socializan sus agresiones en los grupos de juego sin que medie, en lo esencial, ninguna fuerte influencia por parte de los adultos. Los niños recogen experiencias con la agresión y aprenden así a dirigirla de tal modo que no perturbe la vida en el grupo. Los niños mayores orientan, imparten intrucciones y se inmiscuyen, zanjando diferencias y consolando (H. Sbrzesny, en preparación). Un rasgo típico de la sociedad bosquimana es que el comportamiento agresivo no está considerado como virtud. En conformidad con esto, la cultura le concede un gran valor al cuidado de los modos de comportamientos vinculantes. Aquí desempeñan un gran papel los rituales del reparto y del regalo (Eibl-Eibesfeldt, 1970, 1972 b). El ideal cultural de los bosquimanos, es sin duda, alguna, la paz y la convivencia armoniosa, y esta actitud es también alcanzada. Pero el proceso de socialización consiste en un enfrentamiento contra las tendencias y comportamientos agresivos, que son de carácter primario y que sin duda alguna están presentes.

La observación nos enseña que en primer lugar se desarrollan las inclinaciones agresivas que después, en una etapa secundaria, han de ser superadas en un proceso educativo (Eibl-Eibesfeldt, 1972 b) (Figura 38 a-f).

4. *Situaciones estimulantes desencadenadoras (esquema del adversario)*

De las situaciones estimulantes desencadenadoras del comportamiento agresivo suelen saber mucho más los demagogos que los científicos. Sin duda alguna, la agresividad entre grupos puede ser dirigida con relativa facilidad mediante la manipulación del cliché del enemigo. Todo demagogo sabe crearlos, y algunos clichés parecen ser universales. Así, por ejemplo, toda amenaza fingida sobre la agresión colectiva al grupo afianza la cohesión del mismo. La defensa de territorios y de objetos (propiedad) es algo que he encontrado también hasta ahora entre todos los pueblos que he visitado, al menos entre los niños; por ejemplo: entre los bosquimanos ko, los indios waika, los papúas y los balineses.

En todas estas culturas he observado que —al igual que entre nosotros— los objetos se convierten en motivo de enfrentamientos ya a muy temprana edad (de 1 año a $1^1/_2$). Sobre todo los niños pequeños de sexo masculino reaccionan con violentos ataques cuando perciben que otro niño pequeño tiene en sus manos un objeto que a ellos les gustaría tener. La tendencia a robar el objeto codiciado es universal y de muy primitivo origen. Los niños pequeños, desde muy temprana edad, defienden además el lugar en que juegan, lo mismo que el puesto en el pecho de la madre (véase pág. 173 y ss.).

También es universal el que los miembros del grupo que tengan un comportamiento esquivo sean zaheridos, escarnecidos y atacados. La conformidad con el grupo apacigua, no bailar al compás desencadena agresiones.

Ya dijimos que el esquema de reacción: extraño = enemigo, conocido = amigo se desarrolla incluso entre los sordos y ciegos de nacimiento, sin que para ello sean necesarias malas expriencias con extraños. El temor y el rechazo hacia el forastero se desarrolla también entre los niños de los pruebloss primitivos. Ese esquema del adversario se corresponde, por lo tanto, con una disposición innata.

Podemos suponer aquí que todo congénere emite estímulos que activan el comportamiento intolerante. El hecho de conocer a alguien introduce aquí una inhibición a la agresión, inhibición que no sería absoluta, pues si no sería incomprensible el que nosotros, incluso en la vida cotidiana, en el trato con amigos y familiares, tengamos que hacer tantos rituales de apaciguamiento para podernos llevar bien (pág. 133).

Si nos olvidamos de saludar, por ejemplo, nos convertimos inmediatamente en blanco de agresiones. El gran papel que desempeñan en nuestras vidas los rituales apaciguadores y vinculadores —en muchos casos se trata de universales (véase Eibl-Eibesfeldt, 1970 a)— no es sólo testimonio de nuestra elevada disposición a la agresión, sino también indicio de que todo semejante es portador de señales que desencadenan la agresión. El conocimiento personal por sí solo no parece neutralizar del todo esos rasgos provocadores. Por lo demás, todavía no se ha investigado cuáles son los rasgos de los semejantes que desencadenan las agresiones.

Las investigaciones comparativas muestran, finalmente que el comportamiento agresivo, tanto en los monos como en el hombre, se presenta predominantemente en las siguientes situaciones (Hamburg, 1971):

a) en la competencia por el alimento,
b) en la defensa de un niño,
c) en la lucha por la hegemonía entre dos individuos de rango aproximadamente igual,
d) al transmitir a un individuo de rango inferior las agresiones sufridas,
e) al percibir a un miembro del grupo con un comportamiento discordante [1],
f) durante los cambios en la estructura de rangos,
g) en la formación de parejas,
h) penetración de un extraño en el grupo,
i) como robo de objetos, típico en los niños pequeños.

5. Inhibiciones a matar

Al hablar de la agresión animal explicamos que ésta no se encuentra en modo alguno dirigida a infligirle heridas al adversario. El congénere es respetado lo más posible en los enfrentamientos. A primera vista parece ser que esto es completamente distinto en el hombre. Arrojamos bombas sobre las ciudades de nuestros

---

[1] Jane Goodall cuenta que los chimpancés enfermos de poliomelitis fueron violentamente atacados por sus compañeros de grupo.

adversarios, recibimos al enemigo con ráfagas de ametralladora, en resumen: asesinamos a nuestros semejantes en tan espantoso número que algunos autores hasta han llegado a considerar al hombres como poseído por un criminal «instinto de Caín» (Szondi, 1969). Si se observa con más detenimiento podrá constatarse que esto, por suerte, no es así.

Entre los niños se puede observar que cuando se encuentran en un estado de ánimo agresivo no atacan, de ninguna manera, desenfrenadamente a otro, y no sólo porque le tenga miedo. Más bien parece existir una inhibición a atacar a alguien que no nos haya ocasionado ningún daño. En estos casos, el agresivo provoca, mediante actos ligeramente agresivos, un incidente que justifique casi una contraagresión masiva. Provoca al otro con ligeros golpes, con burlas y sarcasmos. Y aquí quisiera señalar que en el comportamiento de grandes grupos humanos pueden observarse cosas completamente similares. En los enfrentamientos entre niños cabe observar, además, toda una serie de modos de comportamiento apaciguadores.

Mencionamos ya que el que un niño ponga un hocico, como si fuese a hacer pucheros, frena inmediatamente la agresión de otro. Lo mismo reza para el llanto y el lloriqueo. Los adultos tocan las mismas teclas. En muchos aspectos, el que se somete se comporta de manera aniñada. Tales infantilismos están universalmente considerados como llamamientos apaciguantes. Universales son, además, algunos gestos de la sumisión, en los que uno se hace más pequeño: inclinando la cabeza, por ejemplo, o postrándose. Con frecuencia, el compañero experimenta con la sumisión un cambio radical en su estado de ánimo, y corteja con modos de comportamiento amistosos a quien antes combatiera. Con otras palabras: siente compasión, y esa compasión es activada mediante simples señales del compañero, mediante determinados movimientos expresivos. Los movimientos expresivos, al igual que la compasión, que se manifiesta, por su parte, en determinados modos de comportamiento, como los del consolar, por ejemplo, son universales. De ahí que no estemos dotados únicamente de modos de comportamiento agresivos, sino que hayamos recibido también los correspondientes medios para el apaciguamiento de la agresión. Sigue en pie la pregunta de si sólo son eficaces en el seno del grupo, como hemos visto en el caso tipo del león, o si la inhibición en el ataque es desencadenada siempre por tales señales apaciguadoras.

Es indudable que frente a los extraños estamos menos inhibidos para la agresión que ante miembros del grupo con quienes nos une el lazo del conocimiento personal. El por qué esto es así lo he explicado en otra parte (Eibl-Eibesfeldt, 1970). Pero también es completamente cierto que el extraño puede apaciguar e inspirar compasión. La sonrisa es una de esas señales de paz. Cuando los hombres buscan el contacto con los forasteros tocan por doquier las mismas teclas. Así, por ejemplo, se procura con frecuencia entablar el contacto con los demás a través de los niños. Cuando los australianos, por ejemplo, buscaban entablar contacto con los blancos, tan temidos por ellos, ponían a un niño delante de ellos, en la creencia de que entonces no se les haría daño alguno. Tales llamamientos a través del niño nos son conocidos de otras muchas culturas (véanse págs. 272 y ss.), y hace poco han sido observados hasta entre los monos (Deag y Crook, 1971). Entre los monos berberiscos los machos de rango inferior suelen tomar prestado a un monito pequeño cuando quieren acercarse a un macho de rango superior, en busca de contacto.

En la práctica, sin embargo, los conflictos bélicos entre grupos humanos suelen desarrollarse con bastante desenfreno, sin respetar ni a mujeres ni a niños. ¿Cómo puede llegarse a esto? En primer lugar, como destacara ya Lorenz (1963), es evidente que la invención del arma es la causante de ese estado de cosas. Las inhibiciones a matar, que se desarrollaron en el curso de la filogenia, están sintonizadas con nuestras capacidades corporales. Raras serían las veces en que los hombres se matasen a puñetazos o se estrangulasen mutuamente. Pero si la mano empuña un hacha de piedra, el adversario será puesto fuera de combate al primer golpe, antes de que pueda someterse al vencedor con los correspondientes modos de comportamiento. Por los antropólogos nos enteramos de que con las primeras armas fueron encontrados también los primeros cráneos con huellas de los efectos de la violencia (Roper, 1969). La hipótesis expuesta viene apoyada además por el hecho de que los antropoides adultos, en circunstancias naturales, apenas llegan a matarse entre sí, pese a que poseen una poderosa dentadura. Es cierto que el chimpancé se apodera a veces de lactantes de madres ajenas al grupo y se los come. Esto se esgrime como argumento en contra de la existencia, entre esos monos, de inhibiciones a matar. ¿Hay que interpretarlo realmente así? Opino que no. Podría ser que los chimpancés lactantes no pudiesen enviar todavía las señales apaciguadoras de los subadultos y adultos y que, por eso, fuesen a veces víctimas de algún ataque. Además, el hombre, como criatura dotada de fantasía, posee la especial facultad de construir «realidades» en su cerebro. Puede convencerse a sí mismo, por ejemplo, de que los miembros de otro grupo no son en modo alguno hombres, es decir: construye en su cerebro estructuras, combina-

ciones de células ganglionares o uniones moleculares, en base a las
cuales percibe la realidad de una manera subjetivamente defor-
mada. Sus pensamientos se mueven en patrones grabados en el
cerebro, y una persona así adoctrinada no percibe en los otros los
llamamientos desencadenadores de compasión. Pues bien, lo notable es que todo grupo que se enfrente agresivamente a otro
procede de acuerdo a ese principio. Los indios de las selvas
brasileñas hablan de sus vecinos como si éstos fuesen animales de
presa; y cómo denigran las naciones civilizadas a sus adversarios es
algo de sobra conocido. El hecho de que se dediquen sumas tan
exorbitantes a la propaganda de guerra y que además se erijan
barreras para la comunicación (leyes contra la fraternización y
similares) muestra, al mismo tiempo, lo fuertes que son en realidad
las inhibiciones a matar, incluso frente a extraños. Se puede ofrecer
aún otro indicio al particular. En muchas culturas los asesinos
victoriosos son considerados impuros. Se encuentran sometidos a
prescripciones de tabú, las cuales manifiestan con frecuencia un
carácter francamente expiatorio. Ya Freud (1922) vio ahí la expresión de remordimientos de conciencia:

> Deducimos de todas esas prescripciones que en la conducta frente a los
> enemigos se manifiestan otros sentimientos aparte de los simplemente hostiles.
> Descubrimos en ellos exteriorizaciones del arrepentimiento, de la conciencia ator-
> mentada por haberle quitado la vida a alguien. Nos parece como si también entre
> esos salvajes se encontrase vivo el mandamiento: ¡no matarás! (pág. 52).

Para combatir al adversario hay que denigrarlo primero, y esto
abre, en realidad, perspectivas muy prometedoras. Es evidente que
en algún tiempo pasado del desarrollo de la humanidad el hombre
se benefició de ese aislamiento agresivo (Bigelow, 1970, 1971). En
medio de la aguda competencia fueron cultivadas también la inteligencia y la cooperación entre los miembros del grupo y se fomentó
la dispersión cultural. Con ello hemos alcanzado un nivel intelec-
tual que nos permite abandonar ese sangriento mecanismo y proseguir una evolución dirigida por la razón. El hecho de que
estemos dotados emocionalmente para la compasión y el altruismo,
para la convivencia pacífica con extraños, es la premisa del éxito
que también podemos alcanzar aquí. Para ello, se trata en primer
lugar de destruir las barreras que le han sido impuestas a la
comunicación y de poner en entredicho a toda demagogia que trate
de denigrar a otros grupos humanos. De ahí debería arrancar toda
educación tendente a establecer la paz.

6. *Impulsiones para la agresión*

En la precedente discusión nos hemos ocupado de la parte motora del comportamiento agresivo y de las situaciones estimulantes desencadenadoras. El que las adaptaciones filogenéticas en esas esferas codeterminan el curso de los acontecimientos es algo que debería considerarse como probado. Decimos *co*determinan, pues el que las inclinaciones agresivas pueden ser fomentadas o aminoradas por la educación no lo duda ningún etólogo. Todavía no nos hemos ocupado de la dinámica de la agresión humana. Esta es objeto de muy violentas discusiones. Es evidente que los hombres adultos pueden llegar a estar poseídos de un impulso de agresión. Los mozos campesinos del Tirol buscan camorra con frecuencia. Se echa de ver que las riñas les producen placer. Y esto no reza sólo para los tiroleses. Allí donde el luchar está mal visto, encuentra uno con frecuencia enfrentamientos ritualizados, como torneos, duelos de canto y otros usos que pueden ser interpretados como hábitos a la manera de válvulas de escape, con el fin de dar rienda suelta a los impulsos agresivos acumulados.

Gracias a un método especial de ensayo se logró además comprobar y medir la contención y la descarga de la agresión. En uno de los experimentos, el director se encargaba de enfadar, por ejemplo, a los estudiantes. Como resultado del enfado aumentaba la presión sanguínea. El director del experimento anunciaba entonces que iba a resolver una serie de problemas y que, cuando cometiese un error, los estudiantes podían hacerle una señal, apretando un botón. A la mitad de los estudiantes enfadados se les comunicó que el director recibiría una descarga eléctrica; a la otra mitad se le dijo que en tal caso se encendería una luz azul. Entre aquellos que creían suministrar una descarga eléctrica bajó la presión arterial. Por el contrario, entre los que pensaban que solamente accionaban una luz eléctrica, la presión se mantuvo durante largo tiempo a un nivel elevado, y también subjetivamente les duró mucho el enfado (Hokanson y Shetler, 1961). Otros experimentos mostraron que las personas enfadadas se liberaban de su enojo al ver películas de contenido agresivo. Evidentemente, se identificaban con algún papel agresivo y desplegaban en él sus agresiones. En esa situación especial, por lo tanto, las películas agresivas tienen un efecto relajante (Feshbach, 1961). Sería falso deducir de ahí que hay que aprobar en general las películas de contenido agresivo. A quien no se encuentre precisamente bajo los efectos de una tensión agresiva, una película tal le infundirá un estado de ánimo agresivo, y, por lo general, la repetida vivencia de las inclinaciones agresivas conduce a un entrenamiento en el comportamiento agresivo (Berkowitz, Corwin y Heironimus, 1963; Feshbach y Singer, 1971). Bandura y Walters (1971) comprobaron igualmente que las películas de contenido agresivo pueden inculcar un estado de ánimo agresivo. Con esa comprobación creyeron haber refutado la hipótesis de la catarsis. Pero esto no puede deducirse en modo alguno de los experimentos. Por lo demás, la fuerza del impulso de agresión y, con ello, de la necesidad de desahogarlo es algo que puede comprobarse por la gran oferta de películas de contenido agresivo. La violencia tiene un mercado mucho mayor que el sexo.

Así como no se puede dudar de la dinámica del comportamiento agresivo, tanto más discutible es la cuestión de si los sistemas fisiológicos de impulsión que le sirven de base son adquiridos a lo largo del desarrollo juvenil, mediante un proceso de aprendizaje, o le son innatos al hombre. Lo que se ha demostrado es que existen oscilaciones de origen endógeno en la disposición agresiva a la acción, en lo cual las oscilaciones en el nivel de las hormonas sexuales masculinas desempeñan, al igual que en los vertebrados inferiores, un papel decisivo y formador del estado de ánimo. Si aparte de eso existen o no impulsiones aún primarias del sistema nervioso central es una cuestión que se discute con vehemencia en la actualidad.

Los partidarios de la hipótesis del impulso secundario opinan que la agresión no puede ser clasificada entre ninguna de las impulsiones propiamente primarias, sino que se encuentra más bien al servicio de otros impulsos primarios, a los que ayuda a abrise paso. De acuerdo con esta teoría, sólo se fomenta la agresión mediante la represión de otros impulsos. En el caso de una completa realización de los impulsos primarios no habría, por consiguiente, ninguna agresión. Así, Arno Plack (1968) le atribuye todas las agresiones a la represión del impulso sexual, siguiendo la tesis de Wilhelm Reich. Esa idea, formulada de manera algo distinta, se nos presenta de nuevo en la hipótesis de la frustración, de Dollard y sus colaboradores, según la cual toda privación, definida como impedimento al comportamiento dirigido a un fin, provocaría una conducta agresiva. Las vivencias de privación durante la niñez, en especial, provocarían dicha conducta. También aquí se presenta la agresión como vehículo al servicio de otras motivaciones. Se duda de la existencia de un impulso de agresión autónomo. También para los partidarios de la hipótesis de que los modos de comportamiento agresivos son aprendidos por el ejemplo social, la motivación agresiva tiene un carácter secundario. Kunz

(1946) llega a considerarla como una «degeneración de la actividad natural del organismo», como un estado patológico, por lo tanto. Para la hipótesis de un impulso de agresión primario, innato a nosotros, los humanos, no existe en verdad ninguna prueba exacta, pero sí una serie de fuertes indicios. Aquí habría que remitir en primer lugar al hecho de que hasta en las culturas de orientación pacifista puede observarse el comportamiento agresivo. Y si se sigue la ontogénesis del comportamiento social, se constatará entonces que en todas partes se desarrolla primero el comportamiento agresivo y que solamente después es socializado de manera secundaria. Podría objetarse que es que no existe ninguna cultura cuyos representantes no estén sometidos a vivencias de privación durante los primeros tiempos de la niñez, cosa que es perfectamente cierta si se le otorga la suficiente amplitud al concepto de vivencia de privación. Pero con ello no se prueba todavía que la vivencia de privación sea la única causa del comportamiento agresivo.

Incluso la referencia a que el comportamiento agresivo (por ejemplo; demanda de comida, de ser cuidado) conduce a un niño al éxito y sirve de entrenamiento para el comportamiento agresivo —lo que es evidentemente cierto— no prueba en modo alguno que no exista un impulso de agresión primario. Una explicación tal, según el principio de la economía de fuerzas, podría ser aceptada de momento como la hipótesis más sencilla, a no ser por ciertos hallazgos de la fisiología del sistema nervioso que nos sugieren una interpretación distinta. Se ha comprobado en el hombre, entre otras cosas, la existencia de ataques de rabia neurógenos, que se deben a la descarga espontánea en células del tallo cerebral y de los lóbulos temporales (Gibbs, 1951; Moyer, 1969, 1971; Sweet, 1969). Los ataques de rabia espontáneos van acompañados de una típica actividad eléctrico-cerebral en esas regiones, y pueden ser reproducidos también mediante la estimulación eléctrica de las mismas. Como la persona sana dispone de las mismas estructuras, y como también en ella se puede provocar la agresividad al estimular esas regiones (bibliografía en Moyer, 1971), y como quiera que se sepa, finalmente, que toda célula ganglionar manifiesta espontaneidad[2] (Roeder, 1955; Horridge, 1965), la hipótesis de que la agresión humana tiene su base en esas estructuras automáticas no puede ser en modo alguno descartada tan fácilmente como se hace a veces. En relación con esto quisiera exponer una idea: se oye

---

[2] En relación con esto quisiéramos recordar aquí una vez más el descubrimiento de Jouvet sobre la descarga espontánea de agresión durante el sueño (1972).

preguntar una y otra vez si sería lógica la existencia de un impulso espontáneo de agresión; pues explicárselo de manera reactiva sería, seguramente, más racional. Quizás lo fuese —seguro no es, de ninguna manera—, pero, ¿resulta también fácil de explicar? Las piezas con las que se construye el sistema son, a fin de cuentas, neuronas espontáneamente activas. Quizás se le pueda atribuir a esa propiedad del elemento neuronal el que los complicados sistemas neuronales manifiesten espontaneidad con tanta frecuencia. Hasta parece que el comportamiento de huida de algunos pájaros y mamíferos se debe a un «impulso de huida», es decir: tiene espontaneidad, pese a que esto, a primera vista, parece realmente irracional[3].

Mark y Ervin (1970) subrayan que los mecanismos en los que se basa el comportamiento agresivo están localizados en las partes más antiguas del encéfalo. Esto no es en modo alguno sorprendente, pues el comportamiento agresivo es realmente viejo.

Violent behavior as one aspect of selfpreservation has existed on this earth for hundreds of millions of years. It is not surprising, therefore, to find that the mechanisms that initiate it are in the deepest most primitive centers of the vertebrate brain —the brainstem. Nor is it surprising to find that mechanisms for controlling violence and other brainstem functions are situated in the deepest and oldest part of the vertebrate 'large brain' of cerebrum. (pág. 14).

(El comportamiento agresivo, como un aspecto de la autoconservación, existe en la tierra desde hace cientos de millones de años. De ahí que no sea sorprendente el descubir que los mecanismos que lo inician están en los más profundos y primitivos centros del encéfalo de los vertebrados: en el tallo cerebral. Tampoco es sorprendente descubrir que los mecanismos para el control de la violencia y de otras funciones del tallo cerebral están situados en la parte más profunda y vieja del cerebro de los vertebrados.)

7. Jerarquía social

Sobre la justificación o el rechazo de la jerarquía y de la autoridad se ha discutido mucho. La igualdad de todos los hombres en un orden social sin clases es un objetivo por el que luchan muchos políticos. Otros lo tienen por utópico, pues no se adecuaría a nuestras predisposiciones. Así opina Freud: «Es parte de la desigualdad innata e insuperable del hombre el que éste se divida en caudillos y seguidores. Los últimos constituyen la inmensa mayoría, necesitan una autoridad que tome decisiones por ellos, a la que se someten incondicionalmente en la mayoría de los casos». (Freud, 1950, en una carta a A. Einstein de 1932).

---

[3]   En el cerebro humano existen, a fin de cuentas, sistemas neurales cuya activación bloquea el comportamiento agresivo. Así se logró calmar a pacientes violentos mediante la estimualción de los lóbulos frontales ventromediales y de la región central de los lóbulos temporales (bibliografía en Moyer, 1971).

El fenómeno de la jerarquía social es un fenómeno que se presenta con regularidad entre aquellos vertebrados superiores que son agresivos y que conviven, sin embargo, en asociaciones. Las excepciones no me son conocidas. El fenómeno fue descubierto en las gallinas por el sicólogo Schjelderup-Ebbe en 1932. El investigador comprobó que en un grupo recién constituido de gallinas todo marcha al principio con verdadera intranquilidad. Las gallinas se van peleando por turnos y se guían en su comportamiento ulterior hacia los congéneres por las victorias y las derrotas. De aquellas por quienes fueron vencidas se apartarán en el futuro, y, por el contrario, aquellas a quienes vencieron tendrán que apartarse de ellas, o serán picoteadas. Las de rango superior tendrán preferencia en el sitio de dormir y en el lugar de comer. En el caso más simple se establece una jerarquía lineal, de acuerdo al modelo *a-b-c-d-e*. Pero a veces las relaciones son más complicadas. Puede suceder, por ejemplo, que la gallina *a* venza a las gallinas *b* y *c*, pero que después se someta casualmente a la gallina *d*. Entonces *d* es superior a ella, pese a que sigue estando subordinada a *b* y a *c*, quienes la vencieron antes. Una vez que la jerarquía ha sido impuesta a base de peleas, las cosas marchan con relativa tranquilidad en el gallinero. Una breve amenaza por parte de una de rango superior es suficiente, por lo general, para intimidar a la de rango inferior. Ligeros roces pueden ser observados, sobre todo entre animales de rango contiguo.

Entre los ánsares grises descubrió Lorenz que las jerarquías son también transmitidas. Los jóvenes de padres de rango superior pueden permitirse muchas cosas bajo la protección de éstos: por ejemplo, pueden llegar a atacar impunemente a los adultos de rango inferior. Hasta son animados por los padres a hacerlo. De esta manera se les va inculcando la elevada posición que habrán de ocupar más tarde.

Para que pueda llegar a establecerse una jerarquía es necesario, por una parte, que el individuo sea agresivo y que aspire a escalar una posición. Pero también ha de estar dispuesto a aceptar, después de una derrota, una posición inferior y a obedecer entonces. El que este último requisito es importante para la vida en común se aprecia inmediatamente cuando se cría a mamíferos que, por naturaleza, son solitarios (tejones, osos polares). A partir de una determinada edad el tejón ya no obedece en absoluto. Mi tejón domesticado solía venir por las tardes a mi cuarto y hacer entonces en él toda clase de travesuras. Abría las puertas de los armarios, sacaba la ropa y volcaba el cubo del agua; y ya podía yo protestar que eso no le afectaba. De vez en cuando me miraba pero luego proseguía sus andanzas. Si acababa por darle un azote, gruñía entonces e incluso me atacaba. De manera totalmente distinta reacciona en cambio un perro pastor alemán: se amolda inmediatamente al de rango superior y obedece.

En sus orígenes, la jerarquía social debió de ser, en primer lugar, un mecanismo para neutralizar las agresiones en el seno de un grupo. Hasta aquí, solamente sería adaptación en este sentido. Sobre la base de la jerarquía se formaron, sin embargo, entre los mamíferos superiores grupos diferenciados por la divisón del trabajo. Entre muchos monos, por ejemplo, los de rango superior se encargan de una serie de tareas. Defienden a los pequeños, dirigen al grupo, lo mantienen unido y zanjan las diferencias entre sus miembros. En caso de peligro buscan las soluciones. Entre esos animales, la posición dentro de la jerarquía ya no estará determinada únicamente por la fuerza corporal y la agresividad. Dependerá sobre todo de cualidades sociales que nosotros valoramos como positivas, como la capacidad de hacer amistades y de cuidar a los animales jóvenes. Los individuos exclusivamente agresivos no ocupan en modo alguno una posición especialmente alta. Entre los cinocéfalos cuenta también la edad. Los viejos sirven al grupo con su experiencia, y esto es respetado. Conocen las situaciones de peligro, buscan entonces soluciones y son ejemplares en muchos aspectos. Los cinocéfalos machos que han alcanzado una elevada posición la conservan incluso pasada ya su época de apogeo corporal. Con frecuencia se unen entonces varios machos viejos para formar un grupo jerárquico central (De Vore, 1965). La disminución de las fuerzas corporales de esos viejos se ve compensada externamente por un manto plateado de largos pelos, especialmente soberbio. Entre los antropoideos se dan tambien estas «soberbias vestiduras de la vejez».

En caso de peligro, los monos de rango superior son la meta de huida de los de rango inferior. Las experiencias son transmitidas generalmente por los de rango superior a los de rango inferior. Los de rango superior, por el contrario, muestran escasa disposición a aprender de los de rango inferior.

Las jerarquías se encuentran también muy pronunciadas entre los antropoides cercanos a nosotros. Jane van Lawick-Goodall narra de manera muy expresiva cómo los chimpancés machos afirman su posición con una conducta tendente a la intimidación llegando a veces también a mejorarla sin lucha. Los ruidos desempeñan un gran papel en esto. Cuando un macho descubrió que podía provocar un estruendo particularmente grande con un bidón de gasolina vacío, su posición dentro de la jerarquía mejoró de súbito.

Dada la amplia difusión que tiene la jerarquía social entre los mamíferos superiores es de esperar que al hombre le sea igualmente innata una disposición para ella. Existen también muchos indicios al respecto. En primer lugar, al establecer una comparación cultural se encuentra que el rango y el prestigio, en cualquiera de sus formas, desempeñan casi siempre un gran papel. Cierto es que existen culturas igualitarias, pero las que yo conozco son evidentemente secundarias en esto. Los bosquimanos del Kalahari, a quienes se toma por ejemplo con tanta frecuencia, imponen la igualdad mediante rituales especialmente perfeccionados del regalo y del reparto, con los que se procura una distribución igualitaria de los bienes (Eibl-Eibesfeldt, 1972). Por lo demás, también hay entre los bosquimanos personas de prestigio. Los cazadores y recolectores buenos son apreciados, al igual que los buenos bailarines en las danzas del trance, y el aprecio es algo que se valora. Cada horda tiene un jefe. Además, se respeta a los viejos de ambos sexos por su experiencia. Finalmente, entre los grupos de juego de los niños se forman claras jerarquías (véase pág. 151).

La ambición de rango y respeto conduce en las diversas culturas a las más singulares costumbres en torno al prestigio. Mencionamos ya el potlach de los indios kwakiutl (pág. 106). En nuestra cultura los hombres crean los más extraños substitutivos de pirámides, para coronarse después en la cúspide, bien sea como el rey de los coleccionistas de posavasos o el de los criadores de peces de adorno. Los de rango inferior se complacen también en imitar los símbolos de prestigio de los de rango superior. Incluso los niños pequeños ambicionan el rango, y en lo que respecta a esa tendencia han de ser antes refrenados que alentados.

El respeto por la vejez figura evidentemente entre los universales. Los ancianos, como caudales de saber, son importantes para el grupo.

Junto a su ambición de rango, al hombre también le es innata, probablemente, la disposición a la sumisión. La obediencia es en muchas culturas un valor ético, y en determinadas situaciones los hombres obedecen casi ciegamente y de manera muy distinta a como actuarían si hubiesen reflexionado serenamente. El sicólogo norteamericano Milgram invitó a diversas personas a participar en un experimento simulado. A las personas invitadas se les comunicó que se tenía la intención de investigar la influencia de los estímulos de castigo sobre el progreso en el aprendizaje. Una de las personas que se sometía al experimento (cómplice del jefe de experimentación) fue atada en un cuarto contiguo a una especie de silla eléctrica. A la persona invitada se le encargó la tarea, como maestro, de aplicarle una descarga eléctrica a la persona sometida al experimento siempre que esta cometiese un error, y a saber: con una intensidad de estímulo progresiva. Con este fin se había instalado en otro cuarto un aparato para aplicar estímulos de castigo, con 30 teclas, que iban de los 15 a los 450 voltios. Además de la indicación del voltaje había otras advertencias: descarga leve, descarga fuerte, ¡peligro! El jefe de experimentación, vistiendo la bata blanca de laboratorio, estaba presente en el mismo cuarto.

De manera sorprendente, la mayoria de las personas obedeció casi ciegamente a las indicaciones. Al final aplicaron los estímulos de castigo más intensos, pese a que su entendimiento les podía haber dicho que esto habría de perjudicar seriamente a la víctima. Milgram pensó al principio que se trataba de un error en la disposición del experimento. El maestro no tenía la menor percepción de su víctima, la cual, como ya se ha dicho, se encontraba en un cuarto contiguo. Con el fin de ofrecer una retroalimentación, Milgram hizo escuchar por un magnetófono, en los experimentos posteriores, reacciones fingidas, que iban desde el débil grito de dolor hasta la protesta alta y desesperada. Esto intranquilizó a muchas de las personas sometidas al test, pero solo el 37,5% de ellas se negó a obedecer. Es cierto que la mayoría preguntaba si no deberían de suspender el experimento, puesto que era evidente que la víctima sentía dolor. Algunos hasta protestaban y se levantaban con la intención de no seguir adelante. Sin embargo, ante la monótona demanda del jefe de experimentación, pidiéndoles que siguiesen, acababan por obedecer en su mayoría. Incluso aquellos pocos que se negaron, lo hicieron, por lo general, solamente después de haber aplicado ya estímulos de castigo que, si todo el test no hubiese sido simulado, le hubiesen causado daños a la víctima. La obediencia era más fuerte que la compasión. El que las personas que participaron en el experimento no tenían motivaciones sádicas fue comprobado con un experimento en el cual el jefe de experimentación no se encontraba presente en el mismo cuarto, sino que impartía sus instrucciones por teléfono. Entonces bajó el porcentaje de obediencia en dos tercios, y muchos de los que continuaron no elevaron la intensidad del estímulo conforme a las instrucciones, pese a que aseguraban hacerlo.

Las personas a quienes se preguntó cuál sería el resultado de un experimento semejante dijeron unánimemente que la mayoría de los participantes en el experimento no pasaría de los 150 voltios y que sólo uno entre mil llegaría hasta el último grado de estimulación. La predicción y la realidad discrepan alarmantemente. Milgram escribe al final de su trabajo:

Los resultados —tales como fueron vistos y sentidos en el laboratorio— intranquilizan al autor. Plantean la posibilidad de que por parte de la naturaleza humana —ó, más específicamente, por parte del tipo de carácter producido en la sociedad americana— no pueda esperarse del mismo que ofrezca una protección a sus ciudadanos frente a un tratamiento brutal e inhumano por instrucción de una autoridad malévola. Las gentes, en un porcentaje elevado, hacen lo que se les dice, independientemente del tenor de la acción y sin limitaciones dictadas por la conciencia, mientras vean que la orden proviene de una autoridad legítima. Si en esos estudios le fue posible a un experimentador anónimo ordenar a personas adultas que subyugasen a un hombre de cincuenta años y que, pese a las protestas, le suministrasen dolorosas descargas eléctricas, entonces uno no puede sino preguntarse lo que un gobierno —que dispone de una autoridad mucho mayor y de un prestigio más grande— podría ordenarle a sus súbditos. (Milgram 1966, pág. 460)

Hay que conocer tales inclinaciones si se quiere proteger con éxito a los hombres de sí mismos. Quien excluya desde un principio la posibilidad de una disposición innata, tan solo porque no le venga a propósito en sus concepciones filosóficas, actúa insensatamente. La referencia a una base probablemente innata del comportamiento jerárquico humano no va unida, de ninguna manera, a una defensa del mantenimiento de los sistemas clasistas tradicionales. Que es perfectamente posible fundar sociedades que sean igualitarias no lo dudamos, pero para ello es necesario ejercer una coacción social; y se plantea entonces la pregunta de hasta qué punto se le puede ofrecer a la ambición de rango personal una cierta libertad de juego para que pueda ser satisfecha, sin que el prójimo sufra bajo una dominación.

8. La reacción de extrañeza

Una forma muy notable de la agresión intraespecífica es la reacción de extrañeza. Está dirigida contra los miembros del grupo que, en su comportamiento o en su aspecto, se apartan de la norma. Schjelderup-Ebbe descubrió que las gallinas atacan a aquellos miembros del grupo cuyas crestas hayan sido variadas artificialmente; van Lawick-Goodall (1971) cuenta que sus chimpancés reaccionaban con violentas agresiones ante los miembros del grupo que mostraban un comportamiento distinto debido a la parálisis infantil. A continuación ofrecemos una parte de su dramática narración, donde describe cómo reaccionaron los chimpancés cuando en el campamento reapareció Pepe, el miembro del grupo afectado por la poliomelitis;

Cuando Pepe, deslizándose sobre las nalgas por el suelo y arrastrando el brazo paralítico, subía a duras penas por la pendiente que conducía al lugar de la comida, los chimpancés que ya se encontraban allí se le quedaban mirando fijamente durante un rato y se abrazaban y se daban palmadas mutuamente, con una amplia mueca de miedo en los rostros, para infundirse valor, sin que perdieran de vista ni un momento al infeliz inválido. Pepe, quien, evidentemente, no sospechaba que él mismo era el motivo de su miedo, hacía una mueca aún más amplia de miedo y miraba hacia atrás repetidas veces por encima de los hombros, probablemente para descubrir lo que a sus camaradas infundía un pavor tal. Finalmente, los otros se serenaban, pero aunque le lanzaban continuas miradas, ninguno se le acercaba; y él, por su parte, se arrastraba, abandonado a sí mismo. Poco a poco fueron acostumbrándose los demás animales a Pepe, y pronto se hicieron los músculos de sus piernas lo suficientemente fuertes como para que pudiera ir erguido, tal como había hecho Faben desde un principio.

Pero el estado de salud del viejo McGregor era mucho peor. A la circunstancia de que tenía que moverse de un modo altamente anormal se unían el olor a orina, el sangrante trasero y el enjambre de moscas que le perseguía. En la primera mañana después de su regreso al campamento, cuando se encontraba sentado entre las altas hierbas por debajo del lugar de la comida, los machos adultos, unos detrás del otro, se le acercaron con los pelos erizados, le contemplaron fijamente y adoptaron la conducta de intimidación. Goliath llegó hasta a atacar al viejo macho martirizado, que no tenía fuerzas ni para huir ni para defenderse de alguna manera, y a McGregor no le quedó más remedio que agacharse, con el rostro contraído por el miedo, mientras que Goliath le asestaba golpes en la espalda. Cuando un segundo macho se disponía a caer sobre McGregor y, con los pelos salvajemente erizados, blandía en lo alto una imponente rama, Hugo y yo nos pusimos delante del inválido y, para nuestro alivio, los machos lo dejaron en paz.

Pasados dos o tres días se acostumbraron los chimpancés al extraño aspecto de McGregor y a sus grotescos movimientos, pero nunca se le acercaron. Desde mi punto de vista, el momento más doloroso de todos esos diez días vino una tarde. Ocho chimpancés se habían reunido en un árbol, que se encontraba a unos sesenta pasos del nido de dormir en que yacía McGregor, y se espulgaban mutuamente. El enfermo macho miraba continuamente hacia ellos y dejaba oír de cuando en cuando un suave gruñido. Por lo general, los chimpancés le dedican al cuidado social de la piel una gran parte de su tiempo, y el viejo macho había tenido que renunciar a ese importante contacto desde la irrupción de su enfermedad.

Finalmente se levantó a duras penas McGregor de su puesto, se deslizó hasta el suelo y, deteniéndose una y otra vez, se dispuso a recorrer el largo camino hasta sus congéneres. Cuando por fin alcanzó el árbol, descansó un rato a la sombra y trepó con sus últimas fuerzas, hasta quedar muy cerca de dos de los machos. Con un fuerte gruñido de alegría les tendió la mano en señal de saludo, pero, antes de que pudiese tocarlos, estos se alejaron a saltos, sin volverse a mirarle siquiera, y prosiguieron su cuidado de la piel al otro lado del árbol. Durante dos largos minutos se quedó allí el viejo Gregor inmóvil, contemplándolos fijamente. Entonces descendió lentamente al suelo. (van Lawick-Goodall, 1971, págs. 184 y s.)

También nosotros, los humanos, tenemos la tendencia a escarnecer y a atacar a los semejantes cuyo comportamiento se aparta de la norma o cuyo aspecto es distinto. El gordo, el tartamudo el pelirrojo son blancos de burla en las escuelas. Ese comportamiento obliga al individuo raro a igualarse, en la medida en que eso le es posible. En este sentido, la agresión dirigida contra el individuo raro cumple una función de mantenimiento de las normas, factor

que pudo ser adaptativo en los pequeños grupos de la edad de piedra
Hoy en día, evidentemente, esto ya no es válido. Nuestra sociedad
obtiene ventajas precisamente de los individuos raros, que, con
frecuencia, son portadores de cultura especialmente dotados.

Es evidente que la reacción de extrañeza le es innata al hombre.
Así lo indica, por una parte, el hecho de que sea tan característica
entre los chimpancés. Además, es universal. También los indios
waika y los bosquimanos se ríen de aquel que se comporta de un
modo extravagante. La falta de maña es igualmente objeto de
burlas y provoca la risa. Además, los niños de apenas un año de
edad se ríen ya de todo corazón cuando una persona que les es
familiar cambia de manera llamativa, bien sea en el aspecto o en los
movimientos. También son universales muchos modos de comportamiento de la burla (véase pág. 159 y ss). Por lo demás,
reírse de alguien es algo que está fuertemente acentuado por el
placer. Hace mucho tiempo que los periódicos humorísticos descubrieron ese mercado. Si uno quiere protegerse a sí mismo y
proteger a otros hombres de las depravaciones que puedan origi-
nar tales tendencias, habrá que conocerlas.

IV. Equívocos en torno a las conclusiones

Hemos comprobado que el comportamiento humano de agresión se encuentra seguramente preprogramado, en las esferas motora y receptora y probablemente también en la de las impulsiones,
por adaptaciones filogenéticas. Esta comprobación nos ha acarreado
reproches. ¿Cuáles son esos reproches y qué se dice realmente en
los escritos de los etólogos? Sería instructivo echar una ojeada final
a esa polémica.

Todos los reproches apuntan aproximadamente en la misma
dirección. Se nos achaca la intención de quitarle importancia a las
agresiones, de justificarlas, de exculparlas y de presentarlas, finalmente, como algo inevitablemente fatal en el hombre. Así escribe
Rattner (1970):

En lo que atañe a la política no puede pasarse por alto el hecho de que esa forma
grandiosa de quitarle importancia al problema de la agresión ha de sentarles muy
bien a todos aquellos que participaron en los crímenes en masa de las últimas
décadas... La doctrina del 'impulso de agresión' favorece a una técnica de encubri-
miento social que se corresponde completamente con el pensamiento conservador
burgués. La mirada del observador es apartada de los defectos en el seno de la
sociedad... y se dirige única y exclusivamente hacia la hipotética 'base instintiva' del
hombre, que se substrae a la arbitrariedad y a la influencia humanas. (pág. 35)

De manera similar escribe Denker (1966) sobre las consecuencias del libro de Lorenz: «debido a que la agresión, como predisposición natural, recibe una explicación causal, el hombre, según la opinión de muchos lectores, queda ampliamente dispensado de toda responsabilidad» (pág. 95). Lumsden (1970) opina:

El peligro de la teoría del 'instinto de agresión' consiste en que, lejos de emancipar al hombre, puede que lo encadene a una ideología reaccionaria, al demostrar aparentemente la 'necesidad biológica' de un sistema social autoritario organizado para la represión interna y externa.

(The danger with the 'instinct of agression' theory is, that far from emancipating man, it may enslave him to a reactionary ideology by apparently demonstrating the 'biological necessity' of an authoritarian social system organized for internal and external repression. Pág. 408)

Cosas parecidas se oyen de Lepenies y Nolte (1971): «El recurrir a la herencia arcaica (agresiva) del hombre no está ni al servicio de la reflexión ni ayuda a las condiciones para la emancipación, sino que sigue una orientación manifiestamente antiesclarecedora». En este último trazado se encuentra también la asombrosa constatación de que quien tenga al hombre por agresivo, ¡también le adjudicará fines agresivos! ¡Como si un siquiatra considerase siempre la enfermedad como algo inevitablemente fatal y le atribuyese al enfermo los correspondientes fines!

A esos reproches, repetidos con una monotonía de matasellos —pueden ser releídos también en Selg (1971), en Hollitscher y en la colección de polémicas de Montagu (Montagu, 1968)—, se añade todavía la imputación: «Detrás de los razonamientos de Lorenz se encuentra una y otra vez la hipótesis del 'hombre-fiera'» (Rattner, 1970, pág. 30); Livingstone (1971) afirma, de manera totalmente similar, que Lorenz le ha atribuido al hombre un «killer instinct».

Detengámonos de una vez en ese reproche. ¿Ha afirmado esto Lorenz verdaderamente? Ni aun el lector descuidado podrá dejar de apreciar que Lorenz no define nunca el impulso de agresión como un «killer instinct», o sea: como un impulso dirigido a darle muerte al congénere. ¡Por el contrario! Subrayó que la agresión nunca apunta a matar, sino que allí donde esto podría ser la consecuencia, hay ritualizaciones especiales (torneos, inhibiciones a matar) que impiden precisamente el asesinato del congénere.

¿Y qué ocurre con las inculpaciones de que los etólogos aceptan y exculpan el comportamiento agresivo como un comportamiento natural y determinado por los impulsos (Schmidt-Mummendey, 1971, pág. 19)? Si la inculpación está dirigida contra

Lorenz, se trata entonces de una imputación malintencionada, pues el tenor del libro de Lorenz, está en el esfuerzo por lograr un control de la agresión. Así escribe Lorenz (1963, pág. 47):

> Dada la actual situación histórico-cultural y tecnológica de la humanidad, nos asisten buenas razones para considerar la agresión intraespecífica como el más grave de todos los peligros. Pero no mejoraremos ciertamente nuestras esperanzas de detenerla al aceptarla como algo metafísico e ineludible, sino al seguir, quizás, la cadena de su causalidad natural. Siempre que el hombre ha alcanzado el poder para dirigir a su capricho y en una determinada dirección un fenómeno natural, se lo debe a su conocimiento de la concatenación de causas que lo originan. La ciencia del proceso de vida normal, que cumple su misión en la conservación de la especie, la llamada fisiología, representa la base imprescindible de la ciencia de su perturbación, de la patología.

Con esto se expresa, pues, con suficiente claridad, que los etólogos no piensan en modo alguno en aceptar la agresión como algo inevitablemente fatal. ¡Por el contrario! Se ha recalcado una y otra vez que las adaptaciones filogenéticas, en las cambiantes circunstancias de nuestra época, pueden perder la adaptabilidad que tuvieron en otros tiempos. Sabemos muy bien que en el campo morfológico arrastramos cargas históricas que ya han dejado completamente de ser adaptativas. El apéndice es un buen ejemplo de ello. El hecho de que todo el mundo lo tenga no nos hace aceptarlo como destino inevitable. Pocas personas mueren hoy todavía de apendicitis. Y de igual modo, tampoco hemos de aceptar como inevitables —léase incontrolables— las disposiciones en el comportamiento. Como criaturas culturales por naturaleza, estamos en todo momento en condiciones de dirigir culturalmente nuestra vida impulsiva. El conocimiento de los nexos causales es la premisa para ello. (Eibl-Eibesfeldt, 1970 a, 1972 a). Las discusiones de carácter emotivo contribuyen en poco a la solución del problema. Sirven más bien para levantar barreras a la comunicación. Hay que aprender a hablar de la agresión sin agresividad. Y aquí habría que señalar quizás también los peligros de una teoría extremista del medio ambiente, tal como se perfilan en los últimos tiempos especialmente en las publicaciones de Skinner. La ética de Skinner del control absoluto del comportamiento es —por utilizar una expresión benévola— arriesgada, y nació, sin duda alguna, de la teoría del medio ambiente, que no reconoce ningún tipo de normas prescritas en el comportamiento ético.

En toda la discusión en torno a la agresividad humana resalta finalmente una cierta parcialidad, que quisiéramos señalar antes de terminar. Los polemistas se concentran como hipnotizados en la agresión, cómo si esta fuera la única emoción que nos moviera a nosotros, los humanos. Se olvida el hecho de que hasta las tropas en guerra intercambian cigarrillos cuando los enemigos se conocen unos a otros, pese a que aquí se manifiestan los indicios más prometedores para el control de nuestra agresividad. En tales casos se muestra que el hombre es una criatura social por naturaleza, dominada por un impulso a entablar vínculos amistosos. Dotados de esa contrapartida natural a la agresión (a la que aquí no me puedo referir, desgraciadamente, con más detalle, pero veáse Eibl-Eibesfeldt, 1970), no necesitamos mantener ninguna actitud fatalista.

En el esquema humano del adversario (págs. 108 y s.) se encuentran dadas también las posibilidades para una solución eficaz del conflicto. El hacer que los hombres se conozcan entre sí conduce casi automáticamente a la confraternidad. De ahí que toda estrategia educativa al servicio de la paz haya de tender sobre todo a eliminar las barreras a la comunicación.

Con ello, finalmente, también los etólogos ven en la educación la clave para acabar con las perturbaciones en la convivencia interhumana. Sin embargo, nosotros nos esforzamos por deducir nuestras estrategias educativas del conocimiento de la naturaleza humana y no de las ideologías.

Resumen

Se ha de diferenciar claramente entre las agresiones intraespecífica e interespecífica. El comportamiento de agresión intraespecífica se desarrolló en el curso de la filogenia, en muchísimos vertebrados, como un mecanismo para expulsar a congéneres de una comarca y para asegurarle un territorio a un individuo o a un grupo. Otra de las ventajas para la selección radica en la selección de los más diestros y fuertes, que tiene lugar en los combates entre rivales. Los combates no están dirigidos hacia la destrucción del adversario. Allí donde el congénere corría peligro de ser herido, los enfrentamientos se transformaron con frecuencia en torneos. Cuando se presentaban como una lucha para herir, se desarrollaron con frecuencia actitudes especiales de sumisión, con las que el perdedor puede someterse. Estas inhiben nuevos ataques.

Al servicio de la agresión intraespecífica desarrollaron los animales adaptaciones en la actividad motora (coordinaciones hereditarias), además: desencadenadores, mecanismos desencadenadores innatos y, finalmente, también impulsiones especiales (impulsos de agresión).

En los últimos años se ha discutido muy vivamente la cuestión de si el comportamiento agresivo humano, en determinadas esferas, también se encuentra marcado por las adaptaciones filogenéticas. Podemos probar que existen efectivamente tales preprogramaciones. Los niños sordos y ciegos de nacimiento desarrollan en su actividad motora el típico comportamiento de la rabia. Diferencian, además, entre las personas que les son conocidas y los extraños, distinguiendo a unos de otros por el olor. Rechazan a los extraños. Al principio esto se manifiesta como temor por el forastero, más tarde el rechazo adquiere rasgos agresivos. Esa intolerancia frente a los extraños se desarrolla sin que los niños hayan tenido nunca malas experiencias con forasteros. Ese esquema del adversario (extraño = enemigo) es, evidentemente, innato. La comparación cultural demuestra que el temor ante el forastero es un fenómeno universal.

El estudio comparado de las culturas demuestra además que el comportamiento agresivo se presenta incluso en culturas pacifistas, aun cuando en este caso, por cierto, en una forma fuertemente ritualizada. En la actividad motora del comportamiento agresivo existe toda una serie de universales (mímica de la ira, contemplar fijamente, hacer gesto de enfado y otros modos de comportamiento de la sumisión). Se puede probar la existencia de inhibiciones innatas en el matar. El comportamiento agresivo se presenta en una serie de situaciones típicas, que son igualmente universales. De ahí que no se pueda dudar de la preprogramación filogenética de ese comportamiento, realmente complejo, por lo demás. Además de esto, ese comportamiento está dirigido, desde luego, de un modo totalmente decisivo por las experiencias individuales. A favor de la hipótesis de un impulso de agresión innato en nosotros, los humanos, hay una serie de importantes indicios, fundamentalmente del campo de investigaciones de la neurofisiología. La remisión a las adaptaciones filogenéticas no exculpa en modo alguno las agresiones, como tampoco hemos de aceptarlas de manera fatalista. Más de una herencia filogenética ha perdido ya su adaptabilidad original y es arrastrada sólo como una carga histórica. En tales casos, las adaptaciones culturales han de actuar correctivamente. Sin embargo, el conocimiento de los nexos causales es una premisa para el desarrollo de una terapéutica racional.

Capítulo 2
LA AGRESION Y SU SOCIALIZACION ENTRE LOS PUEBLOS CAZADORES Y RECOLECTORES

En los últimos tiempos se han expuesto diversas tesis sobre el comportamiento social de los cazadores y recolectores, que se encuentran en el mismo nivel cultural de la edad de piedra:

1. Cazadores y recolectores viven presuntamente en asociaciones que no muestran un aislamiento territorial. Se habla también de una sociedad «flux» abierta y se infiere que el estilo de vida originario del hombre ha tenido que ser un «estilo nómada».
2. Cazadores y recolectores son pacíficos.
3. Su educación es permisiva, de tal forma que los niños no estarían sometidos a ningún tipo de vivencias de privación. Es así como, según Schmidbauer (1972), la tan discutida educación antiautoritaria de nuestros días resultaría ser en parte una vuelta a las prácticas de la edad de piedra.
4. Como los cazadores y recolectores no son, presuntamente, agresivos, se deduce que esto pertenece a la naturaleza del hombre. A fin de cuentas, el hombre ha vivido durante la mayor parte de su historia como cazador y recolector. La territorialidad, la competencia, la ambición de propiedad y la agresividad se desarrollaron presuntamente sólo como resultado de la invención de la agricultura y alcanzaron su exageración patológica en las modernas sociedades industriales.

Constataciones de ese tipo, más o menos concretas, podemos

Figura 36: Mapa de Botswana en el que se señala con líneas inclinadas el territorio de difusión de los bosquimanos !ko. Algunas de las tribus limítrofes se mencionan por sus nombres (subrayados).

Figura 37: Familia bosquimana !ko ante su choza (foto: autor).

encontrar en Helmuth (1967), Sahlins (1960), Lee (1968), Vallois (1961) y Woodburn (1968). Con el fin de apoyar estas afirmaciones, se remiten, sobre todo, a las observaciones hechas al particular entre los bosquimanos del Kalahari y los hadzas.

Mis propias experiencias con los bosquimanos !ko y! kung me permiten tomar ante ese conjunto de problemas una posición que quisiera exponer aquí. En 1972 publiqué una detallada monografía sobre la formación de grupos y el control de la agresión entre los !ko.

En mis cuatro visitas a los bosquimanos !ko (figs. 36 y 37) y una a los !kung filmé interacciones sociales naturales. Las películas han sido ya difundidas en parte por el archivo fílmico de etología humana de la sociedad Max Planck. Fueron la base de la siguiente investigación. (El proyecto de investigaciones sobre los bosquimanos sigue en marcha. Es realizado por H. J. Heinz y por mí, y me resulta un placer darle las gracias aquí a mi amigo Heinz por la excelente colaboración).

1.   *Primeras manifestaciones del comportamiento agresivo*

Ya a la edad de un año los niños bosquimanos muestran una

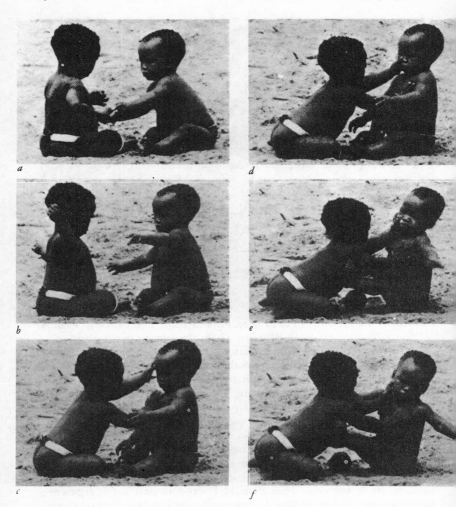

Figura 38: Lactante bosquimano !ko (masculino) tirando y arañando a otro lactante (femenino). L
niña (derecha) quiere quitarle algo al niño (izquierda) (a); este echa la mano hacia atrás (b), pasa
ataque y tira a la niña al suelo (c) - (f) (de una película de 16 mm. del autor).

serie de modos de comportamiento de la agresión, que son completamente funcionales. Tales actos agresivos son desencadenados
por algunas situaciones muy características:

A. EL ROBO DE OBJETOS

Si un niño se encuentra en posesión de un objeto que a otro lactante le gustaría tener, éste tratará primero de cogerlo y de arrancárselo. Si no lo logra inmediatamente, le dará al otro golpes con la mano o le arañará, con frecuencia le empujará con las palmas de las manos. El robo de un objeto es una reacción elemental en el niño pequeño. Lo he podido observar en todas las culturas que he conocido hasta ahora (indios waika, samoanos, europeos, himba (bantús), papúas, australianos, balineses y otros). Se desarrolla en contra del ejemplo educador y, con frecuencia, también en contra del éxito, pues en la mayoría de las culturas el robo de objetos es evitado mediante la intromisión de los adultos o de los hermanos mayores. Frecuentemente se castiga al agresor, quien se desacostumbra finalmente al robo.

B. LA DEFENSA DE OBJETOS

Los lactantes que son atacados defienden sus juguetes. Primero los retiran del alcance del agresor, y, con frecuencia, este es golpeado finalmente, tumbado o arañado (fig. 38 a-f). Los modos de comportamiento de los pequeños agresores se asemejan de modo notable en diversas culturas. Por doquier llama la atención el esfuerzo por tumbar al enemigo (fig. 39 a-z).

C. LA DEFENSA DE UN PUESTO

A la edad de un año comienzan los lactantes a defender frente a otros niños el puesto junto a la madre y también a veces el lugar de juego. Entre hermanos puede observarse en ciertas ocasiones una rivalidad muy acentuada. Al sur de Tsumkwe filmé, entre otras cosas, a una madre !kung con dos niños. El pequeño tendría de unos diez a doce meses de edad; el mayor, de tres años y medio a cuatro años. El menor no toleraba la proximidad del mayor. Se lanzaba directamente contra él cuando se encontraba sentado junto a la madre, trataba de arañarle y le arrojaba también objetos. El mayor, por su parte, intentaba provocar a su hermano. Le quitaba sus juguetes, con el solo propósito de enfadarle, pues no se quedaba con el juguete, sino que lo tiraba inmediatamente lejos de sí. Además arañaba y golpeaba al pequeño siempre que tenía la oportunidad de hacerlo. La madre no daba abasto separando a sus dos hijos (fig. 40 a-c). El hijo menor era desde luego el más agresivo. El era quien comenzaba la riña, y como la madre siempre lo protegía, el mayor se encontraba sometido a fuertes vivencias de privación. Lloraba con frecuencia de rabia y desesperación.

A veces las madres bosquimanas se ponen también al pecho,

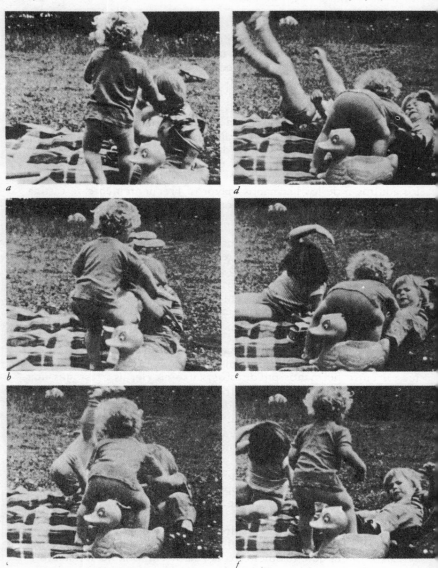

Figura 39: Ataque de un niño de año y medio (Alemania) a su compañero de juego, que le lleva me año de edad. El atacante se encontraba en su medio familiar. El atacado era visitante y perfectam bien conocido. Jugaba con el juguete del atacante. Su hermana (al fondo) se distraía entretanto da

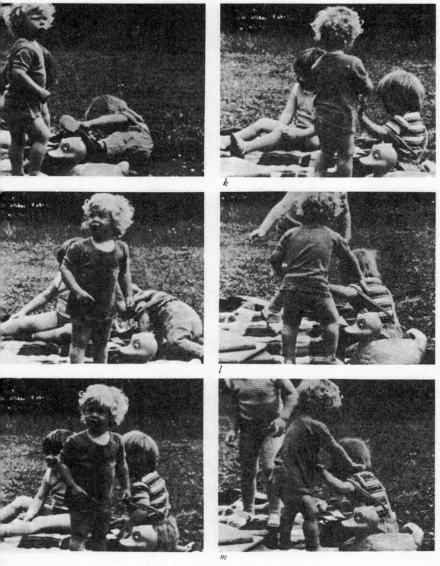

eretas. Después del primer intento de tirar a su compañero de juego (a) - (g), el atacante miró ntamente en la dirección en que se encontraban los padres (h), (i). Se trata de un claro portamiento interrogativo (véase pág. 140-2). Ante mi deseo expreso los padres no mostraron

ni reprobación ni aprobación. El chico prosigue a continuación su ataque y tira al compañero de jue
(k) - (s). Este llora, y de nuevo mira atentamente el atacante en dirección a los adultos, esperando
reacción de estos (t). El atacado llora, y entonces se acerca rápidamente su hermana y lo consuela.

ce caricias en la mejilla, le dirige palabras cariñosas y se lo lleva (u) - (x). (y) y (z) muestran el
suelo en detalle (de una película de 16 mm. del autor).

por corto tiempo, a niños que no son suyos. Los propios no ven
esto con agrado. Si son mayores, lo toleran, pero demuestran con
su comportamiento que la madre les pertenece a ellos en realidad.

D. RECHAZO DEL FORASTERO (TEMOR Y ENEMISTAD HACIA EL
FORASTERO)

Entre los ocho y los diez meses de edad comienzan los niños
bosquimanos a dar muestras de temor hacia el forastero. Si se les
acerca un extraño, se apartan y se abrazan, buscando protección, a
la persona que les sirve de referencia, ocultando la cabeza en su
cuerpo. Con frecuencia lloran. Conforme van creciendo cambia
esta reacción. Los niños no solamente huyen, sino que se defienden
también activamente del extraño, golpeándolo, por ejemplo
(fig. 41 a-c). El rechazo del forastero por parte del niño pequeño
es algo que he podido observar también en muchas otras culturas.
Se trata de un modo de comportamiento elemental, acaso innato
en el hombre, hipótesis que pude reforzar con observaciones
hechas en sordos y ciegos de nacimiento. En esos niños se desarro-

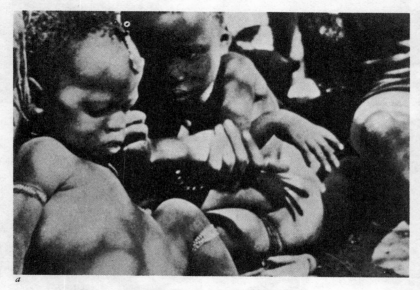

a

Figura 40: Rivalidad entre hermanos en los bosquimanos !kung: el hermano mayor trata
de arañar al pequeño (delante izquierda). Pero la madre le aparta la mano hacia arriba y
se interpone después protectoramente entre los hermanos. El hermano mayor llora de rabia
(de una película de 16 mm. del autor).

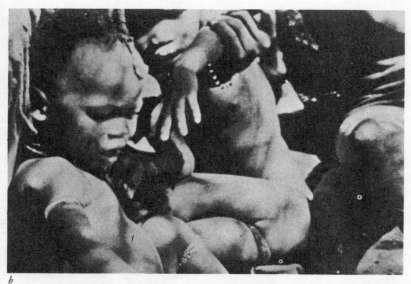

b

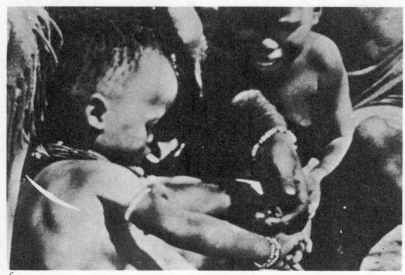

c

lla el rechazo al forastero, pese a que los niños, como se expuso en la página 30, nunca habían tenido malas experiencias con extraños.

E. AGRESIÓN JUGUETONA, NO PROVOCADA

Con bastante frecuencia puede verse a lactantes bosquimanos de un año de edad, corriendo de un lado para otro con un palo en alto y golpeando a compañeros de juego y a adultos. Y al hacer esto, lanzan gritos de júbilo por el placer que les produce (fig. 42). Nunca vi que a los lactantes se les prohibiera esto; por el contrario, recibían una cierta animación (pág. 143). En lo que respecta al movimiento de golpear, se trata de un patrón de comportamiento realmente estereotipado. Uno formalmente igual se conoce entre los chimpancés. Es posible que en ambos casos se trate de un comportamiento innato. Corrobora esto también su manifestación universal. Merecería la pena hacer una investigación más detallada sobre el desarrollo en la niñez de ese modo de comportamiento.

F. EXPLORACIÓN DE LA LIBERTAD DE COMPORTAMIENTO SOCIAL

Los ataques no provocados de los niños pequeños tienen con frecuencia las características de un tanteo. Por medio de su agresión el niño comprueba su libertad de acción social. Por las

a

Figura 41: (a) - (c): Temor al extraño: reacción de un lactante bosquimano !ko, masculino, de unos nueve meses de edad (de una película de 16 mm. del autor)

Figura 41 (d): Defensa del extraño: el mismo lactante, cerca de un año después, en el encuentro con la misma persona. Esta vez trata de pegar al forastero (de una película de 16 mm. del autor).

reacciones del atacado o del compañero de juego se entera de lo que está permitido y de lo que causa extrañeza. Ya el lactante comienza con esa forma de indagación social, mostrando al mismo tiempo un claro comportamiento interrogativo, como se comprueba para un niño europeo en la figura 39. La respuesta no ha de venir necesariamente del atacado. Hassenstein (1973) ha llamado la atención sobre esa agresión explorativa en nuestra sociedad. Desempeña un papel importante hasta en los últimos años de la niñez y sólo está limitada por las respuestas del medio. Si éstas no se presentan, aumenta entonces la agresión.

2. *Control de la agresión y socialización temprana*

La reacción de los niños mayores y de los adultos ante los modos anteriormente descritos del comportamiento agresivo de los pequeños cambia según la situación. El robo de objetos no es tolerado. Si dos lactantes se pelean por la posesión de un objeto, entonces son separados. Se les regaña, también, pero nunca vi pegar a un lactante en la edad de gatear. El objeto robado es devuelto, por lo general. Los niños mayores son a veces castigados físicamente cuando roban a otro más pequeño (véase pág. 154 y ss.).

Los hermanos, cuando rivalizan, son atentamente vigilados por la madre. Procura separarlos colocando entre ellos la mano como barrera. Les regaña también, pero raramente los castiga. Según nuestras normas, las madres actúan con frecuencia injustamente, al darle preferencia a los menores y dedicarles mayor atención.

Sin embargo, si un lactante pretende arrojarle un objeto a un hermano mayor, interviene entonces la madre para proteger al agredido. A menudo lo hace exhortando al pequeño, por ejemplo, a entregar el objeto y comenzando entonces un juego con él, que distrae al pequeño. En general, la distracción es un método predilecto en la educación infantil (fig. 43).

Ante el temor y el rechazo hacia el forastero de los lactantes reaccionan los padres de manera notable. Al principio tranquilizan a los pequeños, y hasta llegan a decir a veces palabras amistosas sobre el extraño. Pero su comportamiento es ambivalente, pues a los lactantes se les gasta a menudo bromas, diciéndoles, por ejemplo, que el extraño se los llevará. Esto redobla evidentemente el temor. El temor por el forastero se utiliza además en la educación según el patrón siguiente: si no haces caso en esto o en aquello, entonces vendrá el extraño y te llevará. El cliché del enemigo se emplea universalmente en la educación infantil. Lo he observado entre los indios waika, por ejemplo, en algunas tribus de los papúas, entre los balineses, los samoanos y en Europa.

La agresión juguetona es tolerada, y alentada también con la participación en el juego y con la risa. Se ve con frecuencia que un niño pequeño, de cerca de un año de edad, le pegue a otro con un bastón. Tanto los espectadores como la víctima se ríen, y el niño pequeño emite igualmente sonidos rítmicos jadeantes, manteniendo la boca muy abierta, expresión ésta que se parece mucho al rostro juguetón de diversos primates no humanos. A veces los niños mayores toman a mal los ataques de un pequeño. Le quitan entonces el palo y le dan un azote o un empujón. Pero, por lo general, están muy inhibidos en sus ataques.

Cuando un niño ha alcanzado la edad de dos años no vuelven a tolerársele sus ataques juguetones. Los padres le amonestan cuando trata de pegarles. Hasta ahora no he podido observar ni una sola vez que los hermanos mayores o los adultos animen directamente a un niño pequeño para que agreda a otro. Ni siquiera cuando un pequeño ha sido atacado por otro se incita a la víctima al contraataque. En esto se diferencian notablemente los bosquimanos de otros grupos étnicos. Los indios waika, por ejemplo, incitan por lo general a sus pequeños al contraataque. Hasta los niños muy pequeños son instruidos en el ejercicio de la venganza (fig. 44).

3. *La agresión y su control en los grupos de juego de los niños*

En el seno de los grupos de juego infantiles pueden observarse numerosas interacciones agresivas. Los niños se quitan unos a otros los melones con los que juegan a la pelota. Se burlan unos de otros, pelean, se pegan entre sí, etc. Muchos de esos actos pueden ser clasificados como juguetones, debido al hecho de que no llevan a un rompimiento de las relaciones amistosas. Se da con frecuencia, sin embargo, una auténtica agresión. El atacado se aparta, la agresión conduce temporalmente a una ruptura del contacto, y con frecuencia llora alguno como consecuencia del enfrentamiento. Como modos del comportamiento agresivo observé golpes con la mano abierta, con un palo o con otro objeto, tirar objetos y arena, golpes y empujones con el puño, patadas, golpes en los hombros, y en las caderas, pellizcar, morder, escupir, arañar, arrebatarse obje-

Figura 42 (a): Lactante bosquimano !ko golpeando juguetonamente al padre con un palo (de una película de 16 mm. del autor). (b): chimpancé blandiendo un palo (tomado de Jane van Lavick-Goodall, 1971, pág. 192).

*Figura 43: Rivalidad
entre hermanos en los
!kung. El hermano
menor (en primer pla-
no) amenaza con una
piedra a su herma-
no mayor. La madre lo
distrae, invitándole a
entregar la piedra (a).
El pequeño atiende a la
invitación (b). La ma-
dre le hace un juego, al
cual responde (c), (d).
Se desarrolla un diálogo
de juego, en cuyo trans-
curso madre e hijo se
dan alternadamente la
piedra, jugando con ella
siempre que la tienen
(e) - (f) (de una película
de 16 mm. del autor).*

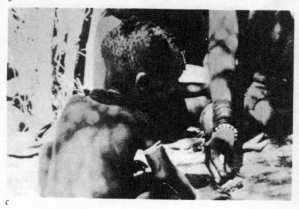

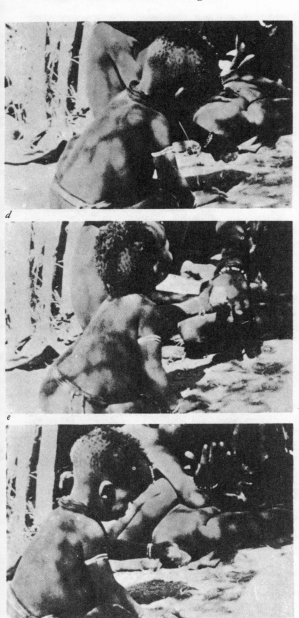

d

e

f

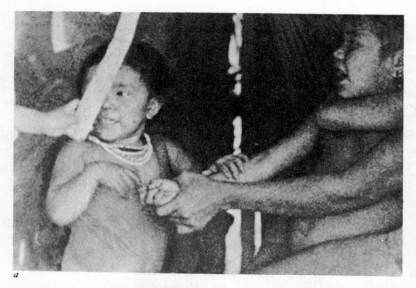

a

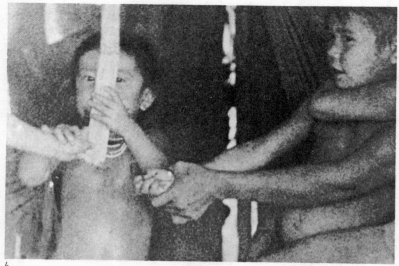

b

Figura 44: Una niña waika había sido golpeada por su hermano mayor. Ahora se le instruye para que tome venganza. Se le pone un palo en la mano y se sujeta al hermano para que no se vaya (a) - (b). Finalmente hasta se incita a la niña para que muerda al hermano (c) (de una película de 16 mm. del autor).

tos y luchar. Notables son algunos modos de comportamiento de la amenaza y de la sumisión (fig. 45).

Cuando un niño amenaza a otro, se observan con frecuencia arrugas verticales en su frente, aprieta los dientes y los enseña frecuentemente al replegar los labios. Al mismo tiempo, se queda mirando fijamente al adversario. Al amenazar, alza con frecuencia su mano, como si fuese a pegar, blandiendo a veces un palo. El otro responde de manera similar a los ademanes de amenaza, y se llega entonces a una actitud rígida de amenaza, en la que los adversarios se mantienen inmóviles frente a frente y se miran con fijeza (fig. 46). Este duelo de miradas puede que decida la situación: uno de los contrincantes se rinde finalmente, baja la cabeza, aparta la vista y pone cara compungida. La cabeza, inclinada, se vence ligeramente hacia un lado y los labios adoptan forma de morro. Además, es típico que calle el vencido, lo cual indica claramente mal humor, pues el hablar entabla por doquier el vínculo social. El mostrar enfado inhibe ulteriores agresiones, y he visto con frecuencia que hasta provoca iniciativas de contacto amistosas por parte del agresor, que trata entonces, de diversas maneras, de volver a entablar el contacto interrumpido, tocando a su adversario, por ejemplo, palpándolo u ofreciéndole comida. El ofendido suele reaccionar sólo después de un rato a esa invitación. He observado los mismos enfrentamientos, hasta en sus últimos

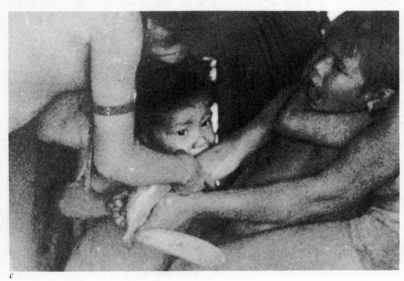

c

detalles, en otras culturas, incluida la de Europa central. Se trata
evidentemente de modos de comportamiento filogenéticamente
viejos e innatos a todos los hombres (fig. 47). Esto reza también
para el llanto, que aplaca igualmente las agresiones.

Las interacciones agresivas son bastante frecuentes. En un
grupo compuesto por siete niñas y dos muchachos conté, en el
transcurso de 191 minutos, 166 actos agresivos: 96 golpes con la
mano abierta o con el puño, 23 patadas, 8 veces en que se
arrojaron arena, y el resto distribuido en una serie de actos
agresivos. Por 10 veces lloró un niño a gritos como consecuencia
de esas agresiones, con lo que puede verse claramente que muchos
de los actos agresivos —aquí una tercera parte— eran intenciona-
dos. Los niños no son siempre igualmente agresivos. En cierta
ocasión jugaron juntos 12 niños del mismo grupo durante más de
88 minutos de manera totalmente pacífica. En ese tiempo sólo
observé siete actos de agresión, de los cuales ninguno provocó el
llanto.

A.   LA PELEA POR LA POSESIÓN DE OBJETOS

En los grupos de juego había toda una serie de situaciones
típicas que desencadenaban conflictos. Al igual que entre los

*Figura 45: Chica bosquimana !ko amenazando con un palo a un niño. Lo persigue y
acaba por arrojarle el palo (de una película de 16 mm. del autor).*

lactantes, en muchísimos de esos conflictos se trataba de la posesión de objetos. Los niños suelen quitarse con frecuencia los objetos, pero a menudo sólo para provocar a los demás y enfadarlos, y no por codicia. Pues tiran inmediatamente el objeto lejos una vez que lo han robado.

B. CASTIGO

Los niños mayores se inmiscuyen a menudo en las riñas de los pequeños y castigan al agresor a título educativo. En uno de los grupos de juego, una niña mayor, que se encontraba en el umbral de la pubertad, era quien zanjaba siempre las diferencias. Era ella quien, en calidad de «directora de juego», dirigía las actividades en el juego de los niños y a quien se le tributaba obediencia. Si un niño violaba una de las reglas del juego, era castigado.

C. AGRESIÓN MOTIVADA POR EL PRESTIGIO

La directora de juego antes mencionada agredía de cuando en cuando a niños de su grupo de juego incluso sin motivo claramente visible. Si se acercaba por la mañana, por ejemplo, a un grupo de niños que estaban jugando ya a la pelota con un melón, les regañaba a veces sin motivo y trataba de arrebatarle a un niño la

Figura 46: Un chico bosquimano !ko se queda mirando fijamente a una niña, que se rinde mostrando enfado y baja la mirada (de una película de 16 mm. del autor).

pelota de la mano. Esas agresiones demostrativas le servían evidentemente para infundir respeto, y sólo gracias a esta posición jerárquica podía la muchacha implantar también la paz y castigar a los malhechores. Era totalmente evidente que sus agresiones eran una demostración de rango.

Con respecto a la pregunta de si el hombre tiene una predisposición natural al igualitarismo, estas observaciones tienen una importancia teórica. El tipo de agresión que hemos descrito aquí conduce en los grupos de juego infantiles a la formación de una jerarquía, y esto ocurre en una cultura de cazadores y recolectores que, por lo demás, se acerca al ideal del igualitarismo.

D. ATAQUES NO PROVOCADOS

Los niños atacan a veces a otros sin razón manifiesta; eso sí: raras veces con violencia desenfrenada. Más bien provocan primero al compañero mediante burlas, ligeros golpes, pellizcos, zancadillas, y otros actos. Y solamente cuando el compañero reacciona agresivamente se llega a un contraataque abierto. Parece como si los niños se sintiesen inhibidos a atacar sin motivo a otro que permanezca sin inmiscuirse. El acto agresivo provocado, por el contrario, justifica el ataque. En muchas ocasiones se trata aquí de la comprobación por tanteo de la libertad de acción social, de la que ya hemos hablado (pág. 140).

E. REPRESALIA

Los atacados se defienden y a veces toman también represalias. Se puede observar, por ejemplo, cómo un niño ofendido se va aparte a la maleza, elige cuidadosamente una vara, la corta, la talla debidamente y luego, pasados cinco o diez minutos, regresa para desquitarse del ofensor.

F. ESCALADA DE LA RIÑA EN EL JUEGO

Las disputas en el juego se convierten a veces en serias riñas. La escalada suele ser paulatina; por ejemplo: cuando uno le da un fuerte pisotón a otro o le hace caer, y éste responde entonces con cierta rudeza.

Los conflictos en el seno de los grupos de juego infantiles son resueltos en la mayoría de los casos, sin intervención de los adultos. Solamente cuando un niño llora a grandes gritos puede suceder que una madre amoneste en voz alta al grupo desde su choza. Por lo general intervienen los niños mayores, calman y consuelan a los ofendidos y castigan a los atacantes con regaños y golpes. Hemos mencionado ya el papel que desempeñaba la directora de juego. En el seno del grupo de juego los pequeños adquieren experiencias sobre el comportamiento agresivo, se dan cuenta de cómo la armonía del juego en común es perturbada por los actos agresivos y sacan de aquí consecuencias para el futuro. Los niños mayores les inician en los rituales vinculadores de la danza y del reparto. Puede decirse sin exageración que la socialización de los niños jugadores se lleva a cabo en los grupos de juegos infantiles.

Muchos partidarios de los modelos de educación antiautoritaria son de la opinión de que hay que dejar que los niños se las arreglen por sí solos, pues entonces se socializarían en el colectivo infantil. Así ocurre, sin duda entre los bosquimanos, pues aquí los niños mayores se encargan de la vigilancia y, en cierta medida, de desempeñar el papel de adultos. Pero en los jardines de infancia antiatoritarios las condiciones son esencialmente distintas, porque en la mayoría de los casos sólo están juntos niños de una misma edad. Faltan los niños mayores, que podrían desempeñar un papel

igura 47 (a): Chica bosquimana !ko mostrando enfado (de una película de 16 mm. del autor). (b): ombre waika mostrando enfado. Quería venirse con nosotros en el bote. Tuvimos que negarnos, sin abargo, por haber enfermado un miembro de la expedición (de una película de 16 mm. del autor).

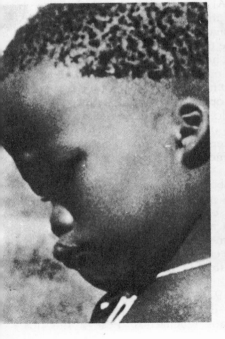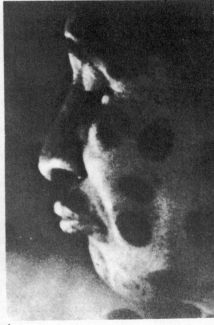

b

educativo. Exigir de los pequeños que se peleen hasta igualarse es exigirles demasiado, y el ensayo suele terminar en que algunos pocos fuertes tiranizan a los más débiles.

4. *El papel del castigo en la educación*

Acabamos de decir que los niños mayores castigan a sus compañeros de juego por el comportamiento agresivo. Los castigan también a veces cuando no intervienen en un juego colectivo o cuando lo perturban con una conducta torpe. La burla y la mofa representan un importante medio educativo en el grupo de los pequeños. De esta forma se ejerce una presión tan fuerte sobre los miembros del grupo de juego que acusan un comportamiento distinto, que se les obliga a igualarse.

Raras veces castigan las personas adultas a un niño corporalmente. En muy pocos casos pude observarlo. En cierta ocasión una niña de unos siete años no quería seguir a su madre al campo. La madre la regañó y arrastró a su hija un trecho por el suelo cogida de un brazo. Pero como la niña se negase rotundamente a acompañarla, la madre la dejó atrás. Al poco tiempo vino el padre y levantó a la niña en vilo por un brazo, regañándola también. Entonces se incorporó la niña y siguió a su madre con expresión de enfado. En otro caso, una niña de unos cuatro años defecaba en las proximidades de una choza. Su hermano pequeño la siguió y se llevó una parte a la boca. La madre y la abuela se acercaron rápidamente escandalizadas, y mientras la madre le limpiaba la boca al nene, regañó a la niña y le propinó algunos golpes leves con la mano por no haber tenido cuidado. Algo más tarde recibió también algunos golpes de la abuela. En otro caso, una niña robaba a un pequeño. El padre del niño se acercó y le quitó a la niña el bocado que ella le había cogido al pequeño, la pegó y devolvió al pequeño la golosina.

Un niño de seis años le robó a una niña pequeña, a quien habíamos dado una galleta. Dos niños mayores lo siguieron y le pegaron, ante lo cual se deslizó en una cabaña. Cuando volvió a aparecer después de unos cinco minutos, la madre de la nena a quien había robado se lanzó inmediatamente contra él, lo cogió, cortó una rama de un matorral cercano y le golpeó con ella hasta que el niño logró escaparse. Este fue el único castigo corporal grave que pude observar.

De otro caso oí en el año 1973. Una chica de unos 15 años recibió una paliza de su padre y de su hermana mayor por haber tenido relaciones con demasiados muchachos. Pese a que los bosquimanos son realmente liberales en cuestiones sexuales, no es tolerada la prosmicuidad descarada. Y el castigo tuvo éxito, porque de ahí en adelante la muchacha se mostró claramente reservada.

Cuando los niños se comportan de manera agresiva frente a los adultos, se les trata con una tolerancia relativamente grande. Una chica, por ejemplo, fue regañada por su padre por haber volcado descuidadamente un puchero y derramado así una parte de su contenido. La chica se enfadó tanto por esa amonestación que cogió el puchero y lo tiró contra el suelo, de forma que vertió todo el contenido. El padre no dijo nada. Los adultos hacen a veces como si no se dieran cuenta del comportamiento impertinente de los niños. Cuando los niños pequeños se ponen rabiosos, se intenta contentarles. Un ejemplo al particular: un hombre había escondido un pequeño objeto que hacía las veces de juguete, para que un lactante, que estaba en la edad de gatear, no se lo tragase. El lactante y otro niño de unos seis años se pusieron a buscar el objeto, mirando también si se encontraba acaso escondido en el cuerpo del hombre. Esto provocó grandes risas. El niño pequeño comenzó finalmente a pegar en broma al hombre adulto. Este devolvió los golpes y la cosa fue en aumento. El niño se puso finalmente a llorar a grandes gritos y salió corriendo. De un basurero cercano recogió astas de antílope y grandes huesos y se los arrojó al hombre. En ese momento, el padre, que también se encontraba presente, comenzó a hablarle amistosamente al niño, riéndose de su actuación, y logró que el chico cambiase de ánimo.

5. *La agresión en la vida de los adultos*

A. EVIDENCIA DE LA TERRITORIALIDAD

La afirmación de que los bosquimanos viven en sociedades abiertas y que no manifiestan ningún tipo de territorialidad (Lee, 1968, entre otros) no resiste una revisión minuciosa. Heinz (1966, 1972) ha estudiado con detalle las relaciones en que viven los bosquimanos !ko. Quisiera referir aquí brevemente los resultados que obtiene al particular. Heinz diferencia tres niveles de organización social: 1. la familia y la gran familia; 2. la horda; 3. la filiación de horda.

Todas esas unidades se caracterizan por determinados patrones del vínculo y del mantenimiento de distancia. Así, por ejemplo, los sitios que ocupan los diversos miembros de la familia al sentarse alrededor del fuego están establecidos, aunque de manera menos estricta que entre los bosquimanos !kung (Marshall, 1960). La mujer puede ocupar cualquier lugar junto al fuego siempre que se encuentre mirando a la casa; el puesto correcto, sin embargo, es a la derecha de su esposo. La norma para los padres es que vivan a una distancia no menor de doce metros de donde viven sus hijos casados. Además, la entrada a la choza ha de estar dispuesta de tal modo que resulte imposible ver a los hijos casados mientras duermen. Se espera también de los miembros de la familia que se dediquen a la caza y a la recolecta únicamente en determinados sectores que les son asignados, pese a que, por lo demás, el territorio de la horda les es accesible a todos.

Heinz informa además que las hordas se dividen periódicamente en grupos familiares, para lo cual cada familia ocupa un lugar que es respetado por los otros miembros de la horda. Mientras que las familias no tienen derechos territoriales directos, la horda considera siempre como su distrito a una comarca bien determinada. El control sobre ese territorio es ejercido por el «headman» (Heinz, 1966, 1972), en calidad de representante del grupo. Para ello se le asigna un grupo de hombres y mujeres de edad, como consejeros. La horda caza y recoge madera y alimentos del campo en su territorio. En caso de necesidad pueden solicitar permiso para cazar y recolectar en el territorio de otra horda. Los miembros de la misma filiación reciben por lo general ese permiso.

Considero extraordinariamente importante el descubrimiento que hizo Heinz del sistema de filiación. Sirve para esclarecer algunas de las afirmaciones contradictorias sobre los bosquimanos. Un sistema de filiación está compuesto por un grupo de hordas. Los miembros de una filiación se designan a sí mismos como «nuestra gente». Están unidos entre sí por relaciones de amistad y de parentesco, así como por lazos rituales. Uno se casa, por lo general, en el seno de la filiación. La filiación de horda representa un grupo territorial·que es mucho más exclusivo que la horda. Todo territorio de filiación se encuentra separado de los demás por una franja que es tierra de nadie. Esa tierra de nadie es evitada por los miembros de ambas partes. Un bosquimano jamás pedirá permiso para cazar en un territorio de filiación extraña.

Los derechos sobre un territorio son adquiridos por nacimiento, por aceptación en el grupo o por matrimonio. Si los padres provienen de diversas hordas, esto conduce entonces a una doble filiación de horda. Después de su matrimonio el hombre permanece durante un tiempo en la horda de la desposada y tiene así acceso al territorio de ésta. Después la pareja se muda a la horda del hombre, y entonces la mujer adquiere acceso al territorio del esposo. De esta forma, cada una de las partes tiene acceso a la comarca de la otra. Y este derecho se transmite a los hijos, lo que hace que, en ciertos casos, no parezca clara la territorialidad de horda.

Con esto queda comprobada la territorialidad entre los bosquimanos !ko. Los autores mencionados al principio, quienes informan sobre la falta de comportamiento territorial entre los bosquimanos, han trabajado con los bosquimanos !kung. Se plantea, por tanto, la pregunta de si en este punto se diferencian de los bosquimanos !ko. Una ojeada a la anterior bibliografía, que, por lo demás, no es tenida en cuenta por los autores mencionados, nos enseña que no es así. Sobre la territorialidad de los bosquimanos !kung se ha informado en diversas fuentes. Passarge (1907), por ejemplo, describe a los bosquimanos !kung como belicosos y subraya que no solo las hordas poseen sus propios terrenos para la recolección, sino también cada familia. Escribe al particular:

> La división de los bosquimanos en familias es conocida desde hace mucho tiempo..., por el contrario, todavía no he encontrado en ninguna parte ninguna noticia sobre el hecho de que también la tierra es propiedad, legalmente repartida, de las familias. Pero esto es un punto de extraordinaria importancia, pues solo teniendo en cuenta este hecho se puede lograr una visión clara de la organización social de los bosquimanos (pág. 31).

Zastrow y Vedder (1930) informan que los bosquimanos no pueden cazar ni recolectar alimentos en el territorio de otro grupo:

> Allí donde la región de los bosquimanos no ha sido dividida todavía en haciendas, sino que un territorio tribal colinda con otro, sabe todo bosquimano que no puede cazar ni recoger alimentos del campo en territorio extraño. Si se sorprende a un cazador furtivo, este habrá perdido el derecho a la vida (pág. 425).

Lebzelter (1934) informa de la gran desconfianza de que da muestras un !kung cuando se encuentra con un miembro de una horda extraña.

> Todo hombre armado a quien encuentran es considerado desde un principio como enemigo. El bosquimano solo puede entrar desarmado en los territorios tribales extraños. Incluso en los límites de la zona de haciendas la desconfianza mutua es tan grande que un bosquimano que haya sido enviado a una hacienda en cuya comarca esté asentada otra tribu no se atreverá a apartarse del camino, que está considerado como una especie de zona neutral. Cuando dos bosquimanos extraños, que están armados, van acercándose el uno al otro, depositan primero las armas a distancia visible (pág. 21).

Relatos similares encontramos en Brownlee (1943), Vedder (1952) y Wilhelm (1953). También Marshall (1965) informa sobre la territorialidad, e igualmente Tobias (1964). En vista de esos numerosos relatos hemos de admitir la hipótesis de que el grupo que investigó Lee no da muestras ya del típico comportamiento bosquimano, lo cual podría ser un resultado de la evolucionada

transculturización. Esto corrobora el hecho de que los salvajes
!kung de las inmediaciones de Tsumkwe siguen teniendo ciertamente territorios de horda.

B. AGRESIONES EN EL SENO DEL GRUPO

En el seno de un grupo se encuentra muy bien controlado el
comportamiento agresivo de los adultos. El ideal cultural de los
bosquimanos es, efectivamente, la paz. Si surgen desavenencias
entre dos familias, el problema se soluciona entonces apartándose
temporalmente del grupo una de las familias, durante el tiempo
que sea necesario para que se disipe el enfado (Heinz, 1966,
1967). En muchos casos las diferencias se zanjan verbalmente. Es
típico, por ejemplo,que el ofendido exponga en alta voz su despe-
cho, por la noche, cuando cada cual se sienta alrededor del fuego
delante de su cabaña, y enumere las causas de su disgusto, sin
mencionar, por cierto, el nombre de su adversario. Pero en una
comunidad tan pequeña cada uno sabe quién es el aludido. Así sale
a relucir la mala conducta, y mediante la presión social del grupo se
logra que el otro dé pasos hacia la reconciliación. Las agresiones
son descargadas en muchas ocasiones, de manera inofensiva, en las

llamadas asociaciones bromistas. Determinadas asociaciones bromistas, prescritas por convención, permiten a los litigantes tomarse el pelo mutuamente, insultarse en broma y desahogarse de las agresiones en juegos de peleas. De válvulas de escape para la agresión sirven también una serie de juegos bosquimanos (véase Sbrzesny, en preparación). Las amenazas de muerte son relativamente frecuentes. Te mataré con mi medicina, se dice, por ejemplo. Pero es raro que los miembros del grupo luchen con armas. Heinz nos cuenta de un asesinato y describe los ataques de rabia que puede tener a veces un bosquimano. Los cónyuges se pelean en ciertas ocasiones por celos, y el adulterio puede acabar hasta con derramamiento de sangre entre los hombres, pese a que, por lo general, procuran pasar por alto esos incidentes con el fin de evitar el conflicto.

C. PUNZAR Y RIDICULIZAR

Con el punzar y el ridiculizar se mantiene la homogeneidad en el grupo y se ofrece al mismo tiempo la oportunidad de desahogarse de agresiones. Heinz (1966) describió con gran exactitud las asociaciones bromistas. Aquí quisiera discutir algunos patrones del comportamiento ridiculizante. Tales modos de comportamiento

Figura 48: Niñas levantándose el delantalillo burlonamente. Las niñas hacen burla del que está filmando con la cámara de espejo. Creían no ser observadas (de una película de 16 mm. del autor).

son desencadenados por individuos aislados cuya conducta se
aparta de la norma. El ridiculizado se ve sometido a la presión del
grupo y se esfuerza generalmente por integrarse de nuevo. Es
evidente que el ridiculizar ejerce una función educativa. Se ridicu-
liza ante todo imitando los modos de comportamiento y resaltando
aquellos que chocan por extravagantes. Se imita torpemente y se
pone así en ridículo ese comportamiento. Esto lo hacen los bosquimanos igual que nosotros. Observé además que las chicas
ridiculizan a un miembro del grupo sacando la lengua, mostrando
las nalgas y a veces también exhibiendo el sexo. A este respecto
observamos dos formas de presentación sexual femenina. Filmé
esas dos formas de presentación en cierta ocasión en que unos
niños se estaban burlando de mí mientras filmaba. Después de
imitar mis movimientos de montar la cámara, se pusieron a danzar,
acercándose —en la creencia de que no los veía, pues estaba
trabajando con el objetivo de espejo— y subiéndose el taparrabos
muy cerca de mí (fig. 48). Algunos niños se dieron la vuelta a mi
lado y presentaron las nalgas. Al hacer esto se inclinaban mucho, y
me percaté de que en esa posición se podía ver muy claramente la
fisura de la vulva (fig. 49). Sospecho que se trata de una forma
muy vieja y primatesca de presentación de la vulva. Es notable que
los pequeños y abultados labios vulvarios de los bosquimanos
resaltan en esa posición la entrada vaginal de manera muy ostenta-

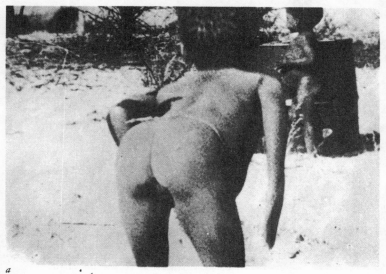

a

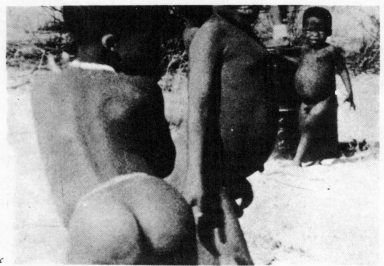

Figura 49 (a) — (c): Burla mediante la presentación de la vulva. La burladora le muestra las nalgas al que está filmando con el espejo y se inclina profundamente, después se vuelve y ríe mientras una segunda chica danza en la imagen y presenta igualmente.

tiva. Señalemos al particular que los bosquimanos copulan preferentemente por detrás, tumbados de lado. La presentación sexual se utiliza también en otras culturas como comportamiento de burla.

La explicación de ese hecho notable consiste probablemente en que los modos de comportamiento de la presentación sexual son, por regla general, tabú. Solo en situaciones muy especiales —en la danza, por ejemplo— son tolerados por la sociedad. Su utilización en otras circunstancias atenta contra las buenas costumbres. Si, pese a ello, son utilizados, es porque esa contravención consciente expresa desprecio por el compañero.

La investigación del comportamiento en la danza indica que ese acto que acabamos de discutir —el de mostrar la parte trasera— fue en sus orígenes una exhibición femenina con motivación sexual. Las mujeres bosquimanas se alzan al bailar el taparrabos que les cubre parte glútea. Este mismo movimiento lo practican las chicas jóvenes (fig. 50) en el juego (H. Sbrzesny, en preparación). Posiciones de presentación totalmente equiparables se dan en el ámbito cultural europeo (figs. 51 y 52).

La presentación genital no ha de ser confundida con la presentación, muy similar, de la parte glútea. Este comportamiento puede ser observado en ambos sexos como amenaza agresiva. Pese a la semejanza formal, resulta claro por las circunstancias concomitantes que aquí se trata de una amenaza anal. Las chicas bosquimanas, cuando quieren burlarse de los jóvenes, se echan primero arena entre las nalgas, las aprietan, se acercan a los jóvenes, se dan la vuelta y dejan caer la arena con una profunda inclinación. Simbolizan en cierto modo el acto de defecar y a veces incluso expulsan ventosidades.

El acto de sacar la lengua resulta más difícil de interpretar, porque ocurre en formas muy diversas. Cuando se quiere expresar desprecio la lengua se proyecta muy hacia afuera y hacia abajo como si la persona fuese a vomitar. A veces incluso se escupe, y de hecho la palabra alemana «spoten» (*burlarse*) está emparentada con la palabra «spucken» (*escupir*). Pero existen también otras formas de sacar la lengua, por ejemplo: en el coqueteo sexual. Es evidente que ese movimiento se deriva de un movimiento de lamer.

Figura 50: Chica bosquimana !ko bailando. La chica se puso a bailar ante unos jóvenes que jugaban a disparar flechas. Saltó sobre el castillo de arena que habían hecho los chicos, dio algunos pasos de baile y lanzó su delantalillo hacia arriba, se dio palmadas en una nalga y posó al final de frente (de una película de 16 mm. de H. Sbrzesny).

6. Controles biológicos y culturales de la agresión

A. ENFRENTAMIENTOS RITUALIZADOS

El mandamiento «No matarás» ha de contarse entre aquellas normas éticas que tienen una base biológica. Dijimos ya que los hombres han de superar inhibiciones morales para matar a un semejante y que sufren un conflicto de conciencia incluso cuando se trata de un enemigo. Es indudable que el desarrollo de la técnica bélica y la capacidad de denigrar al adversario mediante el autoadoctrinamiento disminuyen la eficacia de las inhibiciones biológicas (págs. 109 y ss.).

Sin embargo, en el trato personal con aquellos hombres que no han sido declarados expresamente enemigos son suficientes las inhibiciones biológicas para evitar conflictos de desenlace mortal. Cuando se produce un conflicto, los modos de comportamiento de la sumisión (llorar, implorar, mostrar enfado, etc.) consiguen perfectamente su efecto apaciguante. Pero, como evidentemente es ventajoso para la vida en el grupo el que las divergencias de carácter agresivo sean completamente reprimidas si las circunstancias lo permiten, se tiende a evitar la lucha. Los bosquimanos !ko

Figura 51: Bailarina parisiense de un club nocturno. La bailarina se mueve de derecha a izquierda y muestra al mismo tiempo el trasero (foto W. George, Gunpress).

Figura 52: Pintura en una vasija de la antigua Grecia (tomado de Lawler, 1962).

del Kalahari solucionan los conflictos sin combate, mediante la ritualización del enfrentamiento (págs. 158 y s.).

A través del cultivo de rituales vinculadores (rituales de reparto y regalo, danzas, juegos, etc., véase Eibl-Eibesfeldt, 1972 a) se activan eficaces contrapartidas a la agresión. Además de esto, con las asociaciones bromistas disponen los bosquimanos de costumbres a modo de válvulas de escape, que sirven para desahogar las agresiones contenidas. En muchos pueblos existen ritualizaciones comparables. Los juegos de lucha, como el de enganchamiento de dedos en los bávaros, por ejemplo, cumplen esa función, al igual que el canto alterno de los esquimales y de los tiroleses. Incluso enfrentamientos en serio pueden desarrollarse totalmente de manera cantada. En tales duelos de canto, los esquimales retan a sus adversarios y cantan alternadamente, ante el público estrofas satíricas. El público decide finalmente quién ha sido el vencedor. Los indios waika (yanomani) conocen diversos grados de ritualización de los enfrentamientos. En las formas más benignas, los adversarios se colocan en cuclillas o de pie frente a frente y se dan alternadamente fuertes puñetazos en los músculos pectorales, hasta que uno se rinde. Esto se practica a veces como torneo amistoso. Mucho más serio es ya el intercambio de golpes con porras de madera. Los combatientes se colocan uno frente al otro y uno de ellos le presenta a su compañero la cabeza para recibir el golpe. Este golpea a veces tan violentamente que su contrincante cae al suelo descalabrado. Entonces ha de esperar hasta que el golpeado vuelva en sí y devuelva por su parte el golpe. Y así sigue la cosa hasta que uno de ellos se rinde (Chagnon, 1968). Las heridas dejan cicatrices, que son motivo de orgullo. Como los indios waika se hacen tonsura, las cicatrices pueden apreciarse muy bien. Hasta he llegado a ver en Sierra Parima cómo un hombre joven, que no tenía ninguna cicatriz, se hacía un corte profundo en la afeitada coronilla, para simular de esta forma una herida. Los conflictos entre aldeas enemistadas suelen resolverse mediante el intercambio de porrazos, con el fin de evitar así el uso de flechas.

Helena Valero, quien vivió durante años entre los indios waika como prisionera, cuenta que un enfrentamiento de este tipo puede servir de inicio a una reconciliación (Biocca, 1972). En el caso que ella describió, los namoeteri habían invitado a una fiesta a los pichanseteri, con quienes estaban enemistados. Después de tomar sopa de plátano, los anfitriones y los huéspedes comenzaron a soplarse mutuamente en las narices un rapé embriagante (epená).

Cuando estaban medio embriagados por el *epená,* aquellos que pertenecían al *chapuno*[1] dijeron: 'Estáis excitados, estamos excitados, tenemos que calmarnos', y entonces iniciaron los combates. Dos de ellos se colocaron frente a frente. El primero levantó el brazo doblado, y el otro, que era nativo del lugar, asestó el primer golpe con el puño cerrado, golpeando al otro muy fuertemente en el pecho. A veces se daban también tres o cuatro golpes seguidos, y entonces decían: '¡Ahora te toca a ti!', y el otro devolvía los golpes. Algunos caían a tierra después de tres o cuatro golpes. Había quienes apoyaban el pie tras la rodilla para pegar, mientras que otros se ponían acurrucados en cuclillas, con los rostros enfrentados. Previamente habían fabricado porras, que eran más gruesas en la parte con la que golpeaban que en la parte que sostenían con las manos. La intención era combatirse mutuamente para luego volver a ser amigos. Para hacer esas porras buscan madera dura, y prefieren que no sean largas, pues con las porras largas no logran a veces golpear bien en la cabeza, sino que solo aciertan en los brazos. Comenzaron de dos en dos. Pero cuando uno cayó, acudió en su ayuda el

---

[1]   Chapuno = aldea.

hermano, y también el cuñado y el suegro se acercaron. Habiéndose agrupado cuatro, cinco o seis en torno a uno, dijo él *tuchaua* [2]. 'No, no, la lucha es sólo para dos. Manteneos aparte. El que caiga, que se vengue.' Levantaron al caído, le echaron agua por la cabeza, le acariciaron y alisaron las orejas, limpiaron la sangre, lo incorporaron de nuevo y le devolvieron la porra. El otro se apoyó entonces en su porra y esperó el golpe, agachando la cabeza. Han de golpear en la parte afeitada y asestan los golpes tomando impulso y cogiendo la porra con ambas manos. Mientras se pegan, se dicen uno al otro: 'Te he mandado llamar para ver si tú eres un hombre de verdad. Si eres un hombre, veremos si nos podemos hacer amigos inmediatamente y si se pasa nuestra rabia...' El otro responde: '¡Háblame tranquilamente así, háblame así, pégame, volveremos a ser amigos!' Cuando uno caía y no volvía a levantarse, los otros se lo llevaban... Cada cual se enfrentaba con un solo adversario. También los chicos se enfrentaban y golpeaban con los de su misma edad. Después de las porras tomaron las hachas. Se las habían robado hacía ya mucho tiempo a un grupo de trabajadores del caucho. El *tuchaua* le asestó al que tenía enfrente dos golpes con la parte no cortante, golpeándole fuertemente de lado en el pecho, y este se desplomó. Vino entonces el hermano, que le devolvió cuatro golpes en el pecho al *tuchaua,* pero Fusiwe [3] no cayó. Entonces dijo Fusiwe: '¡Prepárate bien ahora!', y le dio dos golpes. El joven se puso muy pálido y se desplomó. Las mujeres se acercaron y lo levantaron. Luego vino otro hermano e hizo retumbar el hacha muchas veces en el pecho del *tuchaua.* Pero el *tuchaua* era fuerte y soportó. Devolvió los golpes, y también éste cayó. Finalmente vino el hermano de Rachawe, su nombre era Majarachiwe, y dijo: 'Con esos, que son más jóvenes y que además no son tan fuertes como tú, puedes acabar muy bien. ¡Trata ahora de medir tus fuerzas conmigo!' El *tuchaua* alzó el brazo y el otro se lió a golpes: tuk, tuk, tuk. 'Continúa —dijo Fusiwe—, continúa tranquilo con el hacha, hasta que me hagas caer.' Majarachiwe golpeó y golpeó, asestó hachazos, pero el *tuchaua* no cayó. 'Basta ya, ya es suficiente', dijeron los que estaban al lado. Entonces Fusiwe tomó su hacha e hizo caer a Majarachiwe con varios golpes en el pecho.

Después vino Rachawe, el supremo *waiteri,* el hombre más valiente... 'Ahora soy yo el que está aquí —dijo—, trata de medir tus fuerzas conmigo.' Cinco hombres jóvenes habían caído ya bajo los golpes de Fusiwe. El *tuchaua* le pegó con el hacha primero de un lado y después del otro, pero Rachawe no cayó. Rachawe era realmente fuerte. A continuación devolvió el golpe. Se golpearon y estuvieron asestando hachazos hasta que uno de ellos cayó. Yo observaba desde un lado, junto con una mujer. Fusiwe fue el único en sentarse y arrojó sangre caliente por la boca.

Cuando todos habían acabado de pegarse, volvieron a ser amigos y dijeron: 'Os hemos pegado a base de bien, y también vosotros nos habéis pegado a base de bien. Se ha derramado nuestra sangre, y nosotros también os hemos hecho derramar sangre. Ya no estoy excitado, nuestra ira ha pasado.' (Biocca, 1972, pág. 139)

Conocemos ritualizaciones comparables en las tribus de la Australia central. Megit (1962), hablando de los walbiri, dice que los hombres enfadados se destrozan mutuamente espaldas y hombros con cuchillos de piedra. Para ello se sientan frente a frente y extienden la mano que empuña el arma para herir por encima del hombro del otro.

---

[2]   Tuchaua = cacique

[3]   Fusiwe = nombre del cacique.

Charley and Paddy meanwhile had hacked each other's back and shoulders to ribbons, until both collapsed, exhausted. As each had drawn blood in great quantities, their dispute was ended: so they sat peacefully side by side and watched the rest of their countrymen brawl around them (pág. 183).

(Charley y Paddy, entretanto, se habían hecho trizas a cuchilladas espaldas y hombros, hasta que ambos se desplomaron exhaustos. Como ambos habían derramado gran cantidad de sangre, la disputa había terminado; ahora estaban sentados pacíficamente uno al lado del otro y contemplaban al resto de sus paisanos, que alborotaban en torno suyo.)

Si uno ha ofendido a otro gravemente, en un conflicto por causa de mujeres, por ejemplo, entonces el ofendido tiene el derecho de alancear al otro. Su adversario ha de colocarse como blanco, aunque puede esquivar los lanzazos. El que lanza ha de tener cuidado, por su parte, de acertar, a lo sumo, en las piernas y caderas de su adversario (Warner, 1958: Jones, 1971). Peterson (1971) ha descrito recientemente una forma de solucionar conflictos, que casi es una costumbre a modo de válvula de escape. Entre los walbiri es el tío y no el padre, aun cuando este sea el mayor, quien tiene el derecho a casar a su sobrina con un hombre. Esto conduce a conflictos y desavenencias. La desavenencia se soluciona en la forma de una agresión ritualizada, para lo cual los grupos que se encuentran envueltos en la disputa desahogan su ira mediante incendios.

B. LA EVITACION DEL CONFLICTO TERRITORIAL EN LAS TRIBUS DE LA AUSTRALIA CENTRAL

Las tribus de la Australia central han eliminado casi por completo los conflictos territoriales, gracias a una vinculación local por medio de mitos y reparto de funciones entre los diversos grupos territoriales, que hace que todo grupo sea importante para los demás. La vinculación local mítica es ya conocida desde hace tiempo, mientras que el reparto de funciones, que yo sepa, no ha sido descrito todavía en este contexto.

Ya Megitt (1962) menciona que los grupos patrilineales de los walbiri se encuentran muy ligados emocionalmente, sobre la base de mitos, a determinadas localidades. Todo grupo atribuye su existencia a antepasados totémicos, semianimales y semihumanos, que poblaron la tierra en tiempos muy remotos (en la llamada época de los sueños) y cuyas actividades dejaron huellas en forma de montañas, peñascos, grutas, charcas y cosas por el estilo. Las rocas redondas son interpretadas como huevos o excrementos; las grutas, como lugares en los que vinieron a la tierra o que ellos mismos cavaron, etc. (véase también Mountford, 1968). Esos antepasados totémicos asignaron, pues, a los diversos grupos el territo-

Figura 53: El lugar sagrado de la serpiente totémica Jarapiri, cerca de Ngama (Australia central), lugar totémico de los walbiri.

Figura 54: Pintura rupestre, representando a la serpiente sagrada (foto: autor).

rio en que viven hoy en día. Los hombres en cuestión son en cierto sentido sus descendientes. Los lugares en los que los antepasados totémicos dejaron sus huellas son visitados con regularidad, como parajes sagrados, con fines de culto (iniciación) (figs. 53 y 54). La vinculación a ese lugar —que solo pueden visitar, por cierto, hombres del clan totémico y huéspedes expresamente invitados— tiene un fuerte componente sentimental. Los propietarios del territorio hablan de su país. Todo hombre adulto posee, como representación simbólica del lugar, una tabla o piedra sagrada. Esos objetos son el escudo de la localidad y también de la persona. En ellos están dibujados, de manera estilizada, los puntos sobresalientes de los lugares sagrados y las peregrinaciones de los antepasados totémicos. Los círculos y espirales concéntricas indican colinas, charcas o personas; las líneas, rutas de peregrinación; y los semicírculos, los campamentos que levantaron los antepasados. Los aborígenes saben interpretar los signos. Pero las representaciones son a veces tan estilizadas que el interpretador ha de saber primero a qué clan pertenece el poseedor del objeto (figs. 55 y 56). Las tablas y las piedras sagradas son conservadas cuidadosamente y solo se muestran a los demás en las ceremonias. Encarnan a sus portadores, y a la muerte de estos siguen siendo cuidadas como tablas sagradas de los antepasados.

Los aborígenes de la Australia central se encuentran unidos a su país mediante esos símbolos y mediante los rituales que celebran en los lugares sagrados. Con respecto a otras localidades les faltan las vinculaciones correspondientes, y Megitt señala que cualquier conquista de un territorio extranjero pondría por lo tanto en gran apuro al conquistador. Strehlow (1970) y Peterson (1972) recalcaron también la vinculación territorial mítica. Peterson habla muy justamente de territorialidad ritualizada. En los lugares sagrados el grupo se presenta como propietario y vigila el cumplimiento estricto de todos los tabúes.

I would suggest that clan totemisn is the main territorial spacing mechanism in Aboriginal society. By contrast with animal territoriality, however, Aboriginal territoriality is inward-looking, sustained by beliefs and affective bonds to focal points of the landscape and the cultural symbols associated with these points (pág. 23).

(Me atrevería a afirmar que en la sociedad aborigen el totemismo del clan es el mecanismo principal de delimitación territorial. Al contrario que la territorialidad animal, sin embargo, la territorialidad de los aborígenes mira hacia adentro, se apoya en creencias y lazos afectivos con puntos focales del paisaje y con símbolos culturales asociados a esos puntos).

Además de esto, los diversos grupos territoriales se encuentran unidos entre sí por asignaciones de tareas que son importantes para la totalidad. Mediante rituales especiales, cada grupo cuida de que se desarrollen bien los animales o plantas totémicos que descien-

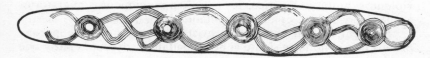

Figura 55: Tabla sagrada de un hombre del tótem de la serpiente Jarapiri. Las líneas y los arcos del meandro simbolizan las huellas de la serpiente mítica Jarapiri; los círculos concéntricos, a los wanbanbiri, quienes, según la leyenda, acompañaron a la serpiente durante su viaje a Ngama (tomado de Mountford, 1968).

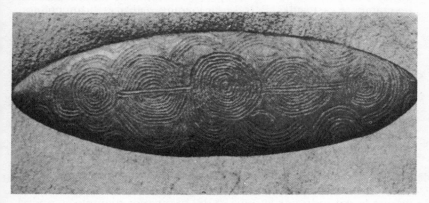

Figura 56: Una piedra sagrada del clan de las hormigas melíferas (walbiri). Los tres círculos concéntricos representan montañas. Las líneas rectas que los unen indican los trayectos recorridos subterráneamente por el animal totémico (hormiga melífera); los semicírculos que parten de ellas señalan los trayectos recorridos por el antepasado totémico en busca de miel; y los semicírculos esparcidos, los lugares donde la almacenó (foto: autor).

den de su antepasado totémico, y esto no sólo en su territorio, sino en toda la región. Así, el clan de las hormigas melíferas cuida del desarrollo de estas hormigas; el clan del emú, del de los emúes; el clan del canguro, del de los canguros; etc. Y hasta hay un clan de la lluvia, que es responsable de que llueva. Cada grupo ejerce así una función importante para la totalidad, y sería completamente absurdo que un grupo extinguiese a otro. Creo que sólo mediante esa división de tareas puede la unión mítica bloquear eficazmente la agresión territorial. Además, mediante el control de la natalidad ha de procurarse que la población se mantenga aproximadamente al mismo nivel, lo que se logra también entre otras cosas, mediante la avanzada edad del matrimonio. Finalmente, unas relaciones estables de ese tipo sólo pueden ser creadas en regiones con condiciones climáticas estables y relativamente homogéneas. Allí donde los violentos cambios climáticos les imponen movimientos migratorios a pueblos y tribus, es difícil mantener la paz.

El ejemplo, sin embargo, reviste un gran interés, porque prueba que el hombre siente la necesidad de mantener la paz y que lo logra mediante especiales inventos culturales. Cierto es que tampoco en Australia han desaparecido totalmente los conflictos intergrupales. Se roban unos a otros —las mujeres a veces, por ejemplo— y entonces hay expediciones de castigo en las que puede haber muertos. También las violaciones de un tabú son severamente castigadas. Pero se ha logrado acabar eficazmente con las criminales guerras de conquista.

Discusión

La tesis, tan frecuentemente expuesta, del primitivo estado de paz de los cazadores y recolectores no resiste una comprobación crítica. Los bosquimanos, a quienes se cita al particular, dan muestras, en contra de la opinión generalizada, de territorialidad y de comportamiento agresivo, pese a que su ideal cultural predica la paz. Los modos de comportamiento agresivos de los bosquimanos se asemejan completamente a los que uno encuentra también en otras culturas. Se trata de universales. Su universalidad no queda explicada del todo por la función del pegar, por ejemplo, y podría haber sido adquirida también de manera independiente. Sin embargo, para muchas de las complicadas formas del comportamiento de intimidación y amenaza (mirar fijamente amenazando, gestos de amenaza, etc.), así como del de sumisión (llorar, agachar la cabeza, apartar la mirada, mostrar enfado, etc.), hemos de aceptar la base de una herencia común filogenética.

Los bosquimanos no son belicosos. Evitan también el conflicto en el seno del grupo y logran una convivencia pacífica mediante una serie de ritualizaciones de la agresión (asociaciones bromistas, pág. 159), mediante agresiones verbales (págs. 158 y s.), así como gracias al fomento de los rituales vinculadores (regalo, reparto, danza, etc.). La socialización de la agresión se realiza esencialmente en los grupos de juego de los niños. Ya los lactantes manifiestan comportamiento agresivo y lo aplican, de manera completamente racional, contra rivales o para la defensa de un objeto. También esto refuta la idea del estado de paz primitivo en el hombre. Es solamente en el proceso de la socialización donde el niño es educado para que se convierta en un hombre pacífico, presuponiendo que ésta sea la meta educativa de la cultura en cuestión. Lo que llama la atención entre los bosquimanos no es la falta de agresiones, sino el hecho de que esos hombres sepan controlarlas tan bien y de que entre los adultos predominen los modos de comportamiento amistosos y vinculadores. Esos hombres se ocupan diariamente durante muchas horas en cultivar los contactos amistosos; conversan, se espulgan mutuamente, juegan con los niños y dejan que circule la caña de fumar (Eibl-Eibesfeldt, 1972 b). Como quiera que para la diaria adquisición de alimentos las mujeres sólo tienen que ir al campo dos o tres horas al día y que los hombres sólo salen de caza muy de cuando en cuando, les sobra mucho tiempo para dedicárselo a los demás. Podría decirse que esos hombres tienen tiempo en abundancia para ser hombres en el verdadero sentido de la palabra.

Si uno establece comparaciones entre los pueblos primitivos, constatará entonces que, por encima de las enormes diferencias en los modos de vida y en los ideales culturales, tienen sin embargo algunas notables cosas comunes en lo que respecta a sus controles de la agresión. Una cultura podrá ser pacífica o belicosa, pero siempre podrá advertirse la tendencia a ritualizar las agresiones. Incluso los belicosos indios waika evitan en lo posible el conflicto sangriento. A los australianos hasta les ha sido posible, gracias a la vinculación local mítica y al reparto de funciones (pág. 167 y ss.), extirpar de raíz los conflictos territoriales. Por lo general parece que el hombre siente culpabilidad ante el asesinato de un semejante (véase pág. 114). Ese sentimiento moral es una predisposición innata de todos los hombres. Es la raíz de todas las aspiraciones de paz, las que, por lo tanto, no parecen basarse únicamente en el miedo. Presuponiendo relaciones estables, el hombre llega a alcanzar también la paz a través de las ritualizaciones culturales, como demuestran los australianos. Naturalmente que sus soluciones especiales nos son tan poco transmisibles como las de los bosquimanos, por ejemplo. Son interesantes como fenómeno y permiten reconocer ciertas leyes universales que nos podrían ayudar a encontrar soluciones adecuadas para nuestra sociedad. Esto nos muestra en principio que la paz no es en absoluto una meta utópica, sino un objetivo realizable de la evolución cultural, puesto que se corresponde a nuestras predisposiciones biológicas.

Tercera parte
RITUALES DEL VINCULO

Pese a sus inclinaciones agresivas los animales gregarios viven pacíficamente en asociaciones. Por lo general esos grupos son cerrados, es decir: los miembros del grupo se conocen entre sí y niegan la entrada a los extraños. La tendencia a guardar distancia actúa en contra del impulso a buscar a sus iguales y a entablar un lazo amistoso. También el hombre vive en ese campo de tensiones entre el amor y el odio, donde el impulso a entablar conocimiento con sus semejantes y a establecer relaciones amistosas es tan fuerte que, incluso en guerra, las partes beligerantes se intercambian a veces cigarrillos y cesan de dispararse unos a otros. Cuando se da esta inversión de valores en la guerra se habla entonces de una desmoralización de la tropa.

Esta observación plantea un problema: ¿cuáles son las estructuras de motivación en que se basa el afán de entablar contacto? ¿Qué ventajas entraña la vida en el grupo para la selección? ¿Cómo se establece y mantiene el vínculo a través de las barreras a la agresión? Y finalmente, ¿cómo se ha desarrollado filogenéticamente la capacidad para la convivencia gregaria y cooperativa?

La unión ofrece diversas ventajas a los animales. Ciertas especies de cochinillas tropicales se juntan en la época de la sequía para formar grandes masas compactas, evitando así la desecación. Se atraen entre sí mediante sustancias de llamada que segregan unas glándulas odoríferas especiales. Existe, por lo tanto, una atracción. Muchos peces forman cardumen. Aquí se trata esencialmente de asociaciones de protección. Mientras que el pez solitario es fácilmente divisado en el agua libre, perseguido y atrapado, la asociación le protege, pues una multitud de puntos moviéndose de acá para allá confundirá inevitablemente al predador. Sólo con dificultad logra concentrarse en un pez y darle caza, sacándolo de la bandada. Un pez de cardumen que haya sido separado de su bandada se lanza de un lado a otro, preso de pánico, y trata de reincorporarse a ella. Una vez que la encuentra se calma de nuevo. Los congéneres actúan aquí en cierta medida como meta de huida. Esa necesidad de protección, es evidentemente, una de las raíces más viejas de la motivación para la unión. No obstante, el ejemplo anterior es un tipo de asociación muy simple. Los peces no se conocen entre sí como individuos. La asociación es abierta. Los extraños pueden incorporarse en todo momento, y con igual facilidad se divide un cardumen de ese tipo. No representa una unidad duradera. Faltan también los modos de comportamiento cooperativos para con los compañeros. Pero a nosotros nos interesa el tipo de grupo exclusivo, que se caracteriza por tales relaciones y que es tan típico también en nosotros, los humanos. Es evidente que tales asociaciones cerradas no se desarrollan únicamente sobre la base de la necesidad de seguridad, pese a que ésta representa, hasta entre los hombres, una importante raíz motivadora para la unión.

Los niños, cuando tienen miedo, huyen hacia la madre; allí están protegidos. De manera similar buscamos protección entre los de rango superior —en sentido metafórico: entre las potencias más fuertes—; en caso de peligro se unen hasta extraños. Podría hablarse, en cierto modo, de un vínculo por el miedo. El miedo suele ser utilizado políticamente cuando se trata de apartar la atención de las dificultades internas y de fortalecer a un grupo, señalando, por ejemplo, un enemigo que presuntamente amenaza al grupo.

Otra poderosa impulsión para buscar a un congénere se desarrolló con la reproducción sexual. Pero en el reino animal no se desarrollaron asociaciones individualizadas que estuviesen unidas y mantenidas únicamente por la motivación sexual. Sólo en el hombre adquiere una importancia especial el vínculo a través del impulso sexual, aunque éste suele colocarse al servicio de aquél (detalles en Wickler, 1969 y Eibl-Eibesfeldt, 1970 a).

Una de las claves para la comprensión del desarrollo de las asociaciones individualizadas y cooperadoras consiste en estudiar qué tienen en común todos los animales que viven en asociaciones individualizadas y qué modos de comportamiento están al servicio del vínculo. Si investigamos los vertebrados cuadrúpedos bajo este punto de vista, comprobaremos rápidamente que los anfibios y los reptiles no forman asociaciones individualizadas, pero sí muchos pájaros y mamíferos. Y mientras que los primeros rara vez desarrollan los inicios de un cuidado de la cría —y en cualquier caso, nunca hasta el nivel del cuidado individualizado—, éste es regla general entre aves y mamíferos. Alimentan, calientan, limpian y defienden a sus pequeños, y a veces incluso sólo a los hijos propios, que saben distinguir de los extraños; hay veces que incluso matan a éstos. Tal hacen las gaviotas plateadas, por ejemplo, cuando la cría de una pareja vecina atraviesa el límite territorial. Lorenz describió cómo diversas clases de patos acuden a las llamadas de alarma de patitos extraños para ayudarlos, matando luego, sin embargo, a esos mismos que han salvado. Aquí nos encontramos de nuevo con la particularidad ya tantas veces mencionada de que el hecho de conocerse inhibe la agresión. El rechazo del forastero es tal vez un medio para mantener separadas a las familias y garantizar así el cuidado de la cría. Sin un rechazo semejante existiría el peligro del cambio y del robo de la cría. Es comprensible, por tanto, que exista una presión de la selección para el cultivo de la exclusividad (Eibl-Eibesfeldt, 1970 a).

A partir de ese grupo familiar es posible que se desarrollara la asociación exclusiva entre compañeros (los grupos no son en el fondo otra cosa que asociaciones familiares ampliadas). Esta tesis se apoya en numerosas observaciones. Los miembros adultos de un grupo utilizan en el trato entre sí los modos del comportamiento vinculador que fueron desarrollados en la relación madre-hijo. Los llamamientos infantiles provocan el cuidado materno: los rituales de alimentación, los rituales de caricias y cosas por el estilo desempeñan un gran papel en la vida de los adultos. Sobre esta base no sólo se establecen sino que se mantienen también los vínculos. Pero el grupo exclusivo no es absolutamente exclusivo. Hay rituales especiales que permiten a los extraños entablar contacto y lograr la adopción a través de un proceso de darse a conocer. Finalmente, la capacidad que tiene el hombre de formar símbolos permite fundar grupos que sólo se mantienen gracias a una identificación simbólica. También estas asociaciones anónimas, como pueden ser las naciones, por ejemplo, son exclusivas en el fondo; y el que la ética que tiene por base la asociación es una ética familiar ampliada lo demuestran conceptos como patria y padre de la patria, así como el llamar hermanos a nuestros semejantes. Y de la misma manera que podemos acabar con la enemistad a través del conocimiento mutuo, podemos aprender, mediante la identifica-

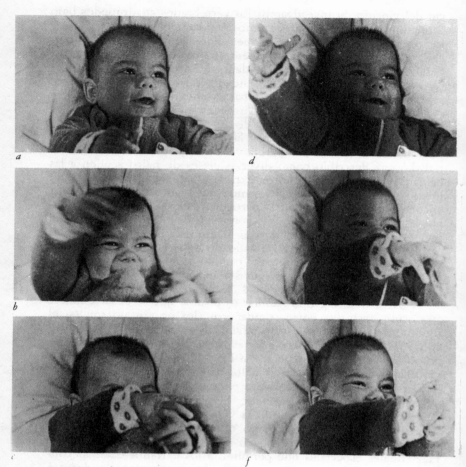

Figura 57: Preprogramado para el contacto amistoso: un lactante de cuatro meses (Alemania) sonríe ante el contacto con la mirada y coge con las manos en el aire, buscando evidentemente contacto. Luego se lleva las manos, cogidas, a la mitad del cuerpo. Del desarrollo del movimiento se desprende la presencia de una intención de agarrar. Se trata de dos decursos consecutivos de comportamiento (a) — (c) y (d) — (f) (de una película de 16 mm. del autor).

ción simbólica, a ver hermanos en todos los hombres. Las raíces de esa disposición se hallan, filogenética y ontogenéticamente, en la estructura motivacional de la asociación familiar.

Hoy día podemos decir que la formación y mantenimiento de los vínculos en los animales están muy bien investigados. Por el contrario, la investigación de los rituales tendentes a la formación y mantenimiento de lazos entre los hombres, desde puntos de vistas biológicos, no ha sido emprendida sistemáticamente hasta hace muy poco. Aquí se le abre un fascinante campo de trabajo a la etología humana basada en la comparación cultural. Junto a aspectos de carácter funcional, se trata especialmente de esclarecer la cuestión de si el hombre se encuentra preprogramado por adaptaciones filogenéticas para el gregarismo; y en caso afirmativo: de qué modo. Precisamente en los últimos años vuelven a resonar voces que retoman la vieja tesis del filósofo inglés Thomas Hobbes y que afirman que el hombre es un solitario irreconciliable por naturaleza, al que sólo la cultura mete en cintura. De este modo habla Szondi (1969) de que el hombre se encuentra poseído por un impulso de Caín, que le lleva a asesinar y a martirizar a sus semejantes. El que esa opinión es insostenible me parece que queda probado ya por las anteriores digresiones sobre la agresión humana.

En los capítulos siguientes queremos analizar con más detalle la contrapartida natural a la agresión y demostrar mediante estudios de comparación cultural que nuestro comportamiento amistoso está codeterminado de manera decisiva por la herencia. En cierto modo estamos preprogramados para el amor al prójimo. Elegimos como ejemplos dos trabajos de comparación cultural sobre el comportamiento de saludo, otro sobre el ritual del cortejo en un grupo étnico de Nueva Guinea y otro sobre una fiesta de los indios waikas de América del Sur. Una cosa común a todos esos rituales es que crean un vínculo y contribuyen a mantenerlo. Ciertas semejanzas en el principio se deducen de la función. Así, las intenciones pacíficas se anuncian desde lejos con llamadas; y al acercarse, presentando las armas. La manera de hacerlo difiere según el ámbito cultural. Pero aparte de esto, existen sorprendentes semejanzas de carácter formal que solo se pueden explicar con la hipótesis de que son adaptaciones filogenéticas comunes. Esta tesis se ve apoyada por el desarrollo del comportamiento social humano durante la juventud. Desde muy temprana edad dan muestras los lactantes de iniciativas de contacto, que al principio van dirigidas casi exclusivamente a los adultos. Cuando uno se inclina sobre ellos, soríen, es decir, emiten una señal amistosa de contacto, cosa que generalmente es parte integrante del comportamiento de saludo en los adultos. Tratan además de coger al compañero, con clara intención de buscar contacto (fig. 57). Los niños pequeños, apenas aprenden a caminar, entregan ya sus juguetes al visitante adulto en cuanto empiezan a deshacerse de su

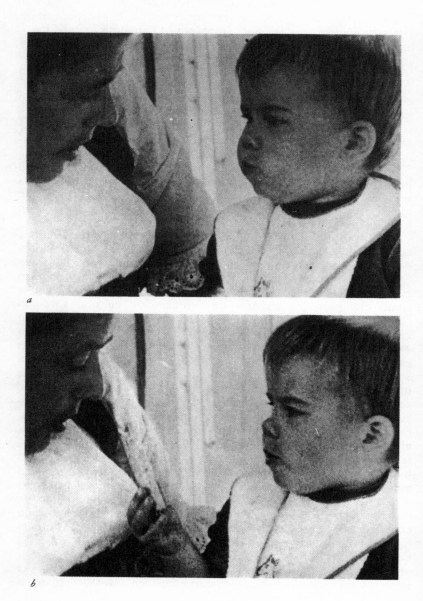

a

b

timidez. Le alimentan también con las golosinas que tienen al
alcance de la mano, y además de manera completamente espontánea, sin que haya que pedírselo. A partir de ahí se desarrollan
diálogos de dar y tomar (figs. 58 y 59). Una vez que han
establecido el contacto de esa manera, invitan a jugar juntos.
Conducen al amigo que acaban de hacer al lugar del juego, le
muestran las cosas y le enseñan a jugar, expresando además el
deseo de que aquél les imite. Finalmente, se exhiben mediante una
conducta tendente a la intimidación. Todos esos patrones de
comportamiento, desde el dar de comer, pasando por los rituales
del quehacer común, hasta el exhibicionismo, vuelven a presentarse, con transformaciones más o menos fuertes, en los rituales de
los adultos.

Tanto aquí como allí actúan evidentemente programas prescritos de comportamiento. No son rígidos, sino que se someten a la
configuración cultural, pero se caracterizan por elementos estructurales que se repiten con regularidad.

*Figura 58: Niña de cerca de un año (Alemania) comiendo y ofreciéndole pan a una amiga
de la madre que se encuentra mirando (de una película de 16 mm. del autor).*

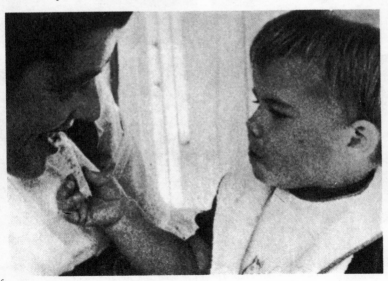

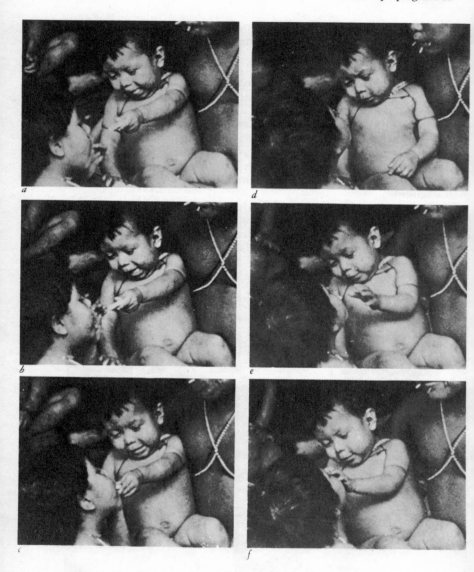

Figura 59: Preprogramado para el contacto amistoso: iniciativa al contacto de un lactante waika. Le lleva una golosina a la boca a su hermana. De ahí se desarrolla un diálogo de dar y tomar. En la

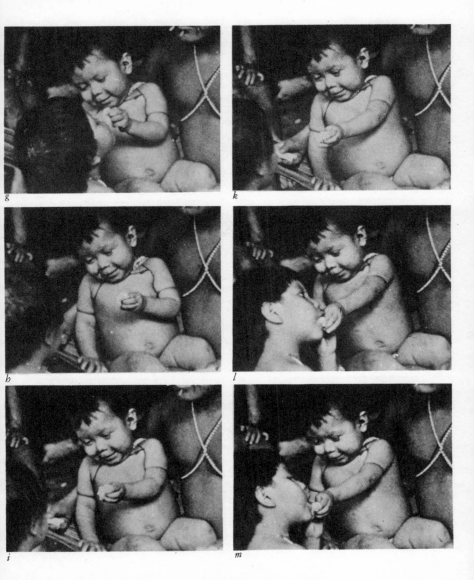

primera entrega el lactante abre la boca con un movimiento que también hacemos a veces nosotros, por ejemplo, cuando damos de comer a un lactante (a), (b) (de una película de 16 mm. del autor).

Capítulo 1
SOBRE LA ETOLOGIA DEL COMPORTAMIENTO HUMANO DE SALUDO: OBSERVACIONES COMPARATIVAS EN LOS BALINESES, PAPUAS Y SAMOANOS

De muchos vertebrados parten simultáneamente señales que desencadenan en el compañero social impulsos de comportamiento contradictorios. Unas activan el comportamiento gregario (ansias de contacto, comportamiento de ayuda y de copulación); otras, por el contrario, un comportamiento agresivo. Donde esto es así, tiene que haber dispositivos especiales que impidan que los impulsos agresivos bloqueen el contacto gregario necesario para la conservación de la especie. Las investigaciones comparadas muestran que esto se logra, por lo general, por dos caminos: por un lado, mediante actitudes especiales los animales pueden ocultar las señales que desencadenan agresión (las gaviotas reidoras vuelven la cabeza durante el emparejamiento y se muestran de manera ostensiva la región occipital, ocultando de este modo la negra máscara facial, desencadenadora de agresión, Tinbergen, 1959); otro camino consiste en el apaciguamiento de la agresión activada, mediante patrones especiales de comportamiento. Entre las gaviotas marinas el macho corteja con un pez en el pico. Diversas especies de garzas se entregan mutuamente, durante el cortejo, material para la construcción del nido. En ambos casos se trata de modos de comportamiento pertenecientes a la esfera del cuidado de la cría. También se utiliza a veces el comportamiento infantil cuando hay que superar barreras de agresión. Los paros barbudos, los pinzones picamaderos y muchos otros pájaros cantores machos tiemblan con las alas como pajarillos pedigüeños. También en el cortejo de los albatros y de los rabihorcados encontramos movimientos de cortejo que se derivan de los movimientos de pedir comida (Eibl-Eibesfeldt, 1970 b, 1972 a).

Los animales que, viviendo en continua asociación gregaria, tienen también rasgos desencadenadores de agresión, suelen desplegar, en cada encuentro, modos de comportamiento apaciguadores, a modo de «ritos de saludo». Cuando un cormorán no volador releva a su compañero en las faenas de empollar los huevos o de calentar a la cría le entrega un manojo de algas o una estrella de mar, y sólo entonces tolera éste su acercamiento. Si se le quita al que llega su manojo de algas —lo que es perfectamente posible con esos mansos animales de las islas Galápagos—, entonces será recibido a picotazos. Inmediatamente se busca un palito o ramito de algas, y con ese presente puede acercarse de nuevo sin peligro (Eibl-Eibesfeldt, 1965, 1972 a). También los ceremoniales del saludo se derivan frecuentemente del comportamiento durante la cría. Wickler (1967) ha mostrado que diversas ceremonias del saludo entre los mamíferos se desarrollaron a partir de la alimentación boca a boca. Esto reza, entre otros, para los chimpancés, que se abrazan mutuamente al encontrarse y juntan los labios apretándolos como en un beso (van Lawick-Goodall, 1967).

También en la vida cotidiana del hombre desempeñan un gran papel las ceremonias del saludo, tanto a la hora de entablar como de mantener los lazos de grupo. En un primer plano se encuentra la función apaciguadora y creadora de amistad. Entre los mbowamb de Nueva Guinea, por ejemplo, exige el buen tono que se intercambie un saludo con la persona que se acerca y se digan algunas palabras amistosas.

...sería señal de mala conciencia, de temor o de burda falta de tacto, por lo menos, el pretender pasar al lado de otro sin decir ni una palabra. Un saludo es siempre muestra de una cierta benevolencia. Sólo cuando uno teme que le pidan algo, no se detendrá con los que se acercan. Cuando un hombre viene de una matanza y trae carne consigo, pasa lo más rápidamente posible al lado de las gentes o, mientras no lo hayan visto, se aparta para meterse en la maleza, para no tener que regalar la carne... Pero si de ella viene un hombre generoso, éste iniciará una conversación, se reirá, bromeará y repartirá su carne. (Vicedom y Tischner, 1943-1948, pág. 63).

Entre esos aborígenes se saluda primero al extranjero, pues el saludo le ha de mostrar que no tiene nada que temer.

En el medievo la negación del saludo equivalía a un reto; incluso hoy día se interpreta de modo parecido. Por el contrario, el saludo se interpreta como un signo de paz; después de un saludo ya no se podía retar a lucha a un caballero (Bolhöfer, 1912). Sin embargo, en el comportamiento del saludo en el hombre se observan, junto a los gestos apaciguadores y amistosos, también otros componentes, como el acto agresivo de medirse mutuamente (véase apretón de manos, pág. 209). Finalmente, las circunstancias se complican por el hecho de que los ritos del saludo pueden cambiar según el sexo y la posición de quienes se saludan.

En años pasados he tratado de obtener una documentación cultural-comparativa del comportamiento de saludo. Pese a que la investigación no ha llegado todavía a su fin, se destacan ya algunos aspectos comunes fundamentales. Señalaré algunos de ellos, para lo cual quisiera analizar especialmente los resultados de varios viajes a Bali, Nueva Guinea y Samoa que emprendí entre 1967 y 1972 [1].

Mientras que la investigación etnológica ha tratado hasta ahora funde mentalmente de las diferencias humanas, a nosotros nos interesan los rasgos comunes con el fin de descubrir de esta manera los invariables del comportamiento humano, dados ya como adaptaciones filogenéticas. Cuando encontramos en los más diversos grupos humanos patrones de comportamiento que coinciden hasta en los detalles, podemos presuponer que se trata, con gran probabilidad, de modos de comportamiento innatos, a menos que el comportamiento se base en iguales influencias conformadoras del medio, lo que se puede excluir en la mayoría de los casos. Muy frecuentemente se tropieza uno con modos de comportamiento que han sido transformados culturalmente, pero siempre en una dirección determinada; así, por ejemplo, en el casi universal gesto de inclinación, que expresa humilde sumisión (véase además Ohm, 1948) y que va desde la rápida inclinación de cabeza, pasando por la profunda reverencia, hasta la postración. La persona en cuestión siempre se hace más pequeña. Podría tratarse aquí de diversos grados de intensidad de una coordinación hereditaria, o de un patrón de comportamiento adquirido sobre la base de una disposición innata al aprendizaje. Determinar esto es imposible por el momento, pero esperamos poder llegar a una conclusión mediante experimentos naturales Kaspar Hauser* (personas sordas y ciegas de nacimiento o sólo ciegas de nacimiento).

---

[1]   Quisiera expresarle aquí las gracias a la fundación A. v. Gwinner por la ayuda prestada. He de agradecerle también a mi amigo el Dr. Derek Freeman y a su familia por su hospitalidad y ayuda en Samoa, a la familia del reverendo Russell Weier (Kwaplalim), al Dr. R. G. Crocombe (New-Guinea Research Unit, Port Moresby), así como a las misiones cristianas y a los oficiales del ejército, quienes apoyaron todo lo posible mi trabajo en el campo.

*   Se llaman experimentos Kaspar Hauser a los experimentos en que se cría con privación de experiencia, o sea: en aislamiento con respecto a determinados

MÉTODO

Como estructuras en decurso, los modos de comportamiento sólo pueden ser registrados y archivados objetivamente mediante películas. Ese tipo de documentación no presenta, por lo general, grandes dificultades entre los animales. Los hombres, por el contrario, cambian su comportamiento en el momento en que perciben una cámara dirigida hacia ellos, aunque no posean ningún tipo de conocimientos sobre el proceso técnico. Hasta los hombres cuyo estadio cultural es el de la edad de piedra se intranquilizan, probablemente porque perciben como una amenaza el objetivo dirigido hacia ellos, con el cámara agazapado detrás..

Tales dificultades fueron superadas con ayuda del objetivo de espejo que ya describimos anteriormente (pág. 36 y ss.).

ZONAS VISITADAS

En los pasados años realicé viajes por diversas zonas, unas veces con mi amigo Hans Hass, y otras solo. Las observaciones que aquí se detallan las hice en las siguientes comarcas (entre paréntesis se encuentra siempre la denominación exacta del lugar, así como el nombre de la tribu en cursiva): Gran Nicobar *(chompen)*, Bali del Sur (Sanur), Australia *(pintubi, walbiri*, entre otros), Nueva Guinea (Ikumdi—*kukukuku,* Bimim—*woitapmin,* Tari—*huri,* Karamui—*daribi,* Sedado—*biami*), Samoa occidental (Sa'anapu de Upolo, Papa de Sawaii), Bora Bora, Japón (Kyoto, Tokio), Hogkong, Brasil, Perú (indios de las tierras altas de Cuzco y Pisac—*quechuas*), Ecuador (Ambato, Quito), Venezuela *(waika)*, Paraguay *(oyoréo)*, Africa oriental (*milotohamitas: karamajo* en Kaabong y Kotidu, *turkana* y *elmolo* —lago Rodolfo, *bantú: Sonjo*— Sumunge, *masai* —Neberera, Serengeti, *bantú* —Mwanza, Bihamarulu, etc.), Kalahari *(bosquimanos)*, Africa sudoccidental *(himba)*, Europa occidental y central (Francia, Italia, Inglaterra, estados alemanes).

La mayoría de los lugares se encuentran señalados en mapas especiales, salvo algunos de Nueva Guinea que visité en 1967. De los kukukuku obtuve la mayor parte de las observaciones y de los documentos fílmicos en la aldea de Ikumdi, que se encuentra

---

estímulos exteriores. El experimento «natural» de este tipo viene dado por deformaciones patológicas (ceguera, etc.). Kaspar Hauser fue el nombre que se le dio a un chico de unos 16 años encontrado en las cercanías de Nuremberg en una cueva hacia 1830. Se había criado solo y no sabía hablar. Se cree que pertenecía a una familia noble de la región badense y que fue abandonado por causas de herencia. Aprendió a hablar, se integró a la sociedad y fue posteriormente asesinado por desconocidos. [N. del T.]

situada a dos días y medio de marcha hacia el sudsudoeste de Menyamya en la zona de desagüe del río Tauri, en territorio papúa. La aldea había sido visitada por vez primera por una patrulla gubernamental, siete meses antes de mi llegada. En aquella ocasión se produjo un incidente. Uno de los porteadores fue muerto de un flechazo por los aborígenes kukukuku. Como castigo fueron quemadas dos chozas, destruidas armas y escudos y algunos hombres fueron esposados. Una patrulla al mando de P. J. Lancaster visitó después el lugar, saliendo de Menyamya; liberó a los encadenados y repartió regalos. Los aborígenes se mantuvieron primero reservados frente a mí y a mis porteadores; mediante regalos (sal, cuchillos) hicimos que adoptasen una actitud más amistosa. En lo cultural se encuentran al nivel de la edad de piedra. Pero en los últimos años han obtenido por trueque hachas de hierro en aldeas vecinas, de modo que las de piedra van cayendo poco a poco en desuso. Las flechas para la caza y la guerra están hechas de madera. Hombres y mujeres se visten con delantalillos de hierbas; los hombres llevan varios superpuestos (fig. 60). Del inhospitalario clima de esa región montañosa se protegen además con capotes hechos de cortezas de árbol alisadas. A Ikumdi se llega volando primero desde Lae a Menyamya en vuelo charter. Desde allí se marcha hasta Kwaplalim, donde hay una pequeña estación misionera (luteranos) y donde se pueden contratar porteadores. Desde allí se llega a Ikumdi en dos días de marcha. Por el camino pasamos la noche en la aldea Hyatingli.

La segunda aldea que visité, y que todavía no ha sido registrada cartográficamente, se encuentra al oeste, en zona de montaña, a unos dos días de marcha desde Oksapmin, lugar al que se puede llegar fletando una avioneta. La ruta pasa por la misión Tekin hasta la localidad de Teka, a lo largo del río Tekin. Se atraviesa después una cadena de montañas, se pasa por la localidad de Kweptana y el río Bak y se llega finalmente, después de cruzar una sierra muy empinada, a Bimin, a orillas del Tekin 2. Esa aldea fue visitada por una patrulla en 1957 por primera vez, y en 1965 por segunda vez. Los habitantes de la aldea se encuentran en un estadio cultural comparable a los kukukuku, que nosotros visitamos, y eran hasta hace muy poco, al igual que éstos, caníbales. Como nombre de tribu dieron el de «woitapap». Se les llama woitapmins. Están estrechamente emparentados con los aborígenes que viven en los alrededores de Telefomin, y al igual que éstos, los hombres llevan falocriptos (fig. 61). Ni en Bimin ni en Ikumdi había actuado la misión. En 1972 visité a los biami y a los daribi y recogí nuevas observaciones sobre el comportamiento de saludo. Los biami se

Figura 60: Dos hombres de la tribu de los kukukuku (foto: autor).

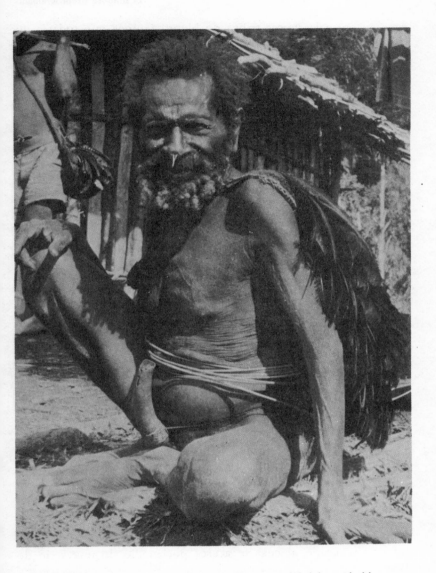

Figura 61: Woitapmin. Los hombres de esa tribu llevan, en calidad de vestido del pene, un falocripto hecho de un tipo de calabacín (foto: autor).

cuentan entre las pocas tribus de Nueva Guinea que todavía no
han sido transculturadas. Fue en 1967 cuando se estableció la
primera misión en ese territorio. Los daribi tienen ya un contacto
más viejo con los blancos. Las primeras patrullas gubernamentales
vinieron en 1953 al territorio, y en 1960 se estableció un puesto
de vigilancia.

La región montañosa central de Nueva Guinea no fue prácti-
camente explorada sino en los últimos quince o veinte años.
Simpson (1963) ofrece un buen resumen de la historia de los
primeros contactos.

I. El saludo a distancia

Cuando dos hombres se encuentran y no llevan intenciones
hostiles, se saludan ya a gran distancia. La distancia de saludo es
variable. En terreno despejado se saluda desde distancias mayores
que en el interior de una población, por ejemplo. Desde lejos se
saluda mediante gestos, como el de alzar la mano abierta, quitarse
el sombrero o enseñar un símbolo de paz (abanico de hojas o
similares). Algunos gestos, como el de alzar la mano, están ampliamente extendidos. Frecuentemente se anuncia desde lejos la
proximidad mediante gritos. Durante mis caminatas por el territorio, todavía bastante salvaje, de los kukukuku, biami, daribi y
woitapmins, mis porteadores anunciaban nuestra llegada mediante
gritos estentóreos desde las pendientes de las montañas y a través
de varios kilómetros. En cierta ocasión en que omitimos ese
anuncio de nuestra llegada, el recibimiento en la aldea fue francamente áspero. En tales casos y otros parecidos, saluda primero el
que llega, manifestando así sus intenciones pacíficas. El anunciar la
llegada desde lejos es también de buen tono entre otros pueblos.
Dornan (1925) cuenta que los bosquimanos del Kalahari anuncian
a gritos, ya desde lejos, sus deseos. Menciona la misma costumbre
entre los nambicura del Brasil (véase también pág. 228) y entre
los antiguos sajones, quienes tenían una ley según la cual se le
podía dar muerte a un hombre que se acercase a un grupo
extraño sin dar gritos o sin tocar el cuerno. Según Spencer y
Gillen (1904), entre las tribus del norte de Australia, el visitante
informa al grupo al cual se acerca por medio de una serie de
fogatas.

Cuando se ha acercado ya lo suficiente al compañero de saludo
como para que éste pueda leer las expresiones mímicas, se saluda
entonces también con movimientos de la cabeza y del rostro. Junto

a diversos patrones culturales existe evidentemente un patrón básico mundialmente difundido. Incluso aquellos papúas que apenas habían tenido contacto con europeos saludaban haciendo señas con la cabeza, sonriendo y subiendo y bajando rápidamente las cejas, al igual que nosotros. En otra forma del saludo, más bien «arrogante», los párpados se cierran unos instantes. También aquí se inclina un poco la cabeza y se esboza una sonrisa, pero sin levantar las cejas.

1. *Mímica y movimientos de la cabeza en el saludo a distancia*

La inclinación de cabeza, la sonrisa y el saludo con las cejas, en un mismo decurso, lo filmamos, entre otros lugares, en Europa (Francia, Suecia, Austria), Bali (Sanur, isla Nusa Penida), Samoa occidental (Sa'anapu de Upolo, Papa en Sawaii), Nueva Guinea (*huri* en Tari, *woitapmin* en Bimin, *daribi* y *biami*), en el Kalahari (*bosquimanos*), Australia, América del Sur (*waika, ayoréo*). Lo observamos además, sin poder filmarlo, en Nueva Guinea (*kukukuku* en Kwaplalim), Africa (*sonjo* —aldea Samunge—Bantú, *karamojo* en Kotido-Nilotohamiten), Japón (Tokio), Hongkong, Perú (Cuzco).

La combinación de inclinación de cabeza y sonrisa, pero sin saludo con los ojos, pudimos observarla en todos los lugares que visitamos (véase anteriormente), y en Europa, Africa (*elmolo, sojo, karamojo, turkana*), Bali, Nueva Guinea (*kukukuku, woitapmin, huri*), Perú (Cuzco) y Samoa pudimos filmarlo también. A continuación trataremos de esos modos de comportamiento tan manifiestamente difundidos.

Para filmarlos, los provocábamos a veces expresamente, alzando la vista durante la filmación y, con la cámara en funcionamiento, contemplando como por casualidad a los filmados y sonriéndoles un poco, pero sin mostrar, por lo demás, ninguno de los otros modos de comportamiento del saludo. Como respuesta obtuvimos entonces sonrisas, o también sonrisas con saludo de los ojos e inclinación de cabeza.

A. LA SONRISA

La sonrisa es un movimiento expresivo, innato indudablemente y bien investigado (Koehler, 1954; Ambrose, 1960, 1961; Freedman, 1964, 1965). Sonríen hasta los sordos y ciegos de nacimiento (Thompson, 1941; Eibl-Eibesfeldt, 1972 a). El origen de ese movimiento sigue siendo oscuro. En diversos monos del Viejo Mundo encontramos movimientos formalmente similares, que son movimientos de amenaza por su origen (enseñar los dientes como amenaza de morder), y se ha tratado de explicar la sonrisa a partir de tales movimientos de amenaza. Según Andrew (1968), se «ríen irónicamente» los cinocéfalos, los cercopitecos y otros monos superiores, con una mueca parecida a la sonrisa, cuando son amenazados por uno de rango superior. Se trata de un gesto defensivo. También entre los hombres existe una sonrisa defensiva de este tipo, que tiene un efecto apaciguador. De este modo, la sonrisa en el hombre podría haberse desarrollado a partir de una amenaza defensiva, que expresa también al mismo tiempo, por supuesto, disposición al contacto. Entre los hombres ese gesto se ha convertido en un llamamiento puramente amistoso, a diferencia de la risa, que posee claramente todavía un carácter de amenaza. La persona que ríe se dirige por lo general contra alguien, de quien se burla. Y la risa de varias personas juntas constituye un factor de unión del grupo. Esos sonidos rítmicos recuerdan a los de muchos monos durante el llamado 'odiar'* (Eibl-Eibesfeldt, 1972 a). Pero es evidente que la risa no es simplemente un nivel de intensidad superior al de la sonrisa, donde falta el componente agresivo. Es decir, si las observaciones apoyasen la hipótesis de que la sonrisa se deriva de una amenaza defensiva, entonces tendría que haberse producido también simultáneamente un cambio motivacional. Las nuevas investigaciones de van Hooff (pág. 63) parecen demostrar que la sonrisa se deriva de un acto de sumisión (amenaza defensiva).

En el saludo la sonrisa se presenta sola o en combinación con los modos de comportamiento que discutiremos a continuación (saludo con los ojos y/o inclinación de cabeza). Por regla general, precede en las combinaciones a los modos de comportamiento que acabamos de mencionar.

B. EL SALUDO CON LOS OJOS

Una señal facial muy llamativa, sobre la que no he encontrado hasta ahora ningún dato en los libros, es el «saludo con los ojos» y llamo así a ese comportamiento a pesar de que el movimiento llamativo proviene de las cejas, mientras que la distancia entre los párpados o bien se agranda únicamente muy poco o no se agranda en absoluto; no obstante, mediante el alzamiento de las cejas se simula un amplio abrir de ojos). Las cejas se alzan rápidamente, quedándose en esa posición durante 1/6 de segundo aproximada-

---

* *Odiar = Hassen en alemán = mobbing en inglés: se produce cuando todo un grupo amenaza conjuntamente a un enemigo (bandada de pájaros a una ave de rapiña, por ejemplo).* [N. del T.]

mente. Va precedida siempre esa seña por una sonrisa, sumándose luego una sonrisa redoblada y a veces también una inclinación de cabeza. Los europeos estamos familiarizados con ese comportamiento. Es un signo muy difundido de una toma de contacto amistosa. Las chicas saludan así a sus amigos y emiten esa señal al coquetear. Los padres se la envían a sus hijos, y también se observa (aunque rara vez en nuestra cultura) entre compañeros del mismo sexo, cuando existe una estrecha amistad.

Pese a su rápido desarrollo, el movimiento es harto llamativo, debido evidentemente a la posición destacada de las cejas. Como testimonio de su función señalizadora está el hecho de que las mujeres se pintan y realzan las cejas.

Hemos observado y filmado ese saludo con los ojos entre los más diversos pueblos (figs. 62-66). Cuando alguien saluda por primera vez de esta manera a una persona, el decurso es bastante estereotipado. Sólo con la repetición cambia algo el patrón. La tabla muestra cuántos fotogramas transcurren, a una velocidad de 48 por segundo, desde el primer indicio de alzamiento de cejas hasta el regreso a la posición de partida, así como el número de fotogramas en el que las cejas se encuentran alzadas al máximo. El promedio de la duración total del saludo con los ojos es de 16,2 fotogramas o de 1/3 de segundo, quedando las cejas elevadas al máximo durante 6,8 fotogramas ó 0,14 segundos en promedio.

La persona que efectúa el saludo espera generalmente la correspondiente respuesta. En la mayoría de los casos evité corres-

Duración del saludo con los ojos, medida sobre tomas a cámara lenta
(48 fotogramas/segundo).

Personas	Duración total, en fotogramas	Duración de la elevación máxima de las cejas, en fotogramas
Brasileña (mulata)	10	7
Sueca	14	7
Francesa	22	7
Samoana	16	6
Balinesa	14	7
Balinesa	20	6
Papúa-Huri	14	7
Papúa-Woitapmin	20	6
Papúa-Woitapmin	18	8
Papúa-Woitapmin	14	7

Figura 62: Saludo con los ojos de un balinés (isla Nusa Penida en Bali): la serie (a) — (d) abarca 1
fotogramas; (b) muestra el 6.º fotograma, y (c), el 11.º. En el 6.º fotograma de la serie se inicia e
movimiento ascendente de las cejas. En el 11.º se encontraban elevadas al máximo. El movimien
descendente comenzó en el 17.º fotograma y terminó con el 22.º (de una película de 16 mm. del autor

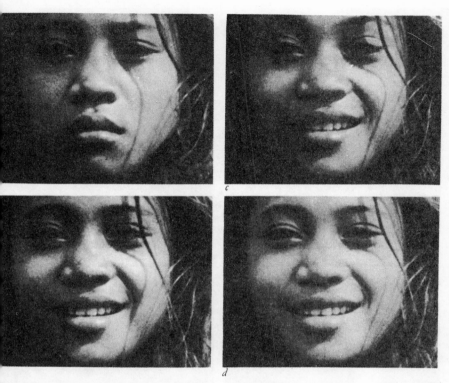

Figura 63: Saludo con los ojos de una samaona (aldea de Papa, isla Sawaii): la serie (a) — (d) abarca 4 fotogramas. En el 49.º sonríe al compañero (b). El fotograma 107 la muestra con las cejas elevadas. samoana había mirado repetidas veces al cámara. Ocho imágenes después de ese contacto con la rada (ya antes se había sonreído) comenzó a levantar las cejas. Del 11.º al 16.º fotograma rmanecieron elevadas al máximo, luego se inició el movimiento descendente (de una película de 16 mm. autor).

ponder a esa invitación, limitándome a sonreír. En esos casos observé, especialmente entre los papúas y balineses, que el sujeto repetía con frecuencia el saludo con los ojos, elevando más lenta y marcadamente las cejas. Era algo así como una interpelación: «A ti me refiero, ¿no te das cuenta?»

Si, por el contrario, se respondía con una rápida elevación de las cejas, la réplica incluía además, en la mayoría de los casos, una inclinación amistosa, y a veces también otro saludo con los ojos o un saludo con los párpados (pág. 200) como señal de entendimiento; y con esto era evidente que la persona se tranquilizaba,

Figura 64: Saludo con los ojos de un huri (papúa) de las inmediaciones de Tari (Nueva Guinea) (de una película de 16 mm. del autor). La serie (a) – (d) abarca 45 fotogramas; (b) muestra el 30.º y (c) el 36.º. El filmado comenzó a elevar las cejas 26 fotogramas después del primer esbozo de una sonrisa. La elevación máxima fue alcanzada después del 4.º fotograma y se mantuvo durante siete fotogramas.

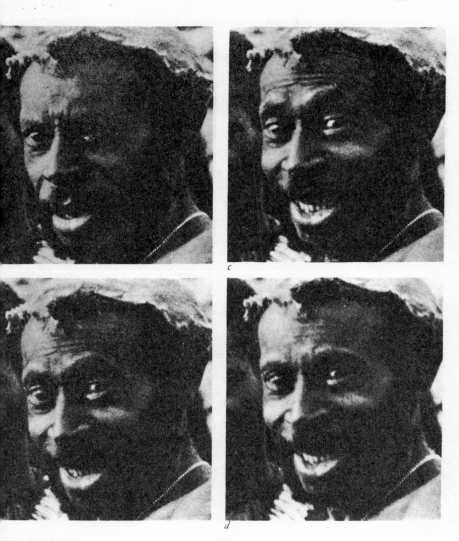

Figura 65: Saludo con los ojos de un woitapmin (Bimin) (de una película de 16 mm. del autor). La serie (a) — (d) abarca 36 fotogramas; (b) muestra el 75.º fotograma y (c) el 79.º. Tres imágenes después de iniciada la toma mira el hombre hacia la cámara. En el fotograma 16 comienza a esbozar una sonrisa; y en el 75, a elevar las cejas. Estas permanecen elevadas del fotograma 78 al 84.

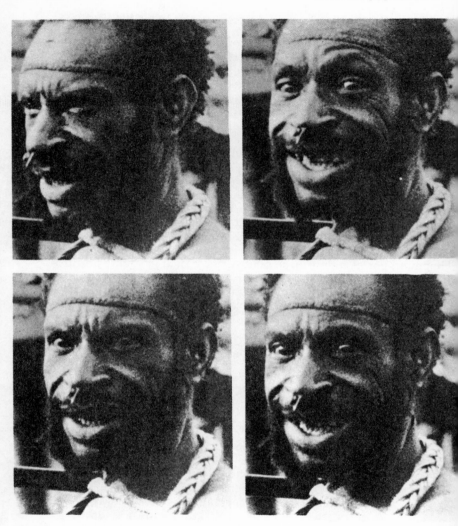

Figura 66: Saludo con los ojos de un woitapmin (Bimin) (de una película de 16 mm del autor). La serie (a) — (d) abarca 36 fotogramas; (b) muestra el fotograma 19 y (c) el 27. En el 10.º de esa serie comenzó a sonreír; en el 14.º, a elevar las cejas. Entre el 20 y el 28 las mantuvo elevadas al máximo, y en el 32 las había bajado de nuevo.

pues dejaba de saludar. Si uno establece por su cuenta el contacto mediante un saludo con los ojos, se recibe entonces, con gran regularidad y con mínima demora (como «reflejo», en cierta medida), un saludo con los ojos como respuesta, y además en todas las culturas que visité. Digamos de paso que sólo saludaba con los ojos una vez que me había cerciorado de su existencia en el grupo respectivo, con el fin de impedir así la posible introducción de un nuevo comportamiento. El contrasaludo a un saludo con los ojos parece producirse inconscientemente, lo que explicaría por qué se ha pasado hasta ahora por alto ese patrón de comportamiento. Actualmente está en proyecto una comprobación experimental.

El saludo con los ojos es siempre una señal marcadamente amistosa. Los kukukuku de Ikumdi, quienes habían tenido una experiencia desagradable con los europeos poco antes de mi visita, nos saludaron solamente con inclinaciones de cabeza y sonrisas. Sin embargo, en el valle de Hakwangi, cerca de la misión de Kwapla-lim, un kukukuku me saludó claramente al pasar con los ojos (levantamiento de cejas). Los papúas de Tari (huri) y Bimin (woi-tapmin), por el contrario, se saludan entre sí, al igual que nosotros, con el saludo completo con los ojos (Figuras 64 a 66). En Samoa, esa seña con los ojos es además un gesto de afirmación durante la conversación. Aquí, por lo tanto, el originario «sí», de carácter puramente social (afirmación a un contacto social), pasó a ser un signo generalizado de la afirmación, o sea: se convirtió en un *sí* objetivo. Entre los japoneses, por el contrario, el saludo con los ojos rara vez se observa; está considerado como poco delicado. Es un «sí» demasiado manifiesto, y limitado por lo tanto en sus orígenes a la esfera íntima. Ya hemos hablado del origen de ese movimiento con las cejas (págs. 41-2).

C. LA INCLINACIÓN DE CABEZA

Ese gesto nos es completamente familiar a nosotros, los habitantes de la Europa central, como una forma del asentimiento; ya Darwin lo discutió en este contexto. Podría interpretarse en cierta medida como un movimiento intencionado de la sumisión, como una reverencia limitada a un movimiento de cabeza (Hass, 1968). Como *sí* de aprobación, he filmado ese gesto entre los papúas; sin embargo, quisiera reservarme para trabajos posteriores la discusión sobre afirmación y negación, porque existen también otras formas de la afirmación que me gustaría filmar primero. Lo que es innegable es la gran difusión de la inclinación de cabeza como saludo, que cabe interpretar perfectamente, siguiendo a Hass, como una sumisión ritualizada.

El movimiento es bastante estereotipado en lo que respecta a la frecuencia y a la amplitud. La cabeza sólo se inclina unos cuantos centímetros, alzándose luego de nuevo, y el contacto con la mirada se interrumpe brevemente cerrando los párpados o bajando la vista. El movimiento se presenta o una sola vez o varias; en este último caso, por lo general, dos o tres veces seguidas, disminuyendo algo la amplitud. El movimiento hacia abajo puede estar recalcado al principio. Como aprobación con la cabeza, sin ningún otro acompañamiento mímico, observamos ese comportamiento en el diálogo, como respuesta del oyente. La inclinación puede ir precedida de un breve levantamiento de la cabeza, sobre todo cuando se produce una sonrisa o un saludo con los ojos antes de la inclinación; de no ser así, comienza generalmente con un movimiento hacia abajo. Una variación especial de la inclinación de cabeza consiste en agachar marcadamente la cabeza y bajar los párpados, gesto que trataremos aparte.

Al saludar, la inclinación sigue con frecuencia a una sonrisa, en las siguientes combinaciones: sonreír-inclinar la cabeza o sonreír sonreír mirando- inclinar la cabeza. En el saludo a distancia completo, la secuencia es: contacto con la mirada —sonreír— elevar las cejas, con movimiento hacia atrás de la cabeza e inclinación de la misma a continuación.

D.   Bajar los párpados (saludo con los párpados)

El bajar los párpados lentamente, junto con un remarcado cerrar de ojos, es un gesto que se observa a veces entre nosotros como señal de callado asentimiento y de saludo encubierto. Al mismo tiempo se hace una inclinación con la cabeza. Un gesto parecido se presenta en el comportamiento de saludo; lo filmé en Tari, en un hombre de la tribu huri. Saludó de esta manera con una ligera inclinación de la cabeza, esbozó una sonrisa y apartó entonces la mirada. Los ojos permanecieron cerrados durante 0,31 segundos. El cerrar los párpados interrumpe pasajeramente el contacto con la mirada. Este gesto produce un efecto de «arrogancia» en el observador. Un movimiento similar de los párpados lo observamos en las jóvenes cuando coquetean. El gesto de bajar de párpados lo filmamos en mujeres y chicas saludando y coqueteando, en el Africa oriental (masai, turkana, sonjo), en diversos países de Europa, en Bali, Japón, Nueva Guinea (woitapmin), Samoa y Perú (quechua). La duración del cerrar de ojos es parecida a la del caso anterior. La persona que coquetea, al tiempo que cierra los ojos, baja la cabeza y los párpados. El saludo con los párpados va acompañado con frecuencia, pero no siempre, de un ligero movimiento de inclinación con la cabeza, y se presenta siempre, aun cuando aparezca solo, en situaciones de aprobación —reservadas o secretas— (por mi parte, me atrevería a considerar como una variación del saludo con los párpados el gesto amistoso de guiñar los ojos). Reemplaza en cierta medida a la inclinación de cabeza y hasta es posible que se derive de este movimiento, pero evidentemente no como un simple movimiento intencionado de inclinar la cabeza, pues a menudo se observa en esto un sacudimiento mínimo y sin la menor intención de cerrar los párpados. Parece más bien como si, en el proceso de una ritualización, el movimiento de inclinación de cabeza hubiese sido transferido a otro órgano, al igual que el sacudir la cabeza en señal de negación lo acompañamos a veces también de movimientos simultáneos de sacudida con la mano abierta, o en algunos casos, lo comunicamos únicamente mediante esas sacudidas de la mano. Hasta ahora se ha prestado muy escasa atención a ese interesante fenómeno de la transferencia de movimientos.

Cualesquiera que sean las raíces de ese gesto, lo cierto es que conduce siempre a una recalcada interrupción del contacto con la mirada, y esta función es la que me parece importante. El mirar fijamente tiene un efecto amenazante, y en tiempos pasados era motivo suficiente para provocar un duelo. También entre los otros primates es una amenaza, por ejemplo, entre los gorilas (Schaller, 1963). La interrupción del contacto con la mirada en el saludo con los párpados puede ser interpretada como un «desfijar la mirada», con una función apaciguadora. Habla en favor de esto el hecho de que también en otras situaciones interrumpimos siempre el contacto con la mirada; por ejemplo: en la conversación normal, apartando repetidas veces la vista. Si no lo hacemos, nuestro interlocutor se pondrá rápidamente nervioso.

También en otros gestos con los ojos observamos una desfijación parecida de la mirada. Al mirar coquetamente, la cabeza se mantiene echada a un lado, lo cual disminuye, desde luego, el efecto amenazante de la mirada; pues se sabe, por experimentos, que las personas reaccionan a manchas similares a ojos con una dilatación máxima de la pupila si esas manchas están ordenadas horizontalmente, y con menor dilatación si son oblicuas o verticales (Coss, 1967). Otro método para aminorar el efecto amenazante de la mirada es el del guiño con un solo ojo, que se utiliza frecuentemente como señal de acuerdo amistoso y tácito al mismo tiempo. El gesto consiste en cerrar brevemente un ojo, después de mirar expresamente a una persona. Mientras que el gesto de mantener la cabeza ladeada lo pude observar en muchas culturas (papúas, polinesios, europeos, africanos, japoneses) como coquetería femenina, todavía no puedo ofrecer datos sobre la difusión del guiño. En repetidas ocasiones logré filmar en mujeres el gesto de bajar los párpados en combinación con el saludo con los ojos: entre otros, en los indios waika y en los himba del Africa sudoccidental (fig. 67 a-c). Mientras que en el saludo con los párpados, que acabamos de describir algo más arriba, el movimiento de los mismos está acompañado a veces por un movimiento de inclinación de la cabeza y, por lo tanto, se puede intuir cierta relación, aquí no se ve la presencia de ese nexo. La cabeza llega incluso a alzarse ligeramente, en un movimiento hacia atrás, lo cual indica un movimiento de aversión formalizado. El comportamiento total tendría que ser interpretado entonces como expresión de ambivalencia simultánea, donde la acción de dirigirse a alguien estaría expresada por el saludo con los ojos y la sonrisa; y la de apartarse, por el alzamiento de la cabeza y el cerrar de los párpados.

2. Movimientos del tronco y de los brazos en el saludo a distancia

Estos modos de comportamiento del saludo a distancia han sido observados en diversos lugares de la tierra, pero raramente filmados. Su grado de difusión está todavía por comprobar. Pero me gustaría indicar algunos patrones básicos que hemos encontrado en muy diversas culturas, con el fin de estimular la recogida de nuevos datos.

A. La elevación de la mano

Mediante gestos con la mano se puede saludar a través de grandes distancias. A menudo se efectúa levantando simplemente la mano, con la palma de la mano dirigida hacia el compañero de saludo. Un gesto formalmente semejante es el que hacemos cuando queremos que alguien se detenga. Como saludo, vi y fotografié el levantamiento de la mano abierta en un chompen de Gran Nicobar (Eibl-Eibesfeldt, 1964) y además, entre los karamojo y los turkana del Africa oriental. En Kwaplalim me saludó un kukukuku, al pasar, levantando la mano; en Lake Kopiago, un papúa, que me había observado desde la entrada de su choza cuando yo le miré (fi. 68).

Al despedirnos, el cacique de la aldea de Bimin me saludó

Figura 67: (a) — (d): Saludo con los ojos y cierre de párpados en una mujer himba (de una película de 6 mm. del autor, tomada a 50 fotogramas/segundos: fotogramas 1.º, 3.º, 9.º y 19.º de la serie).

elevando la mano abierta, para lo cual cerró primero la mano y la abrió luego con un movimiento rápido y recalcado, volviendo hacia mí la palma de la mano. En Tari me saludó un huri con el brazo extendido casi horizontalmente y con la palma de la mano abierta dirigida hacia mí. En este caso, la mano estaba dirigida contra el brazo y hacia arriba; el gesto tenía algo de aversivo, como si el que saludaba apartarse algo de sí. Quizás contenga el saludo ese elemento de rechazo. El mismo gesto lo encontramos también en figuras de guardianes encargados de alejar a los demonios (Eibl-Eibesfeldt y Wickler, 1968). Es posible que el levantamiento de la mano en el saludo haya tenido en su origen una función exorcizante. Como ya se expuso al principio, el encuentro con el forastero provoca tensiones agresivas. Pero no se amenaza, sino que la mano abierta y desarmada expresa al mismo tiempo la intención de un encuentro amistoso.

El levantamiento de la mano va combinado a veces con un movimiento de hacer señas. Esto lo filmamos, entre otros, en los japoneses. Los padres saludaban con rápidos movimientos laterales de la mano abierta y alzada a sus hijos, al pasar éstos montados en los trenecitos de una feria. Podemos observar también el mismo patrón de comportamiento entre nosotros, en Europa.

B. HACER SEÑAS PARA QUE ALGUIEN SE ACERQUE

Entre los kukukuku me llamó la atención un comportamiento que había observado ya, con características completamente iguales, en Italia: las mujeres que se encontraban trabajando en el campo nos saludaron al pasar, extendiendo la mano hacia nosotros y haciéndonos repetidas señas para que nos acercásemos, con la palma de la mano hacia arriba. Una de las mujeres hizo señas también con la palma de la mano dirigida hacia abajo, como si quisiera arrastrarnos hacia ella.

C. EXTENDER LAS MANOS HACIA ALGUIEN

Este comportamiento es, desde luego, una intención hacia el saludo de contacto (abrazo o dar la mano). Quien saluda con un abrazo se acerca a veces a su compañero con las manos ya extendidas. El que invita a estrechar la mano, la extiende hacia adelante, generalmente en actitud de agarrar y con la palma señalando hacia un lado. Entre los papúas (kukukuku y woitapmin) me llamó la atención el que siempre nos tendieran la mano con la palma vuelta hacia arriba, de tal suerte que al principio lo tomé por un movimiento de pedir y sólo poco a poco caí en la cuenta de que únicamente invitaban a estrechar la mano. Esto mismo lo observé

Figura 68: Chom-pen (Gran Nicobar) saludando con la mano alzada. Los chom-pen no habían tenido ningún tipo de contacto con extraños (foto: autor).

en niños sonjo (aldea bantú de Samunge, Africa oriental). El hecho es notable, pues se conoce en los chimpancés un ademán completamente parecido para la invitación al contacto. Los de rango inferior piden contacto, y con ello refuerzo, presentando a los de rango superior la mano extendida con la palma dirigida hacia arriba. El de rango superior coloca su mano encimal lo cual tranquiliza al compañero de saludo; van Lawick-Goodall (1967), al igual que Wickler (1967) y Eibl- Eibesfeldt (1967) se inclinan por ver en ese comportamiento las raíces del acto de darse la mano entre los hombres. Sobre esta idea volveremos más adelante.

D. ENSEÑAR REGALOS

Quien, en misión de paz, se acerca a un grupo potencialmente enemigo, muestra con frecuencia obsequios reales o simbólicos como símbolo de paz. La entrega de la palma de la paz se ha hecho ya proverbial entre nosotros, y existen numerosos relatos sobre patrones similares de comportamiento en otras partes de la tierra. Los conocemos tanto en los masai del Africa oriental como en los pueblos de Oceanía. Citemos aquí como ejemplo una observación de Kotzebues (1825) en las islas Hawai (a la sazón, islas Sandwich):

...un hombre de edad sostenía algo blanco en la mano sobre hojas de árbol, lo que parecía estarme destinado, pero no se atrevía a acercarse más; mientras tanto cortó de un árbol una rama frondosa, como símbolo de paz probablemente; hice inmediatamente lo mismo y me acerqué; el hombre se apartó al principio con recelo, pero al fin me tendió su donativo, repitiendo una y otra vez la palabra: *aidara;* tomé su regalo... A continuación, la mujer que se encontraba con él, y que era probablemente la suya, me alcanzó una rama de pandano, y un joven de unos veinte años, que no tenía preparado ningún regalo para mí, me ofreció el adorno que llevaba al cuello... (pág. 66).

Cuando el primer chompen se acercó titubeante al barco de nuestra expecición, mostró una hoja verde, que nos ofreció después como donativo simbólico (Eibl-Eibesfeldt, 1964). Que se puede iniciar una amistad con regalos, aun cuando solo sean de carácter simbólico, es algo que nos es tan familiar que apenas se nos ocurre dudarlo (fig. 69).

La creación de lazos amistosos se efectúa a menudo mediante la entrega de alimentos. Los niños pequeños entablan de este modo amistad con un extraño de manera espontánea. (Eibl-Eibesfeldt, 1967). En la mayoría de los casos los alimentos obsequiados son consumidos también en común, lo cual fortalece el lazo. Muchas costumbres, como la de la tarta de bodas y el banquete, se derivan de ese patrón de comportamiento. Se crean vínculos mediante la comida en común. E igual ocurre entre los pueblos primitivos.

Nevermann (1941) narra un encuentro con los makleugas de Nueva Guinea

...Cuando la conversación recayó sobre el jengibre, Mitu arrancó una planta de raíz, sacudió un poco la tierra y le dio un mordisco. Luego me empujó el resto en la boca. Posteriormente, en ocasión completamente distinta, recayó la conversación sobre la caza de cabezas de los makleuga, y pregunté al despedirme si había hecho bien en dormir tan tranquilamente entre los makleuga. Mitu lanzó un suspiro disimulado y me dijo en tono de lamento: mucho me hubiese gustado tener tu

Figura 69: Chom-pen entablando el primer contacto con un extraño. Después de dar algunas vueltas, a segura distancia, en torno a nuestro barco de expedición «Xarifa», se acercó remando y nos ofreció una hoja verde (de una película de 16 mm de Hans Hass).

cabeza, aun cuando ya no sea muy bonita, pero hemos comido juntos, y ahora ya no eres un extraño (pág. 44).

Otros ejemplos sobre la función de cohesión de grupo y apaciguadora del regalo de alimentos están recogidos en Eibl-Eibesfeldt (1970 a). La amplia difusión de costumbres vinculadoras similares indica una disposición innata en el hombre, siendo notables las numerosas analogías en el reino animal.

E. LA PRESENTACION DE ARMAS

También el arma es incluida en el ritual de saludo. Cuando un caballero medieval se acercaba a un castillo, esperaba primero la invitación. Los servidores le ayudaban luego a bajarse del caballo y a desembarazarse de las armas, y él pronunciaba su saludo a pie y erguido. La lanza, el escudo y el yelmo eran depuestos previamente (Bolhöfer, 1912). El acto de quitarse el sombrero, ya mencionado en la saga de los Nibelungos, parece ser la forma ritualizada del acto de quitarse el yelmo. Todavía hoy en día es reglamentario que la persona que porta armas las deponga al entrar en una casa. A veces se saluda con el arma. Un ejemplo conocido de todos nosotros es el de presentar los fusiles como saludo militar. El arma se coloca en una posición en la que pierde todo efecto de amenaza. Sobre esto no solo existen paralelos en otros pueblos, sino también numerosas analogías de principio en el reino animal (Tinbergen, 1959; Eibl-Eibesfeldt, 1970 a).

Existen también, sin embargo, saludos de carácter agresivo, que pueden ser perfectamente considerados como una forma menos ritualiaada, ya que aquí, según Spencer y Gillen (1904), se llega a veces al derramamiento de sangre. Estos autores cuentan que en Australia los grupos de viajantes se saludan a veces blandiendo todas sus armas, acto que amenaza siempre con salir mal, pues cualquier incidente puede romper la ceremonia y llevar a derramamientos de sangre (veáse también al respecto lo dicho sobre los waika, pág. 224). También Howitt (1904) describe formas agresivas del saludo entre los australianos. Según nos cuenta, a los visitantes de alto rango se les recibe con las armas en alto; aquéllos por su parte, hacen un ataque simulado, que los otros paran con sus escudos. Finalmente es abrazado, conducido al campamento y allí obsequiado con comida por las mujeres.

F. REVERENCIA Y SIMILARES

Antes mencionamos la inclinación de cabeza como una reverencia ritualizada; ambas cosas se presentan perfectamente juntas.

Con una reverencia saludan, entre otros; los europeos, chinos, hindúes, japoneses, africanos y polinesios. Siempre es el de rango inferior el que se inclina primero. Cuando una chica masai se acerca al más anciano de la aldea, se inclina profundamente ante él; éste coloca la mano sobre la coronilla de la chica, y solo entonces puede volver a erguirse. Como grados superiores de devota sumisión consideraría yo el arrodillarse y el postrarse, que podemos observar igualmente en las culturas más diversas. En todos los casos se trata de un humilde llamamiento por parte del que saluda. Son notables los paralelos con las actitudes sumisas de muchos animales.

II. El saludo de contacto

El saludo a distancia va seguido generalmente por un saludo con formas minuciosamente establecidas de contacto corporal. De nuevo encontramos unos patrones de comportamiento, que en principio son los mismos, ampliamente difundidos.

A. EL DAR LA MANO

En Nueva Guinea me llamó la atención el que tanto niños como adultos se apresurasen a dar la mano, especialmente entre los que menos contacto han tenido con la civilización, los kukukuku y los woitapmin. Al principio creí que se trataba de influencia europea. Pero a nuestras preguntas, las gentes declararon unánimemente que siempre se habían saludado de esa manera. Parece corroborar esto el hecho de que al encontrarse se dan la mano de manera totalmente natural, lo que sería poco probable en el caso de que esa costumbre hubiese sido introducida hace poco.

Algunos oficiales del ejército aseguraron además que el darse y sacudirse la mano era usual ya antes de la llegada de los europeos. En la región del lago de Kopiago, los que se saludan se sacuden por dos veces las manos, soltándose luego en el impulso del movimiento hacia abajo (Frank Carter, comunicación verbal). P. J. Lancaster, quien exploró diversas aldeas en la parte alta de Sepik, recuerda que un cacique hewa, que no sentía por él especiales simpatías, le lanzó materialmente la mano hacia abajo después de sacudirla varias veces. En la región de Telefomin, uno de los que saludan coge entre sus dedos índice y corazón doblados el dedo corazón del otro, y lanza hacia abajo la mano de éste. La operación se repite tres veces. Después de cada sacudida los saludantes han de cogerse de nuevo (Jan Smalley, oralmente).

Figura 70: Biamis dándose la mano al saludarse (de una película de 16 mm. del autor).

Entre los kukukuku observé maneras de estrecharse la mano iguales a las nuestras: los compañeros se apretaban la mano y la sacudían varias veces. En cierta ocasión ví a dos jovencitos de la misma tribu que se cogían uno a otro por el antebrazo y lo sacudían al saludarse, riéndose al mismo tiempo.

Entre los biami y los daribi se cogen para darse el apretón de manos según el patrón usual entre nosotros (fig. 70). También se sacuden las manos, y luego, al soltarse chasquean con el dedo corazón contra la palma. El dedo corazón del compañero sirve de apoyo para acumular impulso. El chasquido tiene que ser audible (fig. 71, a, b), Si falla, el error es acogido con burlas. Se trata de una demostración ritualizada de fuerza y habilidad. Las mujeres se dan la mano sin chasquear los dedos.

a

b

Figura 71: El chasquido de los dedos al soltarse las manos después del apretón (de una película de 16 mm. del autor).

Esta forma de tomar contacto viene a ser también una manera ritualizada de medirse. Cuando, en nuestras latitudes, una persona no puede corresponder correctamente al apretón de manos de un hombre —por haber sido cogido por los dedos por torpeza, por ejemplo— se siente avergonzado. No se han realizado aún investigaciones comparativas de ese notable comportamiento, pero desde luego está ampliaménte difundido entre los pueblos civilizados: Homero describe esta costumbre y en la Biblia se menciona el apretón de manos como voto.

Ya hemos señalado un comportamiento de saludo similar en los chimpancés (pág. 201). Es perfectamente posible que se trate de un movimiento homólogo.

B. EL ABRAZO

Tanto los kukukuku de Ikumdi como los woitapmin de Bimin y los kweana de las regiones centrales del valle de Wahgi (a unas 50 millas de Mt. Hagen) se abrazan durante el saludo amistoso. Para ello pasan un brazo por el hombro del compañero, y a veces también el otro por la cintura, al tiempo que acarician la cintura o el hombro. Un saludo de este tipo solo lo vi entre hombres, y a saber: en adultos amigos, así como entre padre e hijo. Pero parece ser que entre los kukukuku y los woitapmin una madre o una hermana saluda de igual forma a los parientes cercanos. De la tribu kugika en el valle del río Waghi cuenta Simpson cómo las mujeres abrazaban a una mujer de la misión al saludarla. El mismo autor dice que una mujer abrazó llorando a un peón en el valle de Chimbu, porque creía ver en él a su hijo muerto.

Según Read (citado de Simpson), entre los papúas de las inmediaciones de Goroka se abrazan las personas de ambos sexos, cogiéndose por la cintura y apretándose mutuamente con la región genital. Al hacer esto exclaman «serokowe», lo que el autor traduce como «I eat your faeces» (Me como tus heces). Esa notable fórmula de saludo es también usual entre los bena (Nueva Guinea).

En Samoa vi cómo los amigos se abrazaban. Pasan un brazo por el hombro del otro y se aprietan las mejillas. Kotzebue fue saludado por los esquimales con abrazos. Esto es considerado entre nosotros como un saludo muy amistoso. En Bali vi a niños abrazando a sus madres; y esa forma del abrazo, que debe de ser la más primitiva, la observé además en africanos, europeos, asiáticos (japoneses), indios de las tierras altas peruanas y papúas. Todavía hemos de investigar qué difusión tiene el abrazo como saludo entre adultos. Como forma de saludo entre madre e hijo, el abrazo parece estar mundialmente difundido. Al respecto resulta notable

Figura 72: Papúa de la tribu de los daribi besando en la mejilla a su hijita (de una película de 16 mm. del autor).

el que también los chimpancés se saluden con abrazos (van Lawick-Goodall).

C. EL BESO

Nosotros, los europeos, estamos tan acostumbrados al beso como un signo de cariño, que casi lo consideramos innato en toda la humanidad. Pero no es ese el caso... Jemmy Button, el fueguino, me dijo que esa costumbre es desconocida en su patria. También se ignora entre los aborígenes de Nueva Zelanda y de Tahití, entre los papúas, los australianos, los somalíes de Africa y los esquimales. Pero es innata o natural en la medida en que depende, por todo cuanto se puede apreciar, del placer de entrar en estrecho contacto con una persona querida. En diversas partes del mundo es reemplazada por el acto de restregarse las narices mutuamente... (Ch. Darwin, 1872, pág. 196).

El beso está ampliamente difundido entre los pueblos primitivos.

Se menciona ya en el Viejo Testamento, al igual que en los escritos en alto alemán medio. Herodoto cuenta que los persas saludaban a las personas de igual condición con un beso en la boca; y a las de rango superior, con un beso en la mejilla. Entre los romanos estaba considerado de mal tono el besar a personas en presencia de otras. El viejo Catón, según cuenta Plutarco, mandó tachar de la lista de senadores al pretor Manilius, por haber besado a su mujer en presencia de la propia hija (citado de Ohm, 1948). Y en el Japón, los amantes solo se pueden besar a escondidas, mientras que a los niños se les besa en las mejillas (Ohm, 1948).

Durante mis viajes puse especial atención en ver si entre aquellas culturas que se restriegan la nariz como gesto cariñoso no se encontraba también el beso, en contra de una opinión muy difundida. Sobre los papúas escribe Read (citado de Simpson) que Las gentes de Goroka se besan. Lo recalca como una excepción Sorensen y Gajdusek (1966) publicaron una foto de dos hermanos de la tribu de los fore, besándose. El mayor mantiene abrazado con un brazo al menor y aprieta su boca contra la de éste. Según Schultze-Westrum (1968), el beso en la boca entre madre e hijo lo conocen los papúas de la región de Bosavi desde antes de entrar en contacto con los europeos. Tanto entre los kukukuku como entre los woitapmin observé que las madres besaban a sus hijos en las mejillas y en la cabeza. En la parte central del valle de Wahgi, a unas 50 millas de Mt. Hagen, una mujer se acercó a una madre, acarició al hijo de ésta con una mano y lo besó. Un padre kukukuku besó a su hijo adulto en la mejilla, al darle un abrazo como saludo después de una larga separación. En todas las tribus que visité vi que los padres mimaban y besaban a sus lactantes (fig. 72). Al preguntar si los hombres kukukuku besaban también a sus mujeres se me respondió que no, y el traductor, un kukukuku que había sido criado en la misión, fundamentó esto con la observación de que si no no podrían combatir a otros hombres; pero sí se le permitiría a un hermano el que su hermana lo saludase con un beso, o que una mujer bese a su marido. Mas no pude averiguar si en la mejilla o en los labios. En Samoa vi cómo un padre besaba en la mejilla a su hija adulta cuando volvió a verla después de una larga separación. Las madres besan a sus hijos cuando les hacen mimos. Lo mismo vi en Bali, donde también se practica como gesto cariñoso el acto de restregarse las narices. En Africa observé entre los maralal a una niña de unos seis años, que se dirigió espontá- neamente hacia un nene que descansaba envuelto en un paño a las espaldas de la madre, cogiéndole la mano y besándole la palma dos veces. Por consiguiente, el beso sí se conoce en algunos grupos étnicos de los que Darwin pensaba que no lo conocían. Tanto los papúas como los polinesios y los nilotohamitas practican el beso; pero, por lo que he podido enterarme, solo en las situaciones anteriormente descritas. Al preguntarles, los samoanos me dijeron que no se besaban, pero es evidente que creían que me refería al beso sexual entre la mujer y el hombre. Este, o bien ha sido reemplazado realmente por el acto de restregarse las narices, o se encuentra sometido a un tabú, de tal suerte que no se habla de ello. En la búsqueda de cosas comunes a los hombres habría que prestar más atención que hasta ahora al comportamiento de madres y niños, el cual es espontáneo, desde luego, y está poco transformado por la cultura. Al particular resulta instructiva la observación que hace Bernatzik (1947) de que los akha no conocen el beso en el sentido europeo, «excepción hecha de los besos de las madres akha, quienes tocan con sus labios las mejillas de sus pequeños» (pág. 96). A S. Lechner-Knecht (por carta) he de agradecerle el dato de que las madres en Nepal besan a sus pequeñuelos. Pero a nadie más le está permitido, y los casados cuando se les pregunta, contestan que el beso no es usual en el juego amoroso.

El hecho de que los chimpancés se saluden con besos hace probable que ese comportamiento humano, igual desde el punto de vista formal, tenga viejas raíces y esté por lo tanto ampliamente difundido. En el beso se ve una forma ritualizada de la alimentación boca a boca. Durante la cría también es a veces usual en el hombre; en Alemania, por ejemplo, en Schleswig-Holstein (Ploog, 1964). Según Birt (1928), después del destete los griegos alimentaban a sus niños con alimentos previamente masticados.

D. EL SALUDO CON LA NARIZ

Como ya señaló Andree (1889), el saludo con la nariz es, en el fondo, un amistoso husmearse, donde ambas personas aspiran aire. En Birmania se denomina a ese beso olfativo «namtchui» (de olor = nam, aspirar = tchut). Las narices pueden tocarse y ser restregadas una con otra. A veces el que saluda le coge solo una mano a su compañero y se restriega con ella la nariz, como cuenta Cook (1784) de los neozelandeses y Wilkes (1849) de los samoanos. El saludo con la nariz se da entre los lapones, los esquimales, en la región indochina-malaya, en Madagascar, en Nueva Guinea y en las islas de la Polinesia (Andree, 1889). Como íntima demostración de amistad en la relación heterosexual aspiramos también de manera recalcada el olor de nuestro compañero.

E. CARICIAS EN EL ESCROTO, EN EL PENE Y EN LOS PECHOS
Entre los biami vi cómo una anciana, al saludar a un hombre
—se trataba de su hijo, como pude comprobar después—, le cogía
por el escroto y, con un movimiento de abajo hacia arriba, le
acariciaba suavemente los testículos y el pene. El hombre estaba
vestido. Ese comportamiento de saludo era usual hasta hace muy
poco entre los daribi. En los chimbu, en las tierras altas de Nueva
Guinea, el que saluda toca al otro en el ano y luego se lleva la
mano a la boca. Esto expresa una gran sumisión. En las tribus de
Hagenberg lo hace todo aquel que quiere exponer algún deseo
apremiante (Vicedom y Tischner, 1943). Tischner (comunicación
oral) vio el acto de acariciar escroto y pene como saludo en las
tribus de Hagenberg. Por las observaciones que he hecho, ese
notable comportamiento de saludo se deriva de un modo delicado
de comportamiento que prodigan las madres a sus lactantes y niños
pequeños. Tanto en Nueva Guinea como en Australia, entre los
bosquimanos del Kalahari y los indios waika, vi repetidas veces que
las madres acariciaban a sus pequeños en el pene y en el escroto.
Cuando los niños se hacen mayores, esto se convierte en una ligera
caricia de saludo, que se observa, por ejemplo, cuando un niño se
separa de su grupo de juego y corre hacia la madre. Desde un
punto de vista formal, esas caricias de saludo no se diferencian de
las de los adultos. Como saludo entre adultos solo he podido
observarlo hasta ahora en Nueva Guinea. Entre los daribi observé
cómo una niña de unos diez años acariciaba suavemente varias
veces a su madre en los pechos, como saludo.

F. LA CEREMONIA DE PASARSE EL TUBO DE FUMAR
Cuando dos grupos de hombres de la tribu de los biami se
encuentran por el camino, es de buen tono sentarse después de
estrecharse la mano. Ambas partes lían entonces un purito de
tabaco, que introducen en una boquilla de bambú. El tubo de
bambú está cerrado en una de sus puntas. La abertura para el puro
se encuentra a un lado, junto a la punta cerrada del tubo. Se aspira
entonces el humo hacia el interior de la caña, se retira luego el
puro y se devuelve la caña llena de humo. El propietario del tubo
de fumar coloca de nuevo el puro en la abertura, aspira otra vez el
humo y pasa el tubo al siguiente. La caña pasa de mano en mano y

*Figura 73 (a) — (f): Biamis fumando en rueda. El anfitrión, al fondo, aspira el humo (a)
y le pasa al huésped el tubo lleno de humo después de haber quitado el cigarro (b), (c). El
huésped aspira el humo del tubo (d) y lo devuelve (de una película de 16 mm del autor).*

a

b

c

d

e

f

ambos grupos se obsequian mutuamente de esta manera. Cuando un huésped llega a una aldea, los hombres del pueblo preparan inmediatamente los tubos de fumar, y cada uno deja al huésped aspirar de su tubo. A veces ocurre que varias personas le ofrecen al mismo tiempo su tubo. Esto lo exige el buen tono y nunca se pasa por alto. Pero nunca vi que los hombres ofreciesen sus tubos a las mujeres que acompañaban a los viajantes. Las mujeres hacen circular entre ellas el tubo de fumar. Es un instrumento que se utiliza siempre que varios hombres se sientan juntos. Nunca he visto a nadie fumar solo. El pasarse el tubo de fumar desempeña un gran papel en la vida cotidiana de los biami como ritual del vínculo (fig. 73). Los bosquimanos del Kalahari (Eibl-Elbesfeldt, 1972 b) practican algo muy parecido.

Discusión

Quien quisiera enumerar todas las clases de saludo nacionales, podría llenar fácilmente con ello un libro. Pero el provecho científico que se obtendría sería escaso. Uno se tropezaría únicamente con una variedad increíble, encontraría singularidades que parecerían más o menos inexplicables y quedaría extrañado del derroche de tiempo o de la refinada etiqueta de las formas del saludo (Andree, 1889).

Sin embargo, pese a toda la variedad de ritos humanos de saludo, es posible entresacar una serie de cosas comunes. Allí donde la semejanza formal en los pueblos más diversos es tan grande como la que encontramos en la sonrisa, en el saludo con los ojos y en la inclinación de cabeza en el saludo a distancia, se puede conjeturar perfectamente que se trata de coordinaciones heredita rias. Lo mismo reza, desde luego, para el abrazo y el beso. Este último, en contra de una difundida creencia, se encuentra también en aquellos pueblos que se saludan restregándose las narices. Finalmente, el beso existe también entre los chimpancés como gesto de saludo. Las diversas semejanzas de principio, como la de utilizar el regalo de alimentos para crear vínculos, se explican tal vez por disposiciones innatas al aprendizaje. Innata es también, con seguridad, la inclinación a saludarse con mimos, caricias, apretones de mano y otras formas del contacto, Aquí puede variar ampliamente el patrón de movimiento. Muchas tribus en las tierras altas de Nueva Guinea se saludan cogiendo al otro por el escroto. Según Kotzebue, los esquimales que viven en las inmediaciones del estrecho de Behring se saludan palpándose varias veces con ambas manos del rostro hasta el vientre. El mismo Kotzebue fue saludado por uno que primero le abrazó, luego restregó su nariz

contra la suya y finalmente se escupió en las manos y se las pasó a
él varias veces por el rostro. Bernatzik (1944) escribe sobre una
visita a la aldea Sigoyabu (Nueva Guinea, tribu bena bena): ∟

> Embarazoso fue también el tipo de saludo. Los aborígenes no nos tendieron las
> manos, sino que nos apretaron contra ellos y nos acariciaron y palparon de la cabeza
> a los pies, tratando siempre de alcanzar las partes no cubiertas de nuestro cuerpo.
> Pero, como fueron centenares los aborígenes que nos saludaban de esta manera día
> tras día, y como los aborígenes suelen untarse con una capa espesa de aceite y
> hollín, al poco tiempo parecíamos dos de ellos.

Llama la atención la amplia difusión del acto de dar la mano
en Nueva Guinea. Los ritos de apreciación de fuerzas son aquí
similares a los que tenemos en Europa. Lo notable, no es sólo
que los movimientos sean iguales en todas partes, sino que
las reglas de procedimiento sean muy parecidas, lo cual indica
la presencia de estructuras regulares innatas. En principio, el
saludo expresa en todas partes lo mismo: la intención pacífica, la simpatía —en caso extremo, por el derramamiento de
lágrimas— y el deseo de crear un vínculo. El hombre puede
revestir todo esto de palabras y utiliza entonces clichés verbales como estímulos clave. Esos clichés son iguales en todas
partes. Se afirma solemnemente «buen amigo», se pregunta
«¿cómo te va?» y se desea un «buen día» o cosas parecidas. Entre
los bosquimanos !ko, por ejemplo, se dice al despedirse: «que
vayas bien, que duermas bien». Al saludarse se desean salud,
felicidad, paz, etc. Tales deseos son también regalos. El buen deseo
es una forma altamente ritualizada del regalo.

El problema de cuál es la base biológica de los rituales del
saludo sólo podrá resolverlo una minuciosa documentación comparada. Dicha documentación escasea, y sobre todo escasea la documentación sobre los primeros contactos con los pueblos primitivos.
En la actualidad, y en el marco de un amplio programa estatal, se
está visitando en Nueva Guinea a todos los grupos aborígenes que
no habían tenido contactos hasta ahora, sin preocuparse de regis-
trar fotográficamente el acontecimiento. Con esto se pierden irre-
misiblemente las últimas posibilidades. Lo mismo ocurre en otras
partes del globo. En los próximos años trataremos de establecer la
documentación de los primeros contactos.

Capítulo 2
EL COMPORTAMIENTO DE SALUDO
Y OTROS PATRONES DE TOMA
DE CONTACTO AMISTOSA EN LOS WAIKAS

1. *La situación de saludo*

Existe toda una serie de situaciones típicas de saludo. La más frecuente es, desde luego, el simple *saludo de encuentro,* que no tiene por qué conducir a un nuevo compromiso. Puede realizarse entre amigos y conocidos y repetirse de tiempo en tiempo. Cuando dos personas que se saludan se encuentran juntas a la mesa, se hacen señas y se sonríen, por ejemplo, al cruzarse sus miradas. En el saludo de encuentro ambos compañeros desempeñan el mismo papel. Esto es distinto en el *saludo de bienvenida,* que se da cuando un anfitrión recibe a un invitado. El ritual de saludo suele ser entonces más complicado. Mientras que el saludo de encuentro puede producirse como «saludo a distancia» (véase pág. 191), al saludo de bienvenida le siguen generalmente ritos que traen por consecuencia el contacto corporal de las dos partes. Finalmente, de las mencionadas situaciones de saludo hay que diferenciar la *despedida,* que expresa una separación en la paz y que fortalece un lazo para el futuro. En lo que respecta a esa referencia al futuro, la despedida es típicamente humana.

Debido a la gran importancia que tiene el comportamiento de saludo como medio para superar la agresión, sobre todo en el contacto entre grupos, es de esperar que existan algunas señales que sean «internacionales» y comprensibles para todos. Este extremo lo confirmé al comparar el comportamiento de saludo entre algunas tribus de los papúas, entre los balineses, samoanos y algunos otros grupos humanos. Entre 1969 y 1973 observé y filmé el comportamiento de saludo de los indios waikas.

2. Los indios waikas

Los *waikas* habitan la región del curso superior del Orinoco y sus afluentes. Pertenecen al grupo étnico de los yanoama, a los que se abarca frecuentemente bajo la denominación de *guajaribo*. El aislamiento y su naturaleza bélica han protegido hasta ahora a los grupos de la transculturación. En lo económico se encuentran en el período de transición entre los cazadores y recolectores y los agricultores. Cultivan algunas plantas, pero solo tienen al perro como animal doméstico. Una gran parte de la alimentación es recogida, pescada o cazada con flechas envenenadas. Las pequeñas comunidades de aldea viven bajo techos de una sola vertiente que, inclinados hacia adentro, se encuentran frecuentemente formando un conjunto cerrado alrededor de un lugar central. Cada familia habita un pequeño sector de ese techo común. Los waikas solo van vestidos por lo general con un delgado cordel ceñido a la altura del medio vientre. Sobre su cultura informan Zerries (1964), Biocca (1966, 1969), Chagnon (1968), Steinvorth de Goetz (1970) y Cocco (1972).

En 1969, 1970, 1971, 1972 y 1973 visité durante varias semanas el territorio waika y, partiendo de Ocamo y Platanal, conocí diversas aldeas en el Ocamo y el Orinoco. En algunas de ellas (Wabutabuteri Kachoroateri, Mayoböwäteri, Niyayobäteri) viví varias semanas[1].

---

[1] A la señora Dra. Goetz, quien me prestó una espléndida ayuda en mis viajes de visita a los waikas, quisiera expresarle aquí mis más efusivas gracias, al igual que a la fundación A. v. Gwinner, que financió mi primer viaje. Les doy las gracias también especialmente al matrimonio Karl-Friedrich y Elke Fuhrmeister de Goetz, así como a mi hijo Bernolf, quienes me acompañaron durante algunas etapas de ese viaje y me prestaron ayuda en el trabajo. Les agradezco de todo corazón a los misioneros salesianos la hospitalidad en sus estaciones, y doy las gracias en especial al padre Luigi Cocco y al padre José Berno, quienes me ayudaron con consejos e informaciones . El padre Cocco ha publicado entretanto una obra excelente sobre los waikas (Cocco, 1972). A la misión New Tribes y a los matrimonios Shaler y Jank he de agradecerles la hospitalidad en Sierra Parima. Le doy las gracias finalmente a la Oficina Central de Asuntos Indígenas de Caracas.

3.   *Los modos de comportamiento del saludo*

A.   EN EL ENCUENTRO CON EUROPEOS
   Durante nuestros viajes nos encontramos con muchos grupos waikas, a veces solo de pasada pero en otras ocasiones como huéspedes. Hubo aldeas que visitamos repetidas veces, teniendo así ocasión de celebrar el reencuentro. Más adelante hablaremos de las diversas situaciones de la toma de contacto y de la despedida.
   Si uno se acerca en bote por el río a un grupo waika de intenciones amistosas, éstos le dan la bienvenida mediante una serie de señas. Agitan las manos, con un movimiento ritualizado de aproximación: las manos se cierran como si cogiesen algo y los brazos son retraídos hacia el cuerpo. La palma de la mano puede mirar hacia arriba o hacia abajo. A veces señalan también el desembarcadero e invitan de esta forma a acercarse. Muestran frutos, cuando los tienen a mano, y gritan finalmente la palabra de saludo «shori», que significa «cuñado». En cierta medida se expresa la disposición a entablar una relación de parentesco. La palabra es utilizada con gran frecuencia y se repite muchas veces. También cuando los waikas expresan un deseo inician la conversación con «shori» («Shori, me gustaría tener un machete»).
   A veces se oye también la palabra de saludo «nohi», que significa «mi amigo». Si uno dice «shori», recibe entonces como respuesta «nohi» en la mayoría de los casos. Hay diversos dialectos. En Sierra Parima se dice «nofi» en vez de «nohi».
   A veces amenazan algunos hombres del grupo, mientras que otros hacen señas amistosas. Dan brincos sin moverse del sitio y mantienen el arco listo para disparar, pero la flecha apunta hacia el suelo en la mayoría de los casos y la cuerda no suele tensarse . Se trata claramente de una intimidación, cuya probable significación habremos de analizar todavía.
   Una vez cerca de los que saludan, se perciben otros movimientos expresivos. Al saludar sonríen, levantan la cabeza con un movimiento brusco, elevan rápidamente las cejas en el «saludo con los ojos» e inclinan a continuación la cabeza.
   Ya he descrito toda la complejidad de esos modos de comportamiento como patrón del saludo a distancia en diversos pueblos primitvos y civilizados (véase pág. 40 y pág. 192, y ss.). El saludo a distancia puede ser intercambiado también repetidas veces en el curso de un día con la misma persona. Yo mismo logré provocar varias veces el saludo con los ojos, la sonrisa y la inclinación de cabeza, al entablar, a intervalos, contacto con la

mirada. Ambos sexos transmiten y devuelven el saludo con los ojos, y no parece que exista ningún tipo de inhibiciones culturales a la hora de hacerlo. En la cercanía de las misiones había también quienes saludaban levantando la mano abierta. En lugares más apartados apenas lo vi.

Al desembarcar, los waikas se acercaban, nos saludaban con el «shori» y entablaban con franca naturalidad un contacto, corporal. Los hombres se dirigían sobre todo a los de su sexo mientras que las mujeres se dedicaban más a acariciar y a abrazar a nuestras acompañantes (fig. 74). Solo en raras ocasiones acariciaban los hombres waikas a nuestras acompañantes. Esto parecía atentar contra los buenos modales, pues observé que, en ese caso, las mujeres waikas empujaban y alejaban a los hombres. Con respecto a nosotros, los forasteros, se tomaban a veces pequeñas libertades en parte por curiosidad, pero también con el fin de comprobar hasta dónde se podía llegar con nosotros. En tales situaciones era preciso un rechazo amistoso, pero enérgico. Chagnon (1968) cuenta de un comportamiento provocativo similar en circunstancias totalmente distintas.

En el saludo de contacto, los waikas nos abrazaban y acariciban la espalda y el vientre. A veces nos echaban el brazo por el hombro y nos hacían algunas caricias. Entre los *shibarioteri,* un anciano, saludándome con el «shori», me abrazó una pierna y se sentó a mi lado. Otro nos saludó uno por uno, poniéndose repetidas veces en el pecho ambas palmas de la mano. Una mujer mantuvo cogida durante largo rato la mano de la señora Fuhrmeister y se restregó las mejillas en ella. Las caricias degeneraban a veces en trato violento. En la misma aldea, un hombre, que me hacía amistosos votos de «shori», comenzó a pegarme cada vez más fuerte en el vientre y en la espalda, hasta que me causó dolor y tuve que apartarlo amistosamente, pero con energía. Tuve la impresión de que quería provocarme y someterme a prueba, y efectivamente me dijo algo después que le hubiese gustado entablar conmigo una de esas amistosas luchas por parejas, en las que los waikas se pegan alternadamente con el puño en los músculos pectorales.

A veces nos cogían de una mano, sin que se la hubiésemos tendido. Nunca vi que los waikas se diesen la mano al estilo nuestro, pero sí que se cogiesen brevemente para saludarse. Con gran frecuencia estrechan al compañero de saludo en los brazos.

Cuando nos acercamos con el bote a un grupo de *jasubueteri,* un joven bajó a saludarme desde la maleza de la orilla. De pie y metido en el agua, me hizo caricias en la espalda y en el vientre, y como yo me estremeciera un poco al sentir el contacto de las manos algo pegajosas, metió las manos en el agua, se las lavó y prosiguió las caricias con las manos mojadas. Al hacerlo, decía continuamente «shori», sonreía y hacía repetidas veces el saludo con los ojos. Al darle un saquito de plástico, me abrazó una vez más, me dió un beso en la mejilla y restregó la nariz varias veces contra ella (fig. 76).

Un waika de la aldea de Niyayobäteri, que se había venido conmigo a ver a los noreshianateri, me saludó efusivamente en un reencuentro posterior. Me cogió la cabeza y restregó rápidamente su frente contra la mía.

Para saludarnos, los waikas nos cogían a veces por brazos y hombros. Varias mujeres waikas saludaron al Dr. Goetz y a su hija con abrazos y caricias. Y aparte de sus votos de «shori», hablaban siempre sin parar.

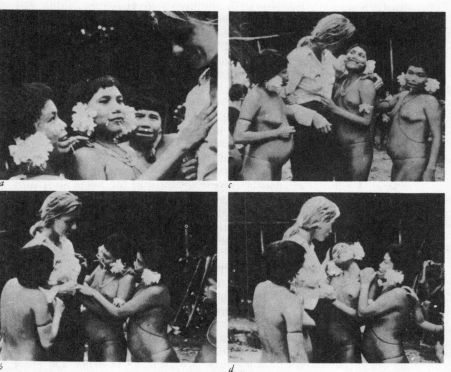

Figura 74: India waika (kajoroateri) palpando explorativamente a una europea (a), (b) y buscando contacto, restregándose y dirigiéndole el rostro (c), (d) (de una película de 16 mm. del autor).

La barba y los cabellos despertaban gran interés entre los waikas; pasaban la mano por los pelos, desenredaban los mechones y los alisaban con los dedos (fig. 77).

Cuando llegábamos a una aldea, nos obsequiaban a menudo con plátanos o frutos cocidos de pijiguao (de la palmera guilielma). Se nos hacía señas para que nos acercásemos a las fogatas y nos invitaban a tomar asiento, no sin antes limpiar el sitio, barriéndolo con las manos. Nunca dejaban de prestar esta pequeña atención. Un hombre que quería trabar amistad empleó la cortés forma de saludo «yo estoy cerca de ti». Por lo general, los waikas nos recibían con agrado. Los sacributeri, por el contrario, cuya aldea fuimos[2] los primeros blancos en visitar, no se mostraron muy contentos con nuestra visita. No se acercaron de la manera que es usual ni tampoco nos ofrecieron nada. Con excepción de algunas mujeres muy viejas, solo había hombres y jóvenes en la aldea. Era evidente que tenían miedo. Un waika me dió la espalda ostensiblemente y me mostró las nalgas. Pero un rechazo tal no es la regla ni en los primeros contactos. En otras dos aldeas *(Otobuteri* y *Aratoteri),* a las que fuimos igualmente los primeros blancos en llegar, fuimos recibidos amistosamente. Entre los *aueteri*[3], en el Butaco, presencié un rechazo interesante al saludo. Por algún motivo no fuimos bien recibidos (quizás porque se disponían en ese momento a tomar ceniza de muertos, pues estaban preparando un gran puchero son sopa de plátano). Se nos indicó con movimientos despreciativos de la mano que deberíamos alejarnos, cosa que no hicimos inmediatamente. Adquirimos por trueque algunos arcos y flechas, distribuimos perlas y yo filmé con el objetivo de espejo. Un hombre insistía constantemente en que teníamos que irnos, y yo le saludé haciéndole señas amistosas con la cabeza, sonriéndole y mostrándole el saludo con los ojos, ante lo cual, ese hombre, en un inequívoco «antisaludo», echó la cabeza hacia atrás y cerró los ojos como señal de rechazo (fig. 78).

B. CÓMO SE SALUDAN LOS WAIKAS ENTRE SÍ

Los habitantes de una aldea se sonríen y se hacen señas con la cabeza al encontrarse. El saludo de contacto con abrazo y caricias, así como el intercambio de fórmulas de saludo, solo se ven, por el

---

[2]   La Dra. I. Goetz, el padre Cocco, el piloto Arostegi y yo. Los *sacributeri* y los *otobuteri* viven a algunas horas de marcha hacia el sur del primer salto de agua del Ocamo; los *arastoteri,* a algunas horas de marcha hacia el norte.

[3]   Anteriormente se llamaban *acrocoiteri.*

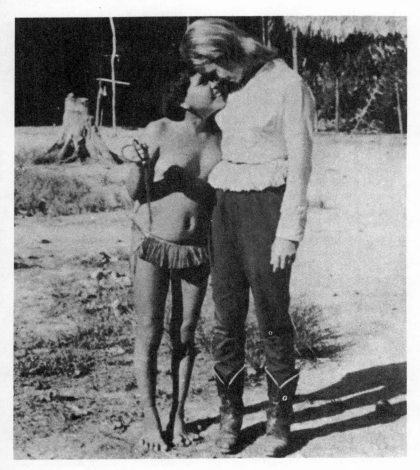

Figura 75: Búsqueda de contacto de una india waika a base de restregarse y dirigir la mirada (de una película de 16 mm. del autor).

contrario, cuando un miembro de la aldea regresa después de un largo tiempo de ausencia o cuando se encuentran amigos de aldeas distintas; o bien cuando éstos vienen de visita y cuando se despiden.

Observé una excepción interesante entre los *wabutabuteri:* una chica le hizo caricias a una madre en los pechos, para después coger

al hijito de ésta y ponerse a jugar con él. Vi y filmé repetidas veces
esas «caricias de saludo», siempre en las mismas circunstancias.

En interacciones cariñosas, padres e hijos intercambian a veces
el saludo con los ojos (fig. 79).

El saludo de encuentro, que es menos formal, se inicia a veces
con el saludo de ojos, la inclinación de cabeza y las palabras de
saludo «shori» y «nohi» (págs 223 y s.). Luego se hacen caricias mutuamente o se pasan uno a otro el brazo por el hombro
y charlan. Como fórmula cortés de saludo se oye además el
tratamiento «ai» (con i nasal), que significa 'hermano mayor', o en
su caso «ami» = 'hermana mayor'.

Los hombres que regresan de la caza anuncian su llegada con
gritos. Luego entran en la aldea, se van a un sector de vivienda, le
entregan la caza a sus mujeres y se tumban en el chinchorro o se
sientan junto al fuego. Los solteros van visitando a sus padres y
hermanos. Se les obsequia para darles la bienvenida. También se
practica una espulgación como saludo. Vi con frecuencia que los
hombres jóvenes eran minuciosamente espulgados por alguna chica
al regresar. Cuando se acercan visitantes extraños a una aldea,
anuncian ya desde lejos su acercamiento por medio de altos gritos
monosílabos.

Cuando uno abandona el grupo, dice como despedida «yako» o
«yakohamuya», lo cual significa «me voy (a casa)». Va en contra de
las buenas costumbres el omitir este saludo al despedirse. El
interpelado responde «adacobeheri» —«ve tranquilo»— o la breve
exclamación «¡ho!».

Cuando los waikas visitan una aldea extraña, se adornan, antes
de entrar en la población, pintándose y pegándose blancos plumones
en el cabello. Luego se acercan a paso rápido a la aldea y se colocan
en medio de la plaza central. Se apoyan en flechas y arcos que
mantienen ladeados delante del pecho, y a veces inclinan un poco
la cabeza. Así permanecen durante un minuto, absolutamente
inmóviles. Luego buscan el sector de vivienda de sus amigos. Los
huéspedes son saludados con gritos y a veces también amenazándo-
los con las armas (fig. 80). Después se pasa a las formas ya
mencionadas del saludo de contacto.

Se observan ritos de saludo y de despedida muy formales
cuando los habitantes de una aldea llegan a otra para participar en

---

*Figura 76 (a) — (f): Hombre waika saludándome: en el primer abrazo apretó su rostro
contra mi mejilla y me acarició el pecho (b). Recibió un saquito de plástico con algunas
cosillas y me acarició a continuación el rostro (d), me abrazó (e) y me besó en la mejilla (f)
(jasubueteri) (fotos: K. F. Fuhrmeister).*

Figura 77: Hombres waikas (sacributeri) examinando la barba del padre Luigi Cocco.

una fiesta (reaho) en calidad de invitados. Los visitantes son recibidos y agasajados delante de la aldea. Luego se adornan y bailan, primero los hombres, con frecuencia de uno en uno. Bailan alrededor de la plaza central de la aldea y se presentan así a sus anfitriones. Van pintados, adornados de plumas y llevan arco y flechas en las manos, o verdes abanicos hechos de fibras de palmera. Si llevan armas, entonces es frecuente que después de ellos bailen los niños, agitando verdes abanicos. La presencia de niños es un elemento apaciguador y neutraliza la intimidación agresiva de los guerreros (Eibl-Eibesfeldt, 1970 a).

Finalmente bailan también algunas mujeres con niños. Los huéspedes se tumban entonces en chinchorros y son agasajados con sopa de plátano. Al mismo tiempo se forman pequeños grupos de hombres que toman juntos el rapé «yopa» (ebena), de propiedades altamente embriagantes. Un punto culminante de la fiesta es el lamento en común por los muertos y la simultánea bebida de sus cenizas, ceremonia ésta en la que participan hombres y mujeres por igual, pero no los niños. A través de esos ritos se van trabando y afianzando vínculos entre aldea y aldea. Esto mismo se realiza

Figura 78 (a) — (d): El rechazo al saludo mediante el cierre de los ojos y el movimiento hacia atrás de la cabeza. El movimiento de rechazo es repetido una vez más. La serie muestra los fotogramas 1, 8, 24 y 32 de una película de 16 mm. del autor (aueteri, antes acrocoiteri).

también a nivel individual, entre los hombres de ambas aldeas, quienes, sentados frente a frente por parejas y en una especie de canto alterno (*uayamou* = tratado cantado), se comunican peticiones y promesas. Al finalizar la fiesta, que a veces dura varios días, anfitriones y huéspedes se intercambian regalos y luego se cantan de nuevo los tratados por parejas, esta vez todas ellas al mismo tiempo. Las parejas de amigos se sientan entonces en la explanada en medio del chabono, gesticulando violentamente y abrazándose también de cuando en cuando. La ceremonia solo es celebrada por hombres, pues se trata en última instancia de entablar y fortalecer alianzas para el combate. En el capítulo que sigue al próximo ofrecemos una descripción detallada de los rituales.

C. EL COMPORTAMIENTO DE UNA MUJER WAIKA QUE BUSCA COMPAÑÍA

Entre los *kajoraoteri,* una mujer joven se acercó a la señora Elke Fuhrmeister-Goetz, la abrazó a la altura del cuello, atrajo hacia sí su cabeza y comenzó a besuquearla en labios y mejillas. Le rogé a la señora Fuhrmeister que lo tolerase, pero que no hiciese nada más que sonreír. De esta manera pude filmar el comportamiento de la mujer waika. A continuación probó toda una serie de modos de comportamiento. Cada poco se apartaba y miraba hacia arriba sonriente, contemplando a su compañera, interrogativamente y en espera de una reacción amistosa. La señora Fuhrmeister se limitaba a sonreír. Esto era suficiente para alentar a la india a proseguir su comportamiento, pero estaba claro que esperaba algo más. Su comportamiento variaba. Al principio restregaba con fuerza su frente contra la mejilla de la señora Fuhrmeister e incluso la mordió tímidamente. Luego mostró toda una serie de modos de comportamiento «más cariñosos», como el de restregar la nariz con nariz y boca con mejilla (fig. 81), mordisquear suavemente la mejilla, soplar, teniendo los labios apretados contra el rostro de la otra, tocar con los labios a manera de beso, acariciar y estrecharse contra ella. Esos modos de comportamiento pueden interpretarse como una mezcla de apelaciones al cuidado y llamamientos infantiles. Soplando con los labios posados alegran por ejemplo las madres waikas a sus lactantes, y también el lamer, restregar las narices, acariciar y mordisquear figuran en el repertorio de los modos del comportamiento materno. La mujer waika se mostraba especialmente interesada en los largos cabellos rubios de su compañera, le alisaba el pelo con los dedos y se colocaba mechones sobre la cabeza, que tenía estrechada contra la otra (fig. 82). El restregar de labios lo interpreté como un infantilismo. He visto con frecuencia

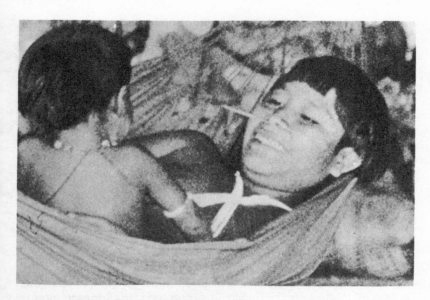

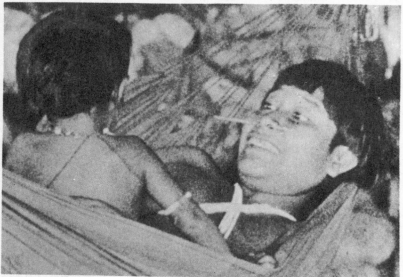

Figura 79: *Madre jugueteando con su hija. Al establecerse el contacto con la mirada envía el saludo con los ojos (Ocamo) (de una película de 16 mm. del autor).*

a

b

Figura 81: Comportamiento de una india waika que busca compañía: (a) restregando el rostro contra el de la compañera; (b) mordisqueando; (c) y (d): dos fases en el restregar la boca (kajoroateri) (de una película de 16 mm. del autor).

que en el comportamiento cariñoso «se desatan» movimientos pendulares con la cabeza, extraordinariamente parecidos a los que hace el lactante cuando busca el pecho. También el abrazarse fuertemente recuerda un comportamiento infantil. Además, la mujer waika apresaba a ratos con su pierna levantada el muslo de su compañera. Esa cariñosa solicitud se prolongó por cerca de un cuarto de hora. Luego la mujer waika permaneció al lado de la

Figura 80, (a), (b): Un visitante ante sus huéspedes. Acababa de llegar a la aldea de los niyayobäteri y se colocó inmóvil, presentando sus armas. Sus anfitriones lo amenazan de broma. El visitante demuestra con su comportamiento valentía y confianza (de una película de 16 mm. del autor).

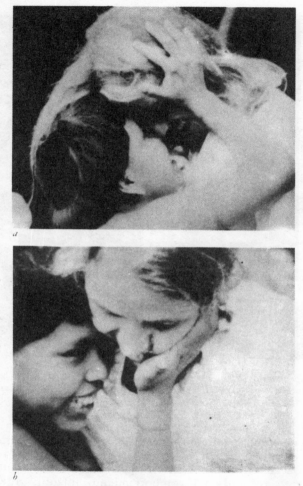

Figura 82: (a) India waika (kajoroateri) en el acto de frotarse las narices con una europea. Se ha colocado sobre su cabeza los pelos de la europea. (b) Frotándose la frente (de una película de 16 mm. del autor).

señora Fuhrmeister, cogiéndola a veces por la mano o por un brazo. Era evidente que buscaba su amistad. El que esos cariños tuviesen también una motivación homosexual no es seguro. Sobre la homosexualidad femenina ha recibido Biocca (1966) informa-

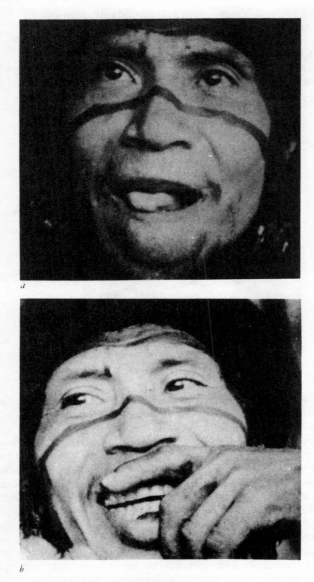

Figura 83 (a): hombre waika haciéndole señas con la lengua a una europea y luego, avergonzado, ocultándose el rostro con la mano (b) (de una película de 16 mm. del autor).

ciones de Helena Valero, que fue raptada de niña por los waikas y
se crió entre ellos.

D. FORMACIÓN DE VÍNCULOS HETEROSEXUALES

Durante algunos días viajamos con un grupo de waikas que habían
sido invitados a una fiesta. En esa ocasión y después también en

Figura 84: Mujer waika haciendo señas con la lengua a un europeo (mahacoheteri).

otras aldeas, observamos que los hombres sonreían a nuestra
acompañante y luego le «movían la lengua»: la punta de la lengua
asomaba apenas entre los labios, se desplazaba lentamente hacia un
lado y desaparecía de nuevo (fig. 83). Ese comportamiento sería interpretado entre nosotros como «coqueteo». Las mujeres nos hacían a
veces señas con la lengua a mí y a mis compañeros; cuando las
imitábamos, se iniciaba un diálogo con la lengua, acompañando de
risas y un gesto coqueto de apartar la mirada, seguido inmediatamente de contactos con la mirada (fig. 84). El comportamiento era
un coqueteo juguetón; y cuando nosotros lo seguíamos, nuestras
amigas waikas frotaban la nariz en nuestras mejillas o nos rozaban
el rostro con los labios a manera de beso (fig. 85). Esa forma de
mover la lengua sólo la observamos en el trato con el otro sexo.

Un gesto parecido, pero lo suficientemente claro como para ser
diferenciado por las reacciones mímicas que lo acompañan, era el

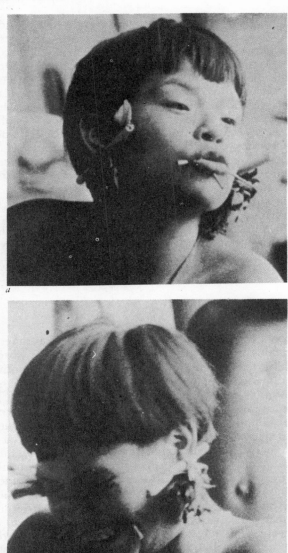

Figura 85 (a), (b): Bajando la cabeza avergonzadamente y riendo después de un contacto labial con el compañero (macorimateri) (de una película de 16 mm. del autor).

gesto burlón de enseñar la lengua. En más de una ocasión vi ese gesto, dirigido hacia mí, en jóvenes adolescentes. En tales casos la lengua sale proyectada con una cierta violencia; en el comportamiento predominaba el gesto de alzar la cabeza (¿ademán de arrogancia?). En cierta ocasión dos chicos hacían burlas de esa forma y se reían juntos. Una joven mujer waika, a quien la doctora Goetz había pedido en vano varias veces que se alejara, le mostró la lengua cuando ésta miraba para otro lado (fig. 86). También aquí se trataba de un movimiento violento, y la mueca era amenazante (arrugas verticales en la frente). Ya en el lactante se observan movimientos de rechazo con la lengua cuando se le ofrece comida que no quiere aceptar. La lengua expulsa entonces los trozos de comida. Si se le ofrece repetidas veces, la lengua se pone en acción ya antes de entrar en contacto con los trozos de comida (fig. 87). De ese movimiento de rechazo, funcional en su origen, podrían derivarse algunos de los movimientos expresivos de repulsa con la lengua. Pero el gesto burlón de mover la lengua se deriva probablemente del acto de mover la lengua al coquetear, que a su vez podría ser un movimiento de lamer ritualizado.

Discusión

En la toma amistosa de contacto los indios waikas muestran una serie de modos de comportamiento que también se observan en otros pueblos, tanto en lo que respecta a la forma del movimiento como a la situación en que se da. Esto reza para el saludo a distancia (sonreír, echar hacia atrás la cabeza, saludo con los ojos, inclinación de cabeza) y además para algunos modos de comportamiento del saludo de contacto y del coqueteo (restregar nariz y boca, mordisquear, besar, lamer, abrazar, palpar, acariciar, tocar y mover la lengua). De estos modos de comportamiento que acabamos de enumerar no todos forman parte del comportamiento de saludo de otros pueblos; los filtros culturales reprimen uno u otro. Pero es notable que se observen esos modos de comportamiento entre los más diversos grupos étnicos y en todas las partes del globo, y que además muchos de los modos del comportamiento cariñoso entre madre e hijo tengan una difusión mundial. Todavía no he encontrado ni un solo grupo étnico en el que las madres no

Figura 86: India waika (aratoteri) enseñando agresivamente la lengua. La serie muestra los fotogramas 1, 10, 15, 17, 31, 35, 68 y 83 de una película de 16 mm. del autor; velocidad: 48 fotogramas/segundo.

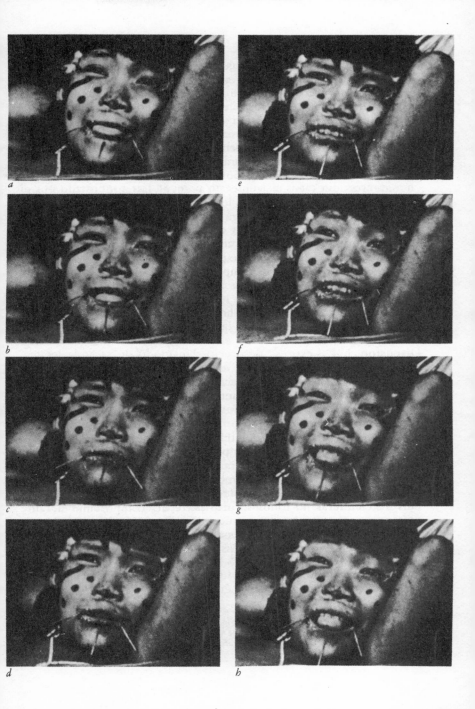

a

b

c

d

e

f

g

b

abracen, acaricien y besen a sus hijos o restriguen el rostro contra ellos. El mover la lengua es un modo de comportamiento que precede al contacto heterosexual. También en esta forma se encuentra en los más diversos pueblos. Entre nosotros está considerado indecoroso. En Amsterdam las prostitutas se dirigen a los paseantes masculinos de esa manera.

Aquellas series de movimientos que son iguales en su forma y que se presentan siempre en determinadas situaciones, independientemente de las culturas, pueden muy bien ser coordinaciones hereditarias. En casos aislados esto parece estar confirmado por el hecho de que nuestros parientes los chimpancés muestran modos de comportamiento similares. Finalmente, el estudio de sordos y ciegos de nacimiento muestra también que muchos de nuestros movimientos expresivos son innatos (Eibl-Eibesfeldt, 1973).

En mi primer trabajo sobre el saludo he discutido ya la derivación de algunos modos de comportamiento del saludo. Muchos de los modos de comportamiento cariñoso se derivan de acciones de la cría (abrazo, caricias, beso), y algunos son patrones de comportamiento infantil (restregar la boca). El mover la lengua es quizás un movimiento ritualizado de lamer. Existen además otras formas de enseñar la lengua; una de ellas recuerda a un movimiento de expectoración y expresa desprecio. Un modo de sacar la lengua, formalmente similar al sexual, es utilizado frecuentemente para la burla.

Junto a las semejanzas formales, las hay también de principio. Esto reza, por ejemplo, para los ritos del regalo y de la alimentación mutuos. En calidad de ritos formadores de vínculos, se encuentran en muy diversas culturas (Eibl-Eibesfeldt, 1970a) y son entendidos primariamente como amistosos, quizás debido a detectores innatos que imponen a nuestras percepciones determinados «prejuicios». Esto sería una posibilidad para explicar, según la teoría del aprendizaje, el desarrollo paralelo de ritos similares en diversas culturas. La similitud de las experiencias vividas durante los primeros años podría explicar también algunos paralelos. La experiencia positiva de la alimentación diaria podría conducir a que los hombres de diversas culturas elevasen el acto de alimentar a la categoría de un ritual amistoso. Pero tampoco es seguro, porque, ante todo, faltan investigaciones ontogénicas de comparación cultu-

Figura 87, (a)-(f): Movimientos de rechazo con la lengua: niña de cerca de un año (Alemania) repudiando alimento. Prueba la ciruela pasa que le ofrecen y la aparta con la lengua (c). Cuando se la ofrecen de nuevo, la niña vuelve el rostro y ejecuta en el vacío los movimientos de la lengua para apartar el alimento (de una película de 16 mm. del autor).

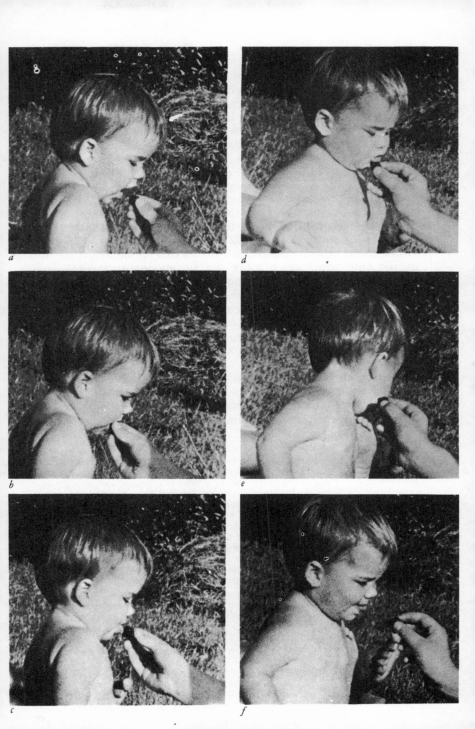

ral. Lo que está claro es que los niños, desde muy temprana edad y sin que requieran orientaciones específicas para ello, tratan espontáneamente de crear vínculos con los extraños mediante regalos de alimentos, lo cual permite ver la acción de una disposición innata. Como substitutivos, los niños entregan también sus juguetes. Además, muestran sus habilidades y los juguetes que tienen, y tratan de crear así una base de relación común; finalmente, exhortan a participar en el juego. También el exhibicionismo puede ser observado ya en niños muy pequeños. Una vez que han entablado un vínculo, comienzan a requerir para sí el foco de la atención, ejecutando, por ejemplo, muestras de habilidad que, ante sus ojos, despiertan admiración. Precisamente en el comportamiento de encuentro y toma de contacto de los niños pequeños se hacen visibles, con especial plasticidad, los modos elementales del comportamiento social del hombre. En situaciones de saludo surgen también patrones del comportamiento agresivo. La mutua evaluación se encuentra entre los patrones de la toma de contacto social. De una forma especialmente ritualizada, observamos en determinadas fiestas funciones apaciguadoras, creadoras de vínculos y exhibicionistas. Los ritos del saludo y los de la fiesta tienen mucho en común (para una discusión detallada, veáse Eibl-Eibesfeldt, 1970 a).

Callan (1970) ha sometido hace poco a discusión crítica las relaciones entre la etología y la antropología. Subrayó, entre otras cosas, que es posible que los antropólogos hayan exagerado las diferencias que muestran los hombres de las diversas culturas en su comportamiento cotidiano:

Certainly there is room for much cultural diversity in the structuring of social interactions at this everyday level. Yet it is possible that differences between societies in day-to-day social enactment have been exaggerated and wrongly interpreted. We are relatively un-observant about our own everyday rituals and about those of other societies, when they resemble our own, and this may have led us to obscure the essential unity of systems which may constitute 'universals' of human society. Whatever the truth of this, it is undeniable that this area of social life, —the relatively unimpressive kind, together with the rules which govern it— has been neglected in comparison with areas more formalized and perhaps more accesible to conscious description and prescription... Because the systems of behaviour under discussion are apt to be overlooked most of the time, one suffers from a lack of documentary material on the anthropological side (pág. 105).

(En la estructura de la interacción social, en el plano cotidiano, hay ciertamente cabida para una gran diversiad cultural. Pero también es posible que las diferencias entre las sociedades, en el comportamiento social diario, se hayan exagerado e interpretado mal. Somos relativamente malos observadores en lo que respecta a nuestros propios rituales cotidianos y a aquellos de otras sociedades que se parecen a los nuestros, y esto nos puede haber llevado a oscurecer esa unidad esencial de los sistemas que quizá constituya los «universales» de la sociedad humana. Cualquiera que sea la verdad, es innegable que ese aspecto de la vida social —un modo relativamente poco impresionante, junto a las reglas que lo rigen— ha sido descuidado en comparación con aspectos más formalizados y quizás más accesibles para la descripción y prescripción conscientes... Como los sistemas de comportamiento en cuestión suelen ser pasados por alto la mayoría de las veces, se nota la falta de material documental por parte de la antropología. Callan, pág. 105).

Nuestra investigación comparada de los ritos del saludo corrobora esta hipótesis.

Resumen

En sus ritos de saludo, los waikas siguen el esquema básico de todos los pueblos que he investigado hasta ahora en este sentido. El desarrollo del saludo a distancia, con sonrisa, inclinación de cabeza y saludo con los ojos, no se puede diferenciar formalmente del de los otros pueblos. Lo mismo vale para algunos modos de comportamiento del saludo de contacto. Los waikas saludan a los europeos con aquellos patrones de comportamiento, mundialmente difundidos, que nosotros comprendemos inmediatamente. Los waikas los utilizan también entre sí en el informal saludo de encuentro. Pero en las visitas oficiales, anfitriones y huéspedes se saludan con complicados rituales tradicionales. Al efectuar una comparación cultural, sin embargo, esos rituales permiten reconocer muchas cosas en común. Sobre esas observaciones hay filmaciones, que fueron publicadas por el archivo fílmico de etología humana de la sociedad Max Planck (Eibl-Eibesfeldt, 1971 b).

Capítulo 3
TANIM HED: UN RITUAL
DE CORTEJO AMOROSO DE LOS MELPA,
EN LAS TIERRAS ALTAS DE NUEVA GUINEA

Nosotros, los humanos, guardamos distancias individuales y evitamos el contacto corporal con los extraños. Esa aversión al contacto es típica entre compañeros de distinto sexo, y todo el mundo sabe que hacen falta una serie de preliminares especiales antes de que se pueda llegar a poner tan solo una mano en el hombro de una chica.

La aversión al contacto cambia, indudablemente, según las culturas. Se encuentra especialmente pronunciada allí donde las prohibiciones sexuales limitan el trato entre hombre y mujer. En tales casos, la sociedad ha de tener previstas las oportunidades necesarias para un encuentro entre compañeros de distinto sexo. Esa era la misión de los bailes entre nosotros en tiempos pasados. Una institución completamente similar se encuentra en algunas tribus papúas de las tierras altas de Nueva Guinea. Hace poco tuve la oportunidad de observar y filmar, en las cercanías de Mount Hagen, el cortejo amoroso de los melpa. Sobre esto quisiera informar.

Vicedom fue el primero en describir, en 1937, la ceremonia de cortejo amb kanant[1], conocida también como tanim hed (en inglés pidgin*: girar la cabeza), que es practicada por las tribus de Hagen-

---

[1] Amb = mujer; kanant = baile. La ortografía cambia.

* Inglés simplificando que utilizan gentes de lenguas diferentes para comunicarse entre sí; en especial, el que se usaba en los puertos de la China. [N. del T.]

berg en el oeste de las tierras altas de Nueva Guinea. Vicedom
y Tischner publicaron más tarde, en 1943, nuevas observaciones al
respecto. Luego aparecieron numerosas descripciones breves de
ese comportamiento de cortejo (Simpson, 1963, por ejemplo), que
está difundido en las tierras altas occidentales y orientales (Hagen,
Minj, Benz, Kerowagi, Kundiawa, Chuave). Pero ninguna de ellas
alcanza la precisión de las primeras. No existe aún un análisis del
proceso. Vamos a ofrecer aquí una descripción y una interpretación del ritual.

El ritual sirve para formar parejas. Participan en él chicas
solteras en edad casadera, hombres solteros y, finalmente, hombres
casados que buscan nuevo cónyuge. Se trata de un acto social, al
que invita, por lo general, la familia de una de las chicas. Los mozos
vienen siempre de otra aldea. El ritual de cortejo se celebra en la
aldea de las chicas, en casas de mujeres o de familia, y sólo de
noche. Los sexos se conocen en esa plataforma de encuentro,
socialmente establecida, al igual que otrora nosotros, habitantes de
la Europa central, en los bailes organizados con igual motivo. Con
ello se establecen firmes relaciones de pareja, que conducen al
matrimonio. Y tanto aquí como allí, los miembros femeninos de las
familias de las chicas cuidan de que se mantengan las formas y de
que los amantes no se escapen al monte. Si un hombre se enamora
de una chica, debe llevar a los padres un trozo de carne como
regalo. Estos, al aceptar el donativo, demuestran su consentimiento. Los bailes no se celebran en épocas de luto, y es preciso
que haya suficiente comida para agasajar a los huépedes.

Los mozos y las chicas se sientan al principio unos al lado de los
otros, apoyando la espalda contra la pared de la choza. Llevan los
rostros pintados de colores. En las cabezas se ponen espléndidos
adornos de plumas (fig. 88). Frente a ellos se sientan los
miembros de las familias y grupos de invitados. Cantan a coro
canciones improvisadas y típicas de la aldea. Los adornados acompañan en voz baja la canción. Entonces los hombres se dirigen a
una compañera y comienzan a mecer la parte superior del cuerpo,
y sobre todo la cabeza, al ritmo de la melodía. Mientras que el
cuerpo se mece ampliamente de un lado para otro, la cabeza
describe un movimiento pendular a ritmo más rápido, con balan-
ceos hacia los lados. Esos movimientos son recalcados por las
vibraciones de las plumas. Pasado un rato comienza también la
chica cortejada a mecer la cabeza. Si ésta se vuelve finalmente hacia
él, se llega entonces a un contacto con las frentes, que inicia luego
el acto de restregarse las narices al ritmo de la canción
fig. 89). Si ella, por el contrario, le muestra la sien, él tiene que

seguir cantando. Después de un largo rato de frotarse las narices, ambos, en posición paralela uno al otro, se hacen una profunda reverencia, a veces por dos veces, y alternan desde ese momento el frotarse de narices con la reverencia. Un baile dura unos diez o quince minutos. Los cortejantes hacen luego una breve pausa. De un canto al otro puede cambiarse de compañero, igual que en nuestros bailes. Pero dos compañeros que se han enamorado bailarán preferentemente juntos, con movimientos perfectamente coordinados.

El entendimiento y la simpatía se declaran de muy diverso modo, por ejemplo mediante repetidas reverencias (conté hasta diez) en rápida sucesión. La iniciativa ha de partir de la chica, que expresa de esta manera su consentimiento al contacto. Lo cual no significa siempre que esté inmediatamente dispuesta a entregársele, pero sí que le gustaría volverlo a ver.

Figura 88: El ritual del cortejo de los melpa. Varias parejas girando la cabeza (foto: Bernolf Eibl-Eibesfeldt).

Strauss y Tischner (1962) hacen notar que los compañeros que quieren dar a entender serias intenciones matrimoniales mastican hojas de plantas aromáticas. «El compañero advierte el aromático olor al frotar la nariz y sabe a qué atenerse. En caso de aprobación se le comunica al compañero del mismo modo» (pág. 323).

Vicedom (1937) apunta: «Con el fin de mostrar un afecto especial, el amigo y la amiga mastican corteza de canela y se echan el aliento durante el baile. Cuando ambas partes han entablado suficiente amistad, el varón se permite hacerle también cosquillas a la chica o tocarle los pechos. No existe otros 'excesos'» (pág. 192). «La chica responde a eso con risitas ahogadas, mientras que el padre llama al orden» (Vicedom y Tischner, 1943, pág. 162).

De las canciones hay diversas traducciones (Tischner, 1937; Vicedom y Tischner, 1943; Strauss y Tischner, 1962). Una canción entonada por los hombres de Moge-Andagalimp con motivo de un baile con mujeres de Moge-Nambuge, en Mount Hagen, fue traducida por un miembro de la tribu de la lengua melpa al inglés pidgin. Le agradezco a la señorita Glenny Köhnke por la ulterior traducción al inglés. La traducción reza:

Woman you have stayed at your own house, and every night of every day, for a long time, I have come to «turn heads» with you. Now I have followed you wherever you have gone, now this time I would like to take you with me. Now what is it that troubles you yet, and causes you to remain in your own village (or on your own ground) far too long a time? Now this time that I have come, I have come to take you, give you a present and buy you from your mother and father. It is only me (I) who is going to buy you, you know that the reason is that it is I who has given you a present. Now all the time, even over long distances, during the night and through the cold and rain, even with all these things against me but nevertheless I have always come to «turn heads». Now why (how can you) stay in your own village? You have remained here such a long time and for a long time it has been such hard work for me to chase you (or, walk after you). Now I have come to get you and now I will pay your mother and father for you.

(Mujer, tú te has quedado en tu propia casa, y cada noche y cada día, durante mucho tiempo, he venido a «girar la cabeza»[2] contigo. Pues bien, te he seguido a donde quiera que hayas ido, pero esta vez quiero llevarte conmigo. Dime, ¿qué es lo que te aflige ahora, cuál es la causa de que permanezcas tanto tiempo en tu propia aldea (o en tu propia tierra)? Pues bien, esta vez en que he venido, he venido a llevarte, a darte un regalo y a comprarte de tu madre y de tu padre. Sólo soy yo quien te va a comprar, y tú sabes que la razón de ello es que soy yo quien te ha dado un regalo.

Pues bien, en todo ese tiempo, a pesar de las grandes distancias, durante la noche y entre el frío y la lluvia, pese a todas esas cosas en mi contra[3], no he dejado,

---

[2]   He venido a hacerte la corte.

[3]   Quiere decir que todas esas cosas —las largas distancias, la noche, el frío y la lluvia—, todas sin excepción, podían haberse apoderado de él. Esto tiene una significación profundamente supersticiosa. Pues los hombres temen la noche, du-

 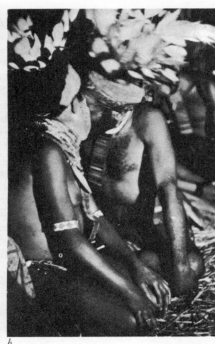

b

Figura 89 (a), (b): Dos fases en el girar de cabeza de los melpas (de una película de 16mm. del autor).

sin embargo, de venir siempre a «girar la cabeza». ¿Por qué sigues entonces (¿cómo puedes seguir) en tu propia aldea? Llevas aquí ya tanto tiempo, y durante todo ese tiempo he pasado tantas penalidades por ir detrás de ti. Pues bien, he venido a conseguirte, y ahora voy a pagarles por ti a tu madre y a tu padre.)

Se trata de una canción improvisada del hombre, que es interesante, entre otras cosas, por la apelación inicial. El hombre enumera los trabajos por los que ha pasado hasta ese momento, apela a la compasión y crea así una obligación.

Las canciones de amor publicadas por Vicedom y Tischner y por Strauss y Tischner contienen apelaciones similares. Así canta una chica:

¡Mi crío, oh, hermoso mozo!
¿Y tú quieres que te diga algo?

---

rante la cual andan errando los espíritus. De ahí que el hecho de que él la haya cortejado en tales circunstancias sea una prueba de su audacia.

Ojalá quisieras decirme, pobre de mí, unas palabras;
ojalá quisieras pegarme, pobre de mí, un poco con el palo...
(Strauss y Tischner, 1969, pág. 323)

En los primeros tres versos se encuentran tres giros notables.
En primer lugar, el amado es calificado de crío (crío o cría de
pájaro o cría de otros animales). Strauss y Tischner mencionan que
también los padres hablan de sus hijos como de «nuestros críos».
Estos autores lo interpretan como una invocación a los antepasados
del grupo Mi: una cría de ave, que salió de un huevo puesto por el
pájaro mitológico. A mí me parece más plausible otra interpretación. Los diminutivos y los nombres de animales pequeños o de
crías de animales (ratoncito, osito, etc.) suelen utilizarse en el
lenguaje cariñoso de los enamorados, y además en culturas muy
diversas. Aquí se podría tratar perfectamente de un ejemplo de ese
principio. La apelación «pobre de mí» pertenece al tipo que ya
hemos comentado al hablar de la primera canción. Finalmente, la
expresión «pegarme un poco con el palo» es, según Strauss y
Tischner, una alusión a lo sexual. Esta metáfora se halla también
muy difundida y expresa tal vez cierto sentimiento de vergüenza
universal. Por lo demás, la traducción literaria de las canciones de
amor (Strauss y Tischner, 1963; Vicedom y Tischner, 1943) demuestra las grandes dotes poéticas de esas tribus papúas. He aquí
la canción de un joven:

¡Mujer *Kudli,* virgen *Mara* como la flor del *Olka!*
¡Dime, por favor, unas pocas palabras!
¿Quieres que diga algo?
Allí atrás, arriba, en la espesura de los árboles,
oigo el arrullo de mi hermosa paloma.
Trepo rápidamente, saltando por las rocas;
y huye entonces de mí, volando, para ocultarse
en las coronas de los árboles *Kraep y Koron.*
Epae-e waeo-wee Epae-e waeo-wee.
Allá arriba, en *Minimb,* en el pantano bajo los bambúes
cacé una reluciente rana y la maté;
y allá abajo, en el estanque del *Kelta,*
se dirige a los mozos de *Moke* en *aea.*
Aea olero epaea waea, eea olero apaea waea.
Encendiendo la antorcha de bambú, he de ir a cazar ranas.
Mujer *Ndi-Kuip,* virgen «Rana», ¡a ti quiero tomarte!
Aea olero epaea waea, aea olero epaea waea
(el nombre de la doncella es aquí *Rok* = «rana»).
Aquí estoy, en *Makae,* y veo y contemplo
allá abajo en el valle, por encima del Pongönts-Kona,
las nubecillas blancas en el cielo y el resplandor del sol.
Mujer, ¡virgen *Kalöp* del *Pongönts-Kona!,*
¿te toma el *Kapiö Tembang* y te lleva lejos?

¡Quiero venir y ver! ¡Quiero arrebatarte!
Allá abajo, en el valle, sobre el *Pongönts-Kona,*
nubecillas blancas en el cielo y el resplandor del sol.
Role piru pera wae, role piru pera wae.

El tipo básico del tanim hed es igual en todas partes, pero existen diferencias locales. Entre los chimbu se llega, en el transcurso de un amb kanant, a un cruzar de piernas (en inglés pidgia: «carry legs»). La chica coloca sus piernas sobre las del hombre o entre ellas. En esa posición pueden seguir girando la cabeza y frotándose las narices, pero en un estadio más avanzado se llega incluso al jugueteo amoroso, que puede desembocar en la relación sexual una vez que se han extinguido las fogatas (Simpson, 1963).

Al principio consideré este ritual como un decurso de movimientos puramente cultural, puesto que no parece existir nada parecido en otras culturas. Pero tras una comparación y un análisis adecuados comprobé que el ritual se basa en elementos innatos que están configurados culturalmente y reunidos en una unidad. El contacto con la frente existe por doquier en la interacción cariñosa madre-niño; el acto de frotarse la nariz es un husmearse ritualizado (beso olfativo, véase Eibl-Eibesfeldt, 1970 a). En forma no ritualizada, es parte integrante universal de las interacciones cariñosas. Los movimientos pendulares de la cabeza que acompañan al husmearse pueden ser observados igualmente, con regularidad, cuando las personas (madres e hijos) se acercan y juntan sus rostros. Los movimientos pendulares se desencadenan casi automáticamente. También aquellas personas que buscan protección en el pecho de un semejante realizan movimientos pendulares con la cabeza. Los movimientos corresponden completamente a los movimientos automáticos de un lactante al buscar el pecho. En el caso de la persona que busca consuelo también se presenta esa orientación hacia el pecho. Regresa en cierta medida a un nivel infantil y aprovecha esto (inconscientemente, como es natural) como un llamamiento desencadenador de atención.

Pienso que el balanceo de la cabeza en la persona que busca compañía tiene su origen en el movimiento infantil de búsqueda. Diversas observaciones me corroboran esta tesis. En 1969, por ejemplo, filmé a una india waika que quería trabar amistad con mi acompañante. En sus esfuerzos por lograr el contacto, se frotaba constantemente contra ella (fig. 82).

Capítulo 4
LA FIESTA DEL FRUTO DE LA
PALMA DE LOS WAIKAS

1. *El viaje a los anfitriones*

Por la época en que madura el fruto de la palma pijiguao *(Guilielma gasipaes)*, aproximadamente a comienzos de nuestro año civil, los indios waikas (yanoama) del alto Orinoco celebran fiestas. Las comunidades de aldea se invitan mutuamente y entablan y fortalecen de este modo amistades y alianzas. Las aldeas enemistadas pueden reconciliarse en tales ocasiones. Poseemos excelentes descripciones de las fiestas gracias a Zerries (1964), Biocca (1969) y Chagnon (1968). En 1969 tuve la oportunidad [1] de participar en dos fiestas del fruto de la palma [2]. Inmediatamente después de nuestra llegada a Ocamo nos enteramos de que los habitantes de la aldea, junto con el cacique, aceptaban una invitación de los shibarioteri. Como el cacique tenía una gran amistad con mi anfitriona, la señora Goetz, y su hija, fuimos invitados a acompañarlos. Me limitaré esencialmente a la descripción de esa fiesta, pero, a efectos de comparación, hablaré a veces también de la segunda fiesta, cuyo transcurso pudimos observar entre los majecohoteri (Platanal). Lo que más me interesaba era la función de cohesión de grupo de la

---

[1] La Dra. Inga Steinvorth Goetz hizo posible ese viaje, al llevarme en avión al territorio de investigaciones. Su hija Elke me guió y me ayudó en el trabajo.

[2] A Schuster (1962) le debemos la película sobre la fiesta del fruto de la palma.

fiesta del fruto de la palma, y en esta investigación ofrezco una interpretación etológica de algunos rituales (sobre las bases teóricas en que descansa este trabajo véase Eibl-Eibesfeldt 1970 a, 1972 a). El grupo al que nos incorporamos contaba 14 hombres, 10 mujeres y numerosos niños de diversas edades. Todos los hombres iban armados de arcos y flechas.

Partimos de viaje el 9 de febrero, bien entrada la tarde, en dos grandes piraguas a motor de la misión de Ocamo. Al caer la noche acampamos en la orilla, y seguimos al día siguiente por la mañana, de 7 a 10, nuestro viaje por el río. Luego nos metimos tierra adentro, y pasadas unas tres horas nos encontramos con dos hombres adornados que pertenecían al grupo de nuestros anfitriones. Uno de ellos y nuestro cacique se pusieron en cuclillas, se abrazaron, se golpearon en los hombros y, gesticulando violentamente, iniciaron un diálogo cantado, en el curso del cual se enteró nuestro cacique de que los preparativos de nuestros anfitriones no habían concluido todavía y que debíamos esperar hasta el día siguiente. Acampamos por lo tanto en la selva para pasar otra noche. Durante la tarde algunos hombres de los shibarioteri nos trajeron frutos cocidos de la palma pijiguao, pájaros ahumados, carne de mono y trozos de cocodrilo. Después de ese agasajo, nuestras gentes comenzaron a recoger grandes hojas de palma y a quitarles cuidadosamente las fibras. Esto pertenecía ya a los preparativos de la fiesta, pues luego habrían de utilizar esas palmas en la danza individual.

Al día siguiente caminamos hasta la aldea de los shibarioteri. En la plantación de plátanos, antes de llegar a la aldea, nuestros anfitriones nos agasajaron por segunda vez. Habían cubierto de hojas de plátano una superficie en el suelo y sobre ellas habían extendido frutos del pijiguao y carne ahumada, producto de la caza (fig. 90). Nos servimos; luego se adornaron nuestros acompañantes.

Mujeres y hombres pintaron sus cuerpos con líneas onduladas y garabatos; algunos hombres se pintaron los rostros de negro y, con la savia gomosa de un árbol, se pegaron al pelo plumones blancos de ave. Muchos llevaban en los brazos, a la altura de los bíceps, brazaletes hechos de plumas negras, en los que prendían plumas blancas de garza y plumas rojas de papagayo. Esto hacía resaltar sus hombros de manera visible. También los niños fueron pintados. Nuestro cacique envió por delante a un guerrero adornado para que fuese a la aldea a anunciar nuestra llegada. Su entrada en la aldea no la pudimos ver, pues llegamos después que él. Pero en cambio la presencié en una ocasión posterior, entre los aratatoteri,

Figura 90: Agasajo ante la aldea de los anfitriones (de una película de 16 mm. del autor).

a quienes la señora Goetz había pedido una fiesta, sin dar ningún otro tipo de instrucciones. En esa fiesta preparada —a la que, por lo demás, no me referiré en este trabajo— se representó también la llegada del primer huésped: se colocó, con todos sus adornos, en la plaza de la aldea y cantó, mientras gesticulaba, los más diversos nombres de animales. Luego se le entregó una calabaza con sopa de plátano, que bebió.

2. La fiesta

Inmediatamente después del primer huésped llegamos a la aldea de los shibarioteri y nos retiramos a un sector que se nos asignó bajo el techo comunal (la aldea de los shibarioteri consiste en cuatro largos tejados de una sola vertiente alrededor de una plaza central; esos tejados tienen un techo interior poco inclinado, de tal forma que se puede abarcar libremente con la vista toda la comunidad de la aldea). Delante de los pilares de los techos se encontraban adornados guerreros, apoyados en arcos y flechas. Saludaron a los huéspedes con grandes gritos de ¡hej, hej, hej!, que fueron repetidos por los demás habitantes de la aldea. A ello se añadió además una algarabía difícilmente descriptible.

Los huéspedes entraron de uno en uno en la aldea; los hombres, primero. Cada cual realizó un baile en la plaza central de la aldea, marcando con los pies un ritmo simple. Los bailarines volvían sus cuerpos a la derecha y a la izquierda, mostrándose así por todos los lados. Algunos sacaban el pecho de manera acentuada y mantenían la cabeza en alto y hasta ligeramente echada hacia atrás, exhibiendo un gesto que nosotros interpretaríamos como arrogante (fig. 91). Los bailarines daban siempre algunos pasos en línea recta, girando luego sobre sí mismos y pateando con los pies. Las plantas resonaban fuertemente contra el suelo, subrayando el enérgico movimiento. Al mismo tiempo jadeaban al ritmo de los pasos: otra acentuación acústica de su fuerza. En las manos llevaban palmas o arco y flechas, rara vez ambas cosas. La presentación de las armas y de las palmas era también distinta. Había bailarines que sólo llevaban una o dos palmas, que levantaban y bajaban. A veces colocaban las palmas en el suelo y bailaban alrededor de ellas con las manos en alto, repitiendo esto en diversos lugares. Había otros que sólo blandían sus arcos y flechas, apuntando a los espectadores, pero sin tender el arco. Esos

Figura 91: Danza del cacique de Ocamo en la aldea de los invitantes shibarioteri. Obsérvese la actitud de intimidación del hombre. El niño que le acompaña en el baile apacigua (de una película de 16 mm. del autor)

Figura 92: Joven guerrero con armas, palma y un niño que le acompaña en el baile (de una película de 16 mm. del autor).

hombres armados iban acompañados a veces de niños pequeños, que bailaban junto a ellos agitando palmas (fig. 91 y 92). En la discusión de la página 270 explicaremos ese llamamiento apaciguador a través del niño. Aquí nos limitamos a señalar que una intimidación agresiva despierta fácilmente agresiones que, si lo que se desea es una toma de contacto amistosa, han de ser apaciguadas. Los llamamientos a través del niño son especialmente eficaces y se utilizan de manera similar en diversas culturas (Eibl-Eibesfeldt, 1970 a). De efecto igualmente apaciguador era la exhibición de abanicos verdes, que tanto aquí como entre muchos otros pueblos son signos de paz. Con este fin se alternaban en la danza los hombres armados y los que portaban palmas. De cuando en cuando bailaban también simultáneamente, girando entonces en sentido contrario alrededor de la plaza de la aldea (figs. 93 y 94). Finalmente, había bailarines que mostraban armas en una mano y palmas en la otra.

Después del baile individual de los hombres bailó un grupo de chicas junto con hombres, y al finalizar bailaron de nuevo todos los invitados, ejecutando una danza en común. Luego los huéspedes se repartieron por las diversas familias y tendieron sus chinchorros en

Figura 93: Niños bailando con palmas (de una película de 16 mm. del autor).

los sectores de vivienda. Algunos se echaron también en los chinchorros de otros, sin más preocupación que descansar y sin mostrar demasiada participación (fig. 95). Toda la danza individual había durado cerca de hora y media.

Un grupo de hombres comenzó a tomar *yopo*. A través de un tubo se soplaban mutuamente en los orificios de las narices el pardo rapé, llamado *ebena* por los waikas (fig. 96). El que recibía el rapé se estremecía como alcanzado por un rayo, se mesaba los cabellos y se rascaba la cabeza en actitud encorvada, se atragantaba y algunos vomitaban. Simultáneamente comenzaba una fuerte secreción de saliva y mucosidades de la nariz. Después de pasado el shock, permanecían un rato sumidos en la apatía, hasta que comenzaba a actuar el estupefaciente y los drogados, con un cantar monótono, empezaban a danzar, saltando de un lado para otro y alzando a veces los brazos (fig. 97 a, b). El padre Cocco me explicó que los drogados experimentaban una elevación de la conciencia de sí mismos. Ven más pequeño al mundo que les rodea, pero se sienten a sí mismos como gigantes. Zerries (1964), Biocca (1966, 1970), Steinyorth Goetz (1970) y Chagnon (1968) han informado detalladamente sobre esa costumbre. Los hombres no solo fuman con motivo de fiestas. En estado de em-

Figura 94: Guerrero bailando con palmas (de una película de 16 mm. del autor).

Figura 95: Invitados descansando después del baile individual (de una película de 16 mm. del autor).

briaguez se procede a curar enfermedades y a exorcizar a los espíritus.
Entrada la tarde se habían adornado también los anfitriones.
Bailaron durante media hora, por grupos, delante de los huéspedes. Entre los majecohoteri vi que los anfitriones, al ejecutar la
danza en corro les mostraban por separado a los huéspedes los
regalos que querían darles.

Entretanto los anfitriones habían hecho una sopa de plátano y
llenado con ella una gran pila de corteza de árbol. De ahí se
sirvieron huéspedes y anfitriones, pero solo los hombres (fig.
98). Esa fase de reunión íntima acabó al caer la noche. Los hombres
de ambas aldeas, blandiendo cuchillos, hachas y flechas, comenzaron a danzar entonces por la aldea, esta vez bajo los techos. Según
Zerries (1964) se trata de una especie de exorcismo. Los evidentes
ademanes de amenaza hablan en favor de esto. Inmediatamente
después se reunieron anfitriones y huéspedes para el lamento en
común de los muertos. Llorando y lanzando ayes, marchaban pesa-
damente hombres y mujeres alrededor de la plaza central de la
aldea. Algunos sostenían en las manos las calabazas con las cenizas

Figura 96: Tomadores de ebena. El que está sentado a la derecha sopla al de la izquierda el
rapé en la nariz (de una película de 16 mm. del autor).

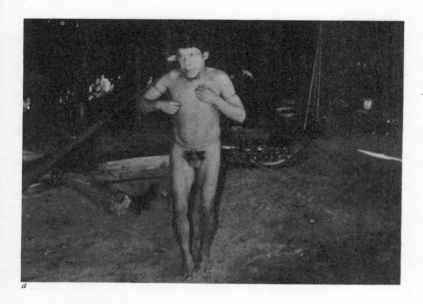

Figura 97: Drogados bailando (de una película de 16 mm. del autor).

Figura 98: Los invitados sacan sopa de plátano de la pila de corteza (de una película de 16 mm. del autor).

Figura 99: El cacique empuña una calabaza con cenizas de muertos (de una película de 16 mm. del autor).

Figura 100: *Mujer lamentándose, con un cacillo de cenizas de muerto (de una película de 16 mm. del autor).*

Figura 101: *Mímica de la plañidera que se muestra en en la figura 100 (de una película de 16 mm. del autor).*

de los muertos[3]. Finalmente se pusieron en un rincón en cuclillas y
dejaron oír lamentaciones durante unos 20 minutos. Algunos de
los hombres hasta lloraban de tal manera que las lágrimas les
corrían por las mejillas.

De noche los hombres cantaron sus contratos. En esa ceremonia, llamada *uayamou*, dos hombres, puestos en cuclillas uno frente
al otro, declaman, en recitación cantada, textos en los que exponen
sus demandas. El canto alterno comienza cuando un huésped
abandona su chinchorro y habla. El anfitrión aludido se levanta a
continuación igualmente de su chinchorro. De un breve diálogo se
desarrolla un recitado cada vez más héctico e incomprensible. Al
final los cantores solo se dirigen jirones de palabras. Por lo general
uno de ellos canta oraciones y palabras, y el otro responde a cada
estrofa con un murmullo de aprobación, a veces también con una
palabra. El tema de esos cánticos es esencialmente el pedir y el
hacerse mutuos regalos. El padre Berno, de la misión salesiana de
Mawaka, tuvo la gentileza de traducirme parte de un canto alterno
que grabé en la segunda fiesta en Platanal (majecohoteri). Un
huésped de Patanoueteri conversa con su anfitrión. El huésped
comienza, y el anfitrión responde a cada frase con un grito aproba-
torio o con un murmullo rápidamente repetido de *hm—hm*.

1. «Voy a hablar. Somos amigos, digo la verdad. Somos pobres, porque
   vivimos muy lejos; vosotros sois ricos, porque vivís en las cercanías de la
   misión extranjera. Aquí están los napeyomas, las monjas salesianas y el
   nape, el lego Iglesias. Ellos os dan muchas cosas. Nosotros no tenemos a
   nadie a quien pedir cosas; ellos, por el contrario, os dan machetes, vasijas,
   chinchorros, vestidos, cuentas de vidrio.»

   (pausa)

2. «A nosotros, los patanoeteri, vinieron los pissasaiteri y fuimos asaeteados.
   «Son muy malvados y malos. Mataron a un hombre de nosotros y a mi
   mujer. Por eso estoy muy triste y muy enojado.
   Tú eres un amigo, procúrame un machete, de los que te da el lego, y
   vasijas, de las que tú recibes de las monjas.»

3. «No tengo perro y estoy muy enfadado por eso. Vosotros tenéis muchos.
   Necesito uno para la caza del tapir. Por eso te lo pido. Dámelo, yo te lo
   pago, para que pueda cazar tapires.»

4. «No quisiera irme de aquí, porque sois mis amigos. Me quedaré en vuestras
   casas, que están en la selva. Dame un perro, aun cuando sea flaco; yo le daré
   de comer y cazaré tapires con él. Tú tienes muchos y tienes perras además,
   que tendrán cría. Dame, pues, un perro.»

5. Cuando se abrazan los dos, responde el interpelado:
   «Te prometo que te daré un pedazo de tapir, porque ciertamente tengo

---

[3]   Se incinera a los muertos, se recogen los huesos que quedan, se trituran y se
conservan en calabazas para la ceremonia del duelo y de la toma de las cenizas.
Detalles al particular ofrece Zerries (1964).

perros para cazar más. Así podrás comer plárano con carne. También te daré
el perro, para que podáis cazar después y para que podáis comer plátano con
carne y pijiguao.»
En trueque exigió varas *(rajaca)* y cañas de bambú, para poder hacer flechas,
pues tenían muchos enemigos y así podrían enviar a todos los amigos al combate.

Aunque la cinta magnetofónica continúa no proseguimos con la
traducción. Los cantos alternos duran a veces hasta media hora y,
como hemos dicho, cambian de carácter, hasta que de ellos solo
queda un gritar héctico de palabras. Finalmente, ambos pronuncian
una fórmula de cortesía: «Fue una buena conversación, una hermosa conversación», y vuelven a echarse en sus chinchorros. A
veces se incorpora un tercero a la conversación, encargándose así
del canto. Pero por lo general son otros dos los que comienzan
otra conversación en otra parte. Así transcurre la noche, casi sin
interrupción. De este modo se entablan y fortalecen amistades
sobre una base personal.

A la mañana siguiente, a eso de las 8.30, un grupo de mujeres
y hombres se reunió para beber la ceniza de los muertos. El grupo
se puso en cuclillas alrededor del curandero, protegido hacia el
exterior por algunos guerreros apostados en torno suyo. Varias
mujeres sostenían en sus manos calabazas con cenizas de muertos.
Todas las mujeres lloraban y gemían en voz alta, y las que tenían
las calabazas, cantando y con el rostro inundado de lágrimas,
lanzaban ayes por los muertos. El padre Berno me tradujo algunas
muestras de esas lamentaciones, que rezan aproximadamente así:
«¡Oh, hijo mío!, ¿por qué te has ido?, ahora no tengo a nadie a
quien poder adornar con plumas de colores.» Al lamentarse, las
mujeres elevaban los rostros hacia el cielo y levantaban los brazos,
con un gesto de desesperación. Luego le daban al curandero las
calabazas con las cenizas. Este se incorporaba, abrazaba la calabaza
y lloraba igualmente a gritos. Al hacerlo, se apoyaba en una pierna
y después en la otra, como si estuviese bailando sin moverse del
sitio. A medio cantar, convocaba al espíritu del muerto, pero sin
mencionar nunca el nombre de éste. Luego abría el recipiente,
echaba una parte de las cenizas en una calabaza con leche de
plátano y se la pasaba a un guerrero, quien apuraba su contenido
de pie. Después pasaba el turno a otros (figs. 99 a 101).

No todos los que se lamentaban participaban con igual intensidad. Una mujer ya mayor, por ejemplo, se quejaba en voz alta,
pero daba la impresión de que trataba de derramar lágrimas
conscientemente (fig. 102 a). Seguía prestando atención a
cuanto la rodeaba y se dejaba distraer rápidamente de su duelo
(fig. 102 d-f). Filmé una parte de esa ceremonia, hasta que un

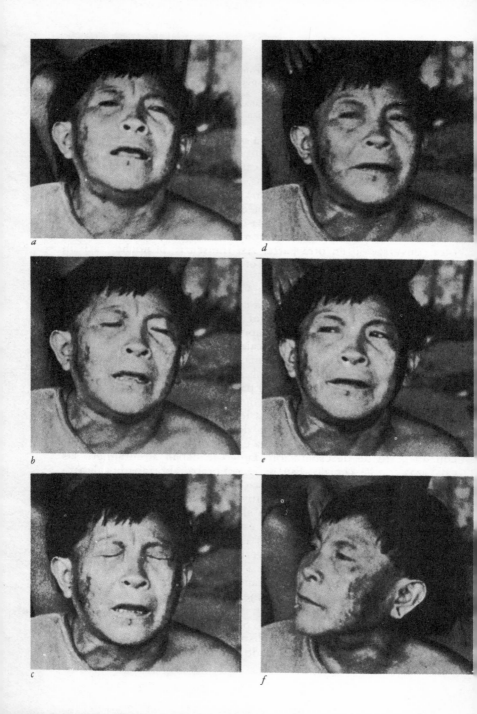

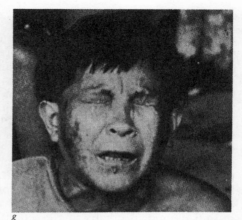

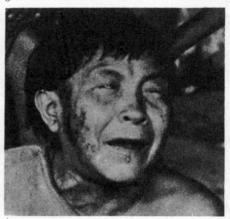

Figura 102: Lamentándose. La mujer hace esfuerzos por llorar, pero parece estar menos emocionada que la mujer de las figuras 100 y 101. Cuando algo le llama la atención le dirige inmediatamente la mirada, atentamente y sin expresión de duelo (de una película de 16 mm. del autor; 48 fotogramas /segundo; la serie muestra los fotogramas 1, 64, 91, 109, 140, 163, 169 y 186).

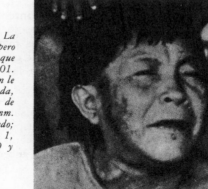

waika me amenazó con una flecha. A continuación dejé a un lado la cámara y, sonriéndole y diciéndole la palabra de saludo *shori,* le acaricié la pantorrilla, cosa que le llevó de nuevo a un estado de ánimo amistoso. Después del duelo por los muertos, los hombres se distribuyeron en grupitos por la plaza de la aldea. Algunos tomaban *yopo.* De forma bastante súbita empezaron a animarse los distintos grupos. Los hombres se arrastraban en cuclillas, gesticulando violentamente, o iban erguidos, blandiendo las armas, por entre las viviendas techadas, al igual que hicieron el día anterior durante el exorcismo de los espíritus. Pero después empezaron a separarse por parejas que volvieron a la plaza de la aldea y, que al igual que la noche anterior, empezaron a intercambiar promesas en cantos alternos y a abrazarse. Como todos gesticulaban y cantaban al mismo tiempo, resultaba una escena muy movida (fig. 103 a, b).

Entretanto las mujeres habían cubierto un lugar con hojas de plátanos y habían colocado encima, en calidad de regalos, cestas con frutos pijiguao, asados de monos, aves y armadillos y otras cosas por el estilo (fig. 104). Después del reparto de regalos, los anfitriones demandaron regalos de reciprocidad, y recibieron cintas de tela, vasijas, machetes y también todas aquellas pequeñeces que les habíamos regalado a nuestros acompañantes durante el viaje. Con ese intercambio terminó la fiesta, y abandonamos en grupo cerrado a los shibarioteri.

3. *Intentos de una interpretación etológica de la fiesta*

A GENERALIDADES SOBRE LA FUNCION VINCULADORA DE LA FIESTA

Las fiestas sirven para fortalecer la unión en el grupo. La del fruto de la palma no es una excepción: todos los que la describen subrayan esa función. Se traban amistades entre aldea y aldea y sobre una base individual, y se fortalecen los vínculos existentes. Para ello se recalca en primer lugar la intención pacífica que anima a los participantes. Los hombres que ejecutan las danzas o bien vienen sin armas, o con palmas en las manos, o traen a un niño consigo, que sirve de elemento apaciguador. Uno se pregunta entonces por qué alardean tanto con las armas si esto requiere luego un apaciguamiento especial. Si comparamos con otros pueblos encontraremos que en la toma de contacto social se hace alarde con gran frecuencia. Se disparan salvas, se presentan armas y se ofrece una imagen de poder y de disposición a la guerra, quizás porque uno quiere mostrarse como aliado valioso y buen compañero de lucha. Hasta nuestro mismo apretón de manos contiene ese alarde de fuerzas.

a

b

Figura 103 (a), (b): Canto de contratos en la plaza de la aldea al finalizar la fiesta. Se ve a varias parejas de hombres cantando contratos. En primer plano, a la izquierda, el cacique del grupo de visitantes mostrado en la figura 91 (de una película de 16 mm. del autor).

En lo que respecta a los mencionados llamamientos para despertar amistad a través del niño existen numerosos paralelos en otras culturas. Cuando los australianos buscan el contacto con los temidos blancos, empujan a un niño por delante de ellos (Basedow, 1906). Entre nosotros se saludaba a altos dignatarios por mediación de niños (otros ejemplos en Eibl-Eibesfeldt-1970 a, 1972 a). El niño es portador de una serie de señales, ante las cuales, probablemente de manera innata, reaccionamos amistosamente (Lorenz, 1943), y es idóneo por lo tanto para entablar la paz [4].

El hecho de que en los encuentros amistosos las gentes se agasajen mutuamente y se hagan regalos figura sin duda entre las costumbres mundialmente difundidas. Tanto las fiestas familiares como las fiestas de grupos son celebradas con festines, y la función vinculadora de éstos puede detectarse hasta en los ritos religiosos. El regalo de cosas se deriva probablemente del regalo de alimentos, como permite presuponer la frecuente unión de ambos. Finalmente, las promesas son regalos extremadamente ritualizados.

En el reino animal se encuentra muy difundida la formación de vínculos a través de la alimentación mutua, pero solo en aquellos animales que ejercen el cuidado de la cría. Las investigaciones comparadas arrojaron por resultado que ese acto amistoso de dar de comer es, en la mayoría de los casos, una alimentación emancipada de la cría, que es utilizada por los adultos como ritual vinculador. La alimentación cariñosa y el coqueteo con el pico de muchas aves cantoras serían ejemplos de ello. En diversos mamíferos, la alimentación boca a boca, utilizada en la cría, ha quedado ritualizada en diversos gestos cariñosos parecidos al beso (Wickler, 1969; Eibl-Eibesfeldt, 1970 a, b, 1972 a). También el beso humano puede que haya surgido de este modo.

Aparte de eso, los hombres han elevado el ofrecimiento de alimentos a la categoría de gesto amistoso por excelencia. Con esta función utilizan ya espontáneamente hasta los niños pequeños ese comportamiento. Ofrecen alimentos y regalos cuando quieren trabar amistad con una persona, cuando tienen miedo o cuando tratan de apaciguar a alguien. Una niña de tres años, que se encontraba en mi casa de visita con sus padres, se comportó de manera muy reservada y observadora durante la comida. A la hora del café, se acercó a mí de manera espontánea, cogió una galleta de la mesa y me la ofreció, con el rostro iluminado por una sonrisa. La niña

---

[4] Los mamíferos adultos emiten señales infantiles —llamamientos propios de la cría, por ejemplo— cuando quieren despertar en los congéneres un estado de ánimo amistoso. También los hombres recurren a las señales infantiles.

Figura 104: Antes del reparto de regalos. Sobre hojas de plátano se extienden armadillos asados y otra caza para los huéspedes.

repitió la operación y daba muestras siempre de gran alegría cuando yo aceptaba el regalo. A partir de ese momento estuvo muy cariñosa. Un chiquillo de tres años y medio, a quien le daba miedo la figura del San Nicolás, le dio espontáneamente su coche de juguete. Una niña de diez años, retrasada mental, que quería ponerse a dibujar con su maestra y a quien perturbaba mi presencia, me despidió, poniéndome espontáneamente un juguete en la mano y estrechándome la mano.

El que la entrega de alimentos y regalos despierte amistad podría ser algo aprendido. A fin de cuentas, los niños de todas las culturas experimentan la atención de ese tipo por parte de los padres: son alimentados y seguramente sienten esto como un acto amistoso. Podría ser, por tanto, que utilizaran esa experiencia cuando ellos mismos necesitan despertar amistad. Sin embargo, da que pensar el hecho de que hasta los lactantes y los retrasados mentales ofrecen de manera espontánea trozos de alimentos y juguetes cuando buscan entablar contacto. En estos casos difícilmente pueden mediar consideraciones de este tipo. Como mínimo hay que contar con la posibilidad de que ese comportamiento se base en adaptaciones filogenéticas (Eibl-Eibesfeldt, 1970 a). Para esclarecer esta cuestión hacen falta todavía, sin embargo, investigaciones minuciosas sobre la ontogénesis de los modos del comportamiento cariñoso.

En la fiesta del fruto de la palma de los waikas, el agasajo con alimentos y el intercambio de regalos desempeñan, evidentemente, un papel predominante. Pero también observamos otros ritos del vínculo. Entre ellos se cuenta, por ejemplo, el duelo en común. Al compartir las alegrías y las penas, los participantes se sienten unidos. El interés que se demuestra al compartir el luto indica al afligido que no se encuentra solo, lo cual es de mucha importancia para él, puesto que sufre por la pérdida de la vinculación con el compañero.

Como ritual vinculador puede verse, además, el exorcismo en común de los espíritus. El grupo se une para la agresión conjunta contra el presunto enemigo, y, como es sabido, tales cosas unen a la gente. Hay que destacar, finalmente, los rituales de la acción en común (bailes, por ejemplo). Los niños, desde pequeños, la desarrollan por sí solos, lo que indica una disposición innata. Se inventan un jueguecillo o imitan un movimiento ya hecho y exhortan a los miembros de la familia a participar. La palabra «auch» *(también)*, como invitación a cooperar, fue una de las primeras palabras que pronunció mi nieto.

Si se comparan las fiestas en diversas culturas y en las diversas ocasiones que las motivan, y hacemos abstracción de las variaciones culturales y de las variaciones con una determinación funcional, podrá comprobarse siempre la existencia de los mismos elementos estructurales, independientemente de que se trate de una fiesta familiar o de una popular, de un ritual de duelo en Nueva Guinea o de una fiesta de tiradores en Baviera. Encontraremos los elementos del exhibicionismo (intimidación), del apaciguamiento, de la simpatía (duelo, alegría), del agasajo, del intercambio de regalos y de la acción en común, así como también una construcción estructural semejante en principio. Cierto es que según el carácter especial de la fiesta estará especialmente recalcado este o aquel elemento —en las fiestas tribales, por ejemplo, pasan a un primer plano los elementos agresivos, mientras que estos desempeñan un escaso papel en las fiestas familiares—, pero la estructura de principio es realmente similar.

Hace poco filmé un ritual de luto en Nueva Guinea. En Mt. Hagen había habido una guerra tribal, y ahora se lloraba a los caídos. En el centro de una amplia plaza se habían reunido los familiares de los muertos. Se lamentaban y lloraban. Los invitados a las honras fúnebres —hombres y mujeres, totalmente embadurnados de lodo amarillo— rodeaban al grupo en duelo. En cantos fúnebres, ensalzaban los hechos y las cualidades sobresalientes de los fallecidos; a algunos las lágrimas les habían marcado huellas oscuras en los rostros pintados de amarillo. Las manifestaciones de unión me conmovieron profundamente. Los hombres empuñaban lanzas, las mujeres llevaban en sus manos ramas verdes de una *Cordylina,* de las que también estaban hechos sus delantales.

Continuamente llegaban invitados formando pequeños grupos. Siempre eran saludados con una vistosa ceremonia: los invitados masculinos ya presentes se reunían bajo la dirección de uno o dos hombres para formar una pequeña tropa, la cual, capitaneada por el maestro de ceremonias, se lanzaba, gritando y blandiendo las lanzas, contra los recién llegados. Detrás de ellos venían las mujeres, agitando verdes palmas. Se rodeaba a los recién llegados y se les conducía al grupo de duelo. En ese recibimiento se manifestaban claramente los elementos del saludo amenazante y del apaciguamiento.

Al llegar al grupo de duelo, los visitantes se presentaban lamentándose a gritos y mesándose cabellos y barba. Algunos lloraban de tal forma que las lágrimas les rodaban como perlas por las mejillas. Esto provocaba una nueva irrupción de desesperación entre los familiares de los muertos. Finalmente, los invitados abrazaban y acariciaban a los que habían sufrido la pérdida de los suyos.

Muchos de los invitados traían víveres. Más avanzada la fiesta, los hombres de alto rango dirigían un discurso. Algunos se referían a las querellas tribales. Ofrecían su versión e incitaban a la venganza. Lo mismo hacían también las mujeres en sus cánticos. Cantaban, entre otras cosas: «si fuésemos hombres, podríamos tomar venganza, pero desgraciadamente solo somos mujeres y solamente podemos cantar...»

Al final los invitados agasajaban a los familiares de los muertos. Las honras fúnebres acaban con una comida por los muertos. No participé en ella, pero me enteré de que la pompa cambia según el rango del muerto.

Si comparamos esto con un ritual de luto en la Europa central, descubriremos los mismos elementos estructurales. Parientes y amigos vienen a ver a los familiares del muerto para expresarles su sentimiento. Dar el pésame es seguramente el motivo principal, pero en modo alguno el único. Se aprovecha la oportunidad para el exhibicionismo. Se hace demostración de riqueza y poder y se obtiene prestigio con ello. Se pronuncian discursos necrológicos y al final se reúnen todos para comer. Antiguamente, en el barrio de

los molineros de la Alta Austria se le ofrecía a cada uno de los
invitados un panecillo cocido especialmente con ese fin, al que se
llamaba «B'scheid» *(respuesta, notificación)*. El obsequio estaba pre-
visto para todo familiar o amigo que, por cualquier motivo, no
pudiese participar en el entierro. Los invitados, por su parte traían
obsequios. Llevaban flores y coronas y encargaban plegarias en la
misa.

Habrá quien objete: es cierto que quizá los rituales del luto se
asemejen unos a otros, pero si se compara, por ejemplo, una
fiesta de tiradores o una boda con un velorio, apenas se podrá
constatar semejanza alguna. La impresión superficial engaña. Es
verdad que el marco exterior cambia. Pero también en una boda en
un barrio de molineros encontramos los elementos estructurales
que ya nos son conocidos. La gente se exhibe en el cortejo nupcial,
se intercambian regalos, se agasaja a los huéspedes y se reparte la
tarta de bodas y, finalmente, los desposados evocan la memoria de
los familiares muertos al visitar sus tumbas. Las fiestas de tiradores
en Alemania comienzan igualmente con una marcha. Lucien-
do vistosos trajes, los participantes se exhiben durante el desfile.
Se pasean las banderas y se trata de impresionar lo más posible
a los invitados de las aldeas vecinas. Se honra la memoria de los
muertos durante la comida en honor de los héroes, se compite en
el campo de tiro y, finalmente, se sienta uno a la mesa con
los demás, se bebe en compañía y se distrae con la música y el
baile.

Los elementos estructurales de los rituales vinculadores para el
grupo siempre son los mismos. Lo único que cambia es la configuración cultural, mediante la cual se separan los diversos grupos
étnicos al recalcar los contrastes.

B. EL RITUAL DE CANTAR LOS CONTRATOS Y LA FUNCION
VINCULADORA DEL DIÁLOGO

Revisten un especial interés las conversaciones de los indios
waikas ritualizadas en la forma de cantos alternos. «Dame, yo te
doy» es el tema fundamental de esa conversación. Al comienzo,
eso sí, el invitado habla primero de su infortunio —del asesinato de
su mujer por los pissasaiteri (págs. 266)— y despierta con ello
la simpatía. Las teclas pulsadas verbalmente no se diferencian gran
cosa de las que nosotros, los europeos, tocamos en los diálogos. Es,
indudable que debería prestarse más atención que hasta ahora a la
investigación cultural-comparativa de las conversaciones, bajo el
punto de vista de sus funciones vinculadoras. ¿Qué teclas se tocan
en los diálogos amistosos, qué se persigue con ello? Al analizar

nuestras conversaciones se constatará, por ejemplo, que lo que se busca siempre es la armonía. Los dialogantes tienen determinadas expectativas y se esfuerzan por corresponderlas y por no permitir que aparezcan disonancias. Si uno nos cuenta, por ejemplo, que tiene una determinada dolencia, le respondemos inmediatamente que un amigo nuestro ha sufrido algo similar. De esta forma le aseguramos: «tú no eres un extraño». Probamos la solidez del vínculo entre compañeros mediante bromas y nos esforzamos por subsanar los equívocos. En todo ello parece desempeñar también un cierto papel el intercambio objetivo de información: nos orientamos sobre las vivencias que ha tenido nuestro compañero durante nuestra ausencia, con el fin de encontrar en todo momento una base de relación común. Nos gusta conocer los recuerdos del otro y evocar experiencias comunes, en resumen: poder demostrar siempre unidad. La falta de participación activa llamamientos desencadenadores de compasión. Hablamos de desgracias y nos mostramos tristes o incluso aniñados. Las chicas suelen buscar en tales situaciones el consejo de su compañero, aun cuando no lo necesiten en absoluto. De esta forma se subordinan y activan al protector en el compañero. En la conversación buscamos la aprobación, y si no se produce la esperada señal de asentimiento, nos intranquilizamos, Buscamos el reconocimiento, el cariño, la compasión. Y todo esto representa, en última instancia, una información sobre si todavía se encuentra uno sincronizado con el compañero o si se está gestando un desarrollo divergente. Y siempre, pero especialmente al principio de una amistad, tanteamos los intereses del otro, con el fin de encontrar una base común. Solo entonces «se entiende uno». Para ello adapta uno su nivel al del compañero, lo que llama especialmente la atención en las conversaciones entre adultos y niños pequeños.

Actualmente me estoy dedicando a hacer una investigación de comparación cultural sobre las «conversaciones vinculadoras». Parece como si existiesen llamamientos que se repiten en esas conversaciones, en calidad de «universales». Si investigaciones posteriores corroborasen este extremo, se plantearía la pregunta de cómo han de interpretarse esos universales. ¿Se trata de imposiciones del pensamiento basadas en adaptaciones filogenéticas? Me parece que sí, pues los llamamientos —en la medida en que son conocidos— son en principio los mismos que encontramos entre otros vertebrados superiores. En el hombre consisten en infantilismos y en acciones tendentes al cuidado, a la cría y a la intimaidación, todo ello traducido a lo verbal, por no mencionar más que algunas de las teclas que tocan los conversantes. Además, los llamamientos son ya utilizados por los niños pequeños, a una edad en la que no se puede esperar que haya astucia alguna. Las respuestas de los niños llegan con gran espontaneidad.

Muy notable es la ritualización de los diálogos en cánticos entre los waikas. Conforme se va alargando la conversación, esta se convierte en un canto alterno, en cuyo transcurso los indios llegan a gritarse solo jirones de palabras incomprensibles. Pero todo se desarrolla con una perfecta concordancia. En esta fase del canto de contratos ya no hay intercambio de comunicaciones objetivas. Resta únicamente la comunicación social de que se está de acuerdo. El que esto se documente de tal forma podría basarse en una disposición innata. Blurton-Jones (1971) informa de diálogos a base de balbuceos entre niños que todavía no saben hablar. Los niños exhortan asimismo a los adultos a participar en tales diálogos, y el contacto vocal así establecido les tranquiliza. Opino que este efecto tiene raíces muy antiguas. Cuando los niños juegan solos en un cuarto tratan de mantener un contacto vocal con la madre en el cuarto de al lado. Al interrogativo «¿mamá?» se responde siempre con un «síí» tranquilizante. El diálogo se desarrolla como un canto alterno. Si no hay respuesta, el niño se intranquiliza y busca a la madre. Entre una serie de mamíferos y aves observamos «sonidos de contacto vocal» funcionalmente análogos[5]. En el hombre podría hablarse de una «conversación de contacto vocal». Esa forma del diálogo, exagerada en la relación madre-niño, es quizás una raíz de la conversación vinculadora de los adultos.

En el canto alterno se llega a una coordinación creciente entre los compañeros. Al final se canta *un* solo cántico, y esto podría ser otro medio difundido de documentar la unidad. Quizá sea el principio en que se basa nuestro canto polifónico. Y es significativo que la palabra «consonancia» exprese también armonía social.

Consideraciones finales

En los capítulos anteriores hemos tratado de interpretar los ritos observados según su función y su origen. Ordenamos los modos de comportamiento de acuerdo con su aparición en deter-

---

[5] Para los no biólogos he de recalcar que aquí se trata de correspondencias funcionales que no tienen por qué referirse a ningún tipo de relación de parentesco. Los paralelos se desarrollan independientemente entre sí. Sin embargo, resultan instructivos. Wickler ha discutido detalladamente este aspecto.

minadas circunstancias y los comparamos con aquellos que pueden
ser observados entre otros pueblos en situaciones correspondientes. Tal procedimiento de análisis correlativo arroja buenos resultados sobre todo cuando se desea esclarecer la significación funcional de un ritual. Aquí no siempre resulta útil preguntar directamente por qué las personas en cuestión hacen algo, porque la
gente por lo general no lo sabe y da falsas respuestas. Si en nuestro
país se le pregunta a la gente por qué se tocan el ala del sombrero
o se quitan el guante al saludar, advertiremos que casi nadie puede
informar sobre la función y el origen de esos modos de comportamiento cotidianos. Lo cual no significa que rechacemos la encuesta
como método para recoger informaciones, pero esta no se adapta
siempre a nuestros fines.

Junto a la problemática de la función especial de determinados
ritos —por ejemplo, ritos al servicio del vínculo o del apaciguamiento de la agresión— nos esforzamos por obtener indicios sobre
su origen. Los patrones de comportamiento que se manifiestan
como «universales» pueden basarse, entre otras cosas, en experiencias comunes de la niñez, que son iguales en todas las culturas.
Pero también existen otros que nos son innatos como adaptaciones
filogenéticas. Esto reza, por ejemplo, para muchos de nuestros
movimientos expresivos (reír, llorar). La prueba de que son innatos
proviene aquí tanto de comparaciones culturales como también del
estudio de sordos y ciegos de nacimiento (Eibl-Eibesfeldt, 1973)

No solo los decursos de la actividad motora pueden ser «innatos» en este sentido (lo innato no son los movimientos, naturalmente, sino el código genético, que, como prescripción, regula
aquellas estructuras neurales y motóricas en las que se basa un
comportamiento). Existen también otras preprogramaciones que
influyen en nuestro comportamiento, por ejemplo: mecanismos
desencadenadores, que establecen nuestra percepción de una manera determinada. Pueden hacer que los hombres de diversas
culturas lleguen a configuraciones similares o a expresar llamamientos similares.

Junto a la comparación cultural utilizamos a veces también la
comparación animal para interpretar ciertos fenómenos. Sin embargo, con el fin de evitar equívocos, recalquemos aquí que las
semejanzas establecidas no implican en modo alguno, de manera
necesaria, la aceptación de una relación de parentesco.

Muchos animales desarrollan, independientemente unos de
otros, adaptaciones similares, como adaptación a exigencias parecidas del medio ambiente. El que muchas aves cantoras, por ejemplo, desarrollen, a partir del comportamiento en la cría y como

ceremonia del cortejo, un coqueteo con el pico, representa un interesante paralelo con los cariños que se hacen muchos mamíferos con el hocico, lo que proviene igualmente del comportamiento en la cría. Pero como aves y mamíferos desarrollaron de manera independiente el comportamiento de la cría, no existe aquí ninguna relación genética.[6] De todos modos, tales semejanzas de principio son instructivas, puesto que muestran que determinadas tareas son siempre resueltas de manera similar.

La investigación de las raíces biológicas del comportamiento cultural se encuentra precisamente en sus inicios. Como sabemos cuál fue nuestro devenir filogenético, resulta razonable plantear la cuestión de los posibles determinantes filogenéticos. Con la investigación biológica de los ritos humanos se abre otro nuevo y fascinante campo de trabajo que ha de impulsar la cooperación entre las diversas ramas del saber.

---

[6] Emparentado, en el sentido de homólogo, ha de ser, por el contrario, el beso entre los chimpancés y el hombre, que se deriva de la alimentación de la cría.

Cuarta parte

LA HERENCIA FILOGENETICA EN EL CULTO, EJEMPLIFICADA EN FIGURAS DE GUARDIANES Y AMULETOS

En el trato con los espíritus y los dioses el hombre se comporta como si conversase con sus semejantes. Cuando quiere apaciguarlos, les ofrenda alimentos, olores agradables y cosas hermosas. Cuando quiere protegerse de malos espíritus, los amenaza. Con este objeto se colocan, entre otras cosas, figuras de guardianes en el campo y en la casa. Además, para la protección personal se llevan a veces pequeñas figurillas como amuletos.

Al comparar las figuras se comprobará que hay rasgos que son comunes a diversas culturas. Por ejemplo, el gesto de amenaza, los ademanes de repudio con la mano y la presentación fálica. La costumbre de colocar figuras fálicas de guardianes, conocida ya desde hace tiempo por arqueólogos y etnólogos, fue relacionada por vez primera por Wickler con la posición sentada, haciendo guardia, que adoptan los monos; comportamiento este que sirve para marcar el territorio y en el que desempeña un papel importante la exhibición de los órganos sexuales masculinos, coloreados a veces de manera llamativa. Nuevas investigaciones corroboran la interpretación de que aquí se trata de una herencia filogenética muy vieja que codetermina en el hombre la configuración de los objetos del culto (Fehling, 1972). Resulta notable el que para llegar a este conocimiento se tuviese que recurrir a la comparación animal, puesto que en el hombre ha sufrido una atrofia el comportamiento de presentación fálica y, por lo tanto, solo puede ser observado rara vez en la actual consumación del comportamiento.

Capítulo 1
LA INTERPRETACION ETOLOGICA
DE ALGUNAS FIGURAS
DE GUARDIANES DE BALI
(Como colaborador de este estudio firma W. Wickler)

Los machos de diversas especies de monos del Viejo y del Nuevo Mundo exhiben de manera llamativa, al adoptar la postura de intimidación, el pene y el escroto. Los saimiríes machos presentan sus genitales en una forma de demostración de rango (Ploog y colaboradores, 1963). En el seno del grupo los machos de rango superior intimidan a los de rango inferior levantando una pierna de manera ostentosa y mostrando el pene ligeramente erecto. Se trata de una demostración de rango, con motivación agresiva, que se ha desprendido evidentemente, mediante la ritualización, del comportamiento sexual. La intimidación fálica, como gesto de amenaza, ha sido descrita desde entonces en muchos monos del Nuevo y del Viejo Mundo. Entre los cinocéfalos y los cercopitecos algunos machos desempeñan el papel de guardianes: mientras sus compañeros de grupo se encuentran comiendo, ellos se sientan, dándo la espalda al grupo, como vivientes hitos fronterizos y, con las piernas ligeramente separadas, exhiben sus órganos sexuales (fig. 114); estos lucen a menudo con vivos colores, evidentemente al servicio de la emisión de señales. La actitud de sentarse a montar guardia se conocía desde hace mucho tiempo, pero se interpretaba por lo general como una postura dirigida contra los enemigos voraces. Wickler (1966) ha señalado que en este caso se trata de un comportamiento dirigido hacia los congéneres. El que está montando guardia rechaza a los miembros de grupos extraños. Si estos

se acercan, la presentación del guardián se torna más llamativa
mediante la erección y los movimientos del pene.

El comportamiento puede ser interpretado como una amenaza
de monta ritualizada. Entre muchos mamíferos la acción de montar
es una demostración de rango, y en una serie de especies se ha
desprendido, en esa nueva función, de la originaria motivación
sexual. Así, en el cinocéfalo sagrado, por ejemplo, la monta
pertenece al ritual de saludo en el seno del grupo. Los machos que
se acercan a uno de rango superior hacen la presentación al estilo
de las hembras, mostrándole la parte trasera. El que es saludado de
esta manera monta entonces a veces rápidamente a su congénere
(Wickler, 1967).

El punto de partida de esa ritualización fue tal vez una raíz
motivacional agresiva del comportamiento de monta. Esto se puede
comprobar todavía perfectamente en diversos monos, en los que la
erección y la cópula vienen provocadas a veces por la rabia.
También se observa en el hombre, como indican, entre otras cosas,
las orgías de violaciones en tiempos de guerra. Esa raíz motivacional fue tal vez, en calidad de «preadaptación», el punto de partida
para la ritualización del comportamiento de monta, hasta llegar a
los gestos fálicos de amenaza e intimidación.

Wickler señaló que la intimidación fálica puede ser comprobada
también en el hombre: quizás en las llamativas envolturas del pene
que utilizan algunos pueblos primitivos; con certeza, en las figuras
fálicas, como los hermes de la antigua Grecia o las figuras de
madera, completamente iguales, de Timor, Célebes, Borneo,
Nyassa y Nicobar, que todavía hoy sirven como guardianes del
hogar contra demonios y otros espíritus. Estas, y sobre todo los
hermes, fueron interpretadas frecuentemente como símbolos de la
fecundidad; pero las tareas que les asignan los pueblos correspondientes demuestran que se trata de símbolos de amenaza social
(Wickler, 1966, 1967 b). En su origen los genitales de esas figuras
estaban coloreados de forma similar a la de los genitales de algunos
monos del Viejo Mundo. En muchas otras culturas se conocen
figuras fálicas de características muy similares, pero se sabe muy
poco sobre su función, puesto que en la mayoría de los casos solo
se conoce el lugar en que fueron encontradas, pero no las circunstancias inmediatas de su exhibición. En una visita a la isla de Bali
pude recoger diversas figuras fálicas, que se encontraban expuestas
en huertos y en casas y hacían allí las veces de guardianes. Además,
como «expresión congelada», exhiben muecas y gestos realmente
notables.

1. *Figuras de guardianes en Bali*

Bali del Sur estuvo muy poco tiempo bajo dominio europeo (1906-1942) y ha conservado por eso en lo esencial su carácter balinés. El hinduismo determina la vida cotidiana. Los numerosos templos son indicio de una intensa vida religiosa, al igual que los cotidianos ritos de sacrificio y ceremonias, que no pueden pasar inadvertidos a ningún viajero. Las figuras de madera, excelentemente talladas y pintadas, pueden ser contempladas en cualquier museo de importancia, y diversas enciclopedias del arte ofrecen grabados de las mismas. Menos conocidas son, por el contrario, las obras de talla y las figuras de piedra, que parecen pertenecer a una capa cultural más antigua y en las que no se puede ver ninguna influencia hindú. Recuerdan más bien, en muchos de sus rasgos, al arte de los dajaks, batakos y polinesios. Esto se observa sobre todo en los rostros grabados en los tambores de alarma y en diversas estatuillas de guardianes talladas en madera. Covarubias (1965) se remite a ellas, sin describirlas más a fondo. Por lo que sabemos, no existe ningún estudio monográfico.

Las figuras arcaicas fueron talladas sobre todo en el interior del país (Batur, Sebatu, Pudjung, Tegalalang y Taro) y se difundieron desde allí por toda la parte sur de la isla. En Sebatu, Pudjung, Tegalalang y Taro trabajan todavía hoy talladores que preparan las figuras de madera del tipo arcaico. Desde el resurgimiento del turismo, después de la segunda guerra mundial, se encuentran a la venta en gran número en las tiendas de recuerdos, y se utilizan todavía a veces como guardianes (veáse más abajo), pero siguen mostrando todavía su carácter arcaico y no carecen por lo tanto de interés. Por lo general las figuras tienen poco valor artístico, pero se encuentran tallistas de la vieja escuela realmente originales. El más conocido es Tjokot, que hoy pasa de los 60 años, proviene de Batur y trabaja actualmente en las cercanías de Sebatu (fig 106).

En 1965 ví por vez primera algunas de estas estatuillas fálicas, pero sin prestarles al principio mayor atención. Fueron los trabajos de Wickler los que hicieron que me interesara por esta problemática, y aproveché mi segunda estancia, en 1967[1], para coleccionar tales figuras e investigar sus fines originales. Con este motivo viví en Sanur, con la familia del párroco de la aldea, cuyo hijo, Ida Bagus Garia, me ayudó en calidad de intérprete.

Por él me enteré primero de que las figuras fálicas son denominadas mömmedi (memmedi). Tienen por fin rechazar a los espíritus

[1] A la fundación A. v. Gwinner le agradezco el haberme otorgado una beca de viaje; a las embajadas austríaca y alemana en Yakarta, la ayuda amistosa en el país.

a

Figura 105: (a), (b): Figuras de guardianes encontradas cerca de Sanur; (a) altura: 46 cm; (b) altura: 42 cm.

malignos y combatir la magia negra. Se colocan sobre todo en los campos; colocadas en la casa, reciben el nombre de guardianes o tumbal. Tumbal se llama también a las figuras que no pertenecen al tipo arcaico, así como también a sus representaciones en banderines, que se cuelgan sobre la entrada. La palabra significa guardián del hogar. Cuando se trata de una figura se la denomina también togog.

Las figuras adquieren su fuerza mágica mediante una ceremonia especial, realizada por un sacerdote. No obstante, las figuras fálicas van cayendo cada vez más en desuso.

2. Descripción de algunas estatuillas

Las figuras de guardianes encontradas en un huerto de Sanur (fig. 105 a, b) están trabajadas muy cuidadosamente. La primera figura muestra a un hombre de pie, con el falo erecto y las manos

b

pegadas al cuerpo. El rostro muestra una mueca amenazante; pero no se trata de una amenaza agresiva, en la que las comisuras de los labios estén abiertas y fruncidas hacia abajo, sino de una mueca en la que se enseñan los dientes incisivos superiores, lo cual ejerce sobre el espectador un efecto más bien de defensa y de disposición a morder que de agresividad. Los ojos, redondamente recalcados, dan una impresión de rigidez, y la frente se encuentran abombada sobre la raíz de la nariz, como en una persona que arruga amenazadoramente la frente, pero sin las arrugas verticales. Entre las piernas del que se encuentra erguido descansa otro rostro, de expresión amenazante, especialmente bien lograda en la frente y en los ojos. El pequeño cuerpo al que pertenece la cabeza muestra su región anal levantada, en la parte posterior de la estatua.

La segunda estatua muestra dos figuras completas en cuclillas, superpuestas, ambas de rostro amenazante y falo erecto. Los rasgos del rostro se asemejan en principio a los de la primera estatua.

Aunan así una actitud de amenaza y otra de apaciguamiento.

La tercera estatua de la colección (fig. 106) es reciente y proviene del ya mencionado artista Tjokot. Representa a una figura sentada con falo erecto. Las muecas de amenaza siguen en principio el patrón ya descrito.

Notable es una carta estatuilla (fig. 107) de Pudjung. La figurilla, de un rincón de la casa, está coronada por una cosa alargada a manera de sombrero. En este caso el falo parece estar representado como figura humana, y el sombrero alargado podría expresar el glande.

Tales ritualizaciones nos son también conocidas en otras cultu-

Figura 106: Guardián tallado por Tjokot. Altura: 44 cm. (foto: autor).

Figura 107: Guardián de Pudjung. Altura: 28,3 cm. (foto: autor).

ras. Las alas del sombrero en figuras por lo demás desnudas, un abombamiento circular o una muesca debajo de la punta redondeada son interpretados generalmente como una *corona glandis* estilizada. El rostro de esa figura (fig. 107) muestra sólo los dientes incisivos superiores.

Otra figura muy interesante de la misma región, de unos 20 cm. de altura, se perdió desgraciadamente en el transporte. Combinaba un rostro amenazador dirigido hacia adelante, del tipo ya mencionado, con la intimidación fálica y anal: el pene erecto llegaba a la mitad de la figura; estaba pintado de rojo, y el escroto de verde. Finalmente, la región anal apuntaba también hacia afuera, lo que se

Figura 108: Guardián tallado por Tjokot. Altura: 33,7 cm. (foto: autor).

Figura 109: Figura de tipo arcaico tallada para el comercio con los turistas. Altura: 25,7 cm. (foto: autor).

lograba mediante una posición muy singular de la figura: se apoyaba en las manos, pero sin agachar la cabeza, y las piernas estaban tan dobladas hacia afuera y hacia arriba que los talones descansaban sobre los hombros (fig. 111 b).

De Tjokot poseo además una figura de guardián, de rostro amenazante sumamente expresivo y adornado con una soberbia nariz: posiblemente también un símbolo fálico. La estatuilla muestra además dos manos alzadas, con las palmas dirigidas hacia delante (fig. 108). Ese gesto de «¡deteneos!» es de rechazo, pero quizás también apaciguador al mismo tiempo, pues es similar, desde un punto de vista formal, a ciertos ademanes del saludo. Encontramos también ese elemento en otras figurillas de significación desconocida, que hoy se fabrican para los turistas en Sebatu (fig. 109). La misma posición de las manos muestra también una figura femenina de guardián (fig. 110) que encontré en Kondul (Nicobar). Con el pulgar extendido señala hacia delante con una mano: un ademán fálico igualmente difundido. Esa figura servía para expulsar de las cabañas a los espíritus de los muertos.

3. Interpretación de los elementos expresivos

Los elementos expresivos que siempre se repiten en las figuras de guardianes son: un rostro amenazante, una intimidación fálica, la amenaza anal y la mano abierta y levantada.

1. En la introducción discutimos la función y el origen de la amenaza fálica. El efecto rechazante puede considerarse probado por el hecho de que las figuras fálicas de Bali sirven de guardianes. Hay que añadir al particular que en las plantaciones arroceras de las inmediaciones de Sanur se encontraban espantapájaros de la altura de un hombre, hechos de paja, con falos erectos que sobresalían en un plano horizontal (fig. 113). Está claro que los falos no espantan a los pájaros, sino que en todo caso les servirían para posarse. Esta señal, por lo tanto, no va dirigida contra los pájaros, sino contra aquellos demonios o espíritus a los que se culpa de la plaga de aves y a los que se trata por lo general —aun cuando no sean los espíritus de los muertos— como a congéneres (Wickler, 1966). De ahí que tales figuras puedan estar indirectamente al servicio de la fertilidad de los campos (y también de la casa), puesto que dirigen su amenaza contra los peligros para la fertilidad, pero no son símbolos de la fertilidad.

2. La mano abierta y levantada también se utiliza en nuestra cultura como señal de parar. En el sur del Tirol, por la época en

que madura la uva, las entradas a los viñedos están guardadas por
una mano roja levantada, que allí se conoce por «Saltner-Pratzn»
(v. Hörmann, 1905). En las lápidas que se colocan en los cruces de
los caminos en conmemoración de accidentes o crímenes pueden

*Figura 110: Figura femenina
de guardián de Kondul (Nicobar). Altura: 47 cm. (foto: autor).*

verse manos exhorcistas, llamadas «manos de brujas». Una mano
de este tipo, fraguada en hierro, se encuentra, por ejemplo, en una
lápida de la callejuela Ziegelofengasse en Klosterneuburg, población cercana a Viena. Andree (1878) menciona que las jóvenes
tripolitanas, arregladas ya para la boda, hacen la «chamza», para
protegerse del mal de ojo, lo cual consiste en estirar las manos
hacia adelante con las palmas dirigidas hacia afuera; y por eso llevan
también entre sus adornos varias chamzas de oro. Muchos otros
ejemplos similares demuestran claramente la función defensiva de
ese gesto.
    3.   No conocemos el origen de la amenaza anal. Solo sabemos
que el ademán está ampliamente difundido. En la Europa medieval

se mostraba al adversario las nalgas desnudas, como amenaza despreciativa; hoy sigue haciéndose lo mismo en Nueva Guinea. Schramm (1967) ofrece ejemplos sobre la representación de la amenaza anal para defenderse de los espíritus o del mal (fig. 111 c, d). Movimientos y posiciones formalmente similares se dan en diversos primates como presentación. En la mayoría de los casos se trata de un gesto de sumisión; el monito de mechón blanco (*Hapale jacchus*), sin embargo, utiliza juntas las presentaciones anal y genital hacia atrás como demostración de rango superior (fig. 111 a). Mientras no se aclare la relación que existe entre esas formas de presentación de distinto significado en los monos, no se podrá saber cuál de esas dos posibles raíces origina la amenaza anal en el hombre. Quizás hasta se encuentren las dos juntas en él: la forma más agresiva (ritualizada idiomáticamente en la cita de Götz) y la que está al servicio de la sumisión, que puede ser impuesta también por los de rango superior (Wickler, 1967 a, b). En Kleinpaul (1888) se encuentran ejemplos drásticos de que, todavía en el siglo XVIII, hasta personalidades de elevada posición, cuando sufrían un ataque de rabia, le enseñaban las desnudas posaderas al causante de la misma.

Existe además otra posibilidad de interpretación, que ha de ser corroborada todavía con nuevas observaciones. Muchos mamíferos marcan con excrementos. Esas marcas olorosas anuncian una pretensión territorial, sirven de advertencia y desencadenan agresiones en determinadas circunstancias, como demuestran diversas investigaciones (Mykytowicz, 1966; Eibl-Eibesfeldt, 1972 a). Hay que analizar todavía hasta qué punto se da un comportamiento tal en el hombre. Existen indicios de ello. Los ladrones defecan a veces en las casas que asaltan; el dejar un «guardián» de este tipo parece que trae suerte. Las tropas de ocupación dieron muestras de un patrón similar de comportamiento en 1945. Derek Freeman me contó, hallándome en Samoa, que había presenciado cómo las gentes trataron de «hacerle insoportable» la estancia en la aldea a un hombre que había incurrido en falta, para lo cual defecaban por las noches a la entrada de su choza. Sería por lo tanto posible que la amenaza anal tuviese su origen en una amenaza de defecación. Nuevas observaciones entre los bosquimanos (pág. 158 y ss.) demuestran que la burlona presentación del trasero se deriva de dos raíces.

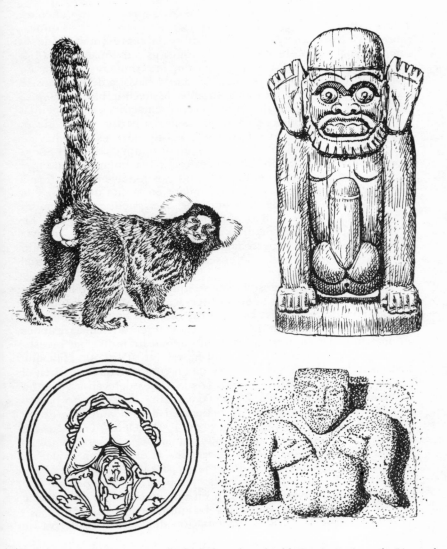

Figura 111: (a) Presentación anal y genital en el macho del Hapale jacchus. *(b) Figura de guardián de Pudjung según un dibujo. (c) Viñeta de calendario, siglo XVI. (d) «Pelandusca» romana en el frontispicio de la fachada oriental de la iglesia parroquial en Faurndau, distrito de Göppingen (hacia 1250). (c) y (d) Según Schramm; dibujos de H. Kacher, tomado de Eibl-Eibesfeldt, 1972 a).*

Capítulo 2

AMULETOS PROTECTORES MASCULINOS Y FEMENINOS EN EL JAPON MODERNO

En las diversas culturas del Viejo y del Nuevo Mundo encontramos figuras fálicas que sirven para defenderse de los malos espíritus y para marcar los límites territoriales. Pueden encontrarse a la entrada de las casas, en los huecos de las ventanas, en los campos labrantíos o en los cruces de los caminos. En nuestro ámbito cultural son especialmente conocidos los hermes de la antigua Grecia, pero menos conocido es el hecho de que tales figuras fálicas pueden ser encontradas también en viejas iglesias y en claustros (St. Remy, Francia; Lorch, Alemania; San Pietro en Groppina; Arezzo, Italia, (fig. 112). Se conocen figuras similares de Indonesia (Bali), Nueva Guinea, Polinesia, Melanesia, Africa y América del Sur.

Estas figuras eran interpretadas antes frecuentemente como demonios de la fertilidad. Tan solo el estudio de los primates señaló nuevos caminos para la interpretación. Ploog y sus colaboradores (1963) observaron entre los saimiríes *(Saimiri)* la intimidación fálica. Entre los cercopitecos y otros monos del Viejo Mundo, algunos machos se sientan de espaldas al grupo, montando guardia frente a congéneres ajenos al grupo y exhibiendo sus órganos sexuales, que a menudo muestran llamativos colores (Wickler, 1966, 1967 a). El comportamiento no está sexualmente motivado (no de forma predominante, al menos), pero tiene sus raíces, desde un punto de vista filogenético, en el comportamiento sexual masculino. Entre muchos mamíferos la demostración de rango consiste en que uno de rango superior monta rápidamente a otro de rango inferior. La presentación genital masculina podría ser interpretada como una amenaza de monta, ritualizada en un gesto (Eibl-Eibesfeldt, 1967).»

En el comportamiento del hombre se puede comprobar la intimidación fálica en los trajes típicos de los pueblos primitivos y de los pueblos civilizados. La monta directa, como demostración agresiva, ha sido descrita en diversas ocasiones. En julio de 1962, el cónsul francés en Argelia fue vejado públicamente por los victoriosos argelinos mediante una violación. El periódico de la oposición *Minute* mencionaba en su número 385 (28, 8, 1969, pág. 4) ese incidente, que había sido descrito en 1962 por diversos periódicos de la oposición. Si un joven pastor húngaro penetra en el territorio de otro grupo, es violado entonces por las gentes del lugar (A. Festeticz, oralmente). Kosinski cuenta cosas similares en una novela de los pastores polacos. La agresividad de lo fálico se manifiesta hoy todavía en ciertas maldiciones. Los árabes, por ejemplo, dicen: «Que te metan el falo en el ojo», donde el ojo es sinónimo de ano o de vulva (Hansmann y Kriss-Rettenbeck, 1966).

La monta agresiva, el sujetar a alguien por detrás y los golpes en las caderas pueden ser observados frecuentemente entre los chicos cuando se pelean jugando. Un niño de trece años, sordo y ciego desde el primer año de edad, se abrazó a un hombre, a quien le habíamos presentado, y le propinó un fuerte golpe con la cadera.

De ese comportamiento de dominio, evidentemente antiquísimo, se deriva toda una serie de costumbres. En primer lugar, la representación fálica servía en la vieja Grecia y en Roma para protegerse de los poderes demoníacos. En un suelo de mosaicos en Pompeya se encuentra, junto a símbolos fálicos, la maldición: «¡Vete al verdugo!» (Hansmann y Kriss-Rettenbeck, 1966). Estos autores citan también una observación hecha por Wagner, quien fue testigo de cómo una noche en Cagliari (Cerdeña) todas las superficies libres de las paredes fueron pintadas por alguien con falos de un metro de largo. Cuando Wagner se lo hizo notar al dueño de la casa en que vivía, diciéndole que resultaba muy poco decoroso, éste respondió que la cosa no perjudicaba a nadie, pues con ello estarían a salvo del mal de ojo.

Según Roumajon (citado por Wickler, 1969), entre los ritos de admisión de ciertas bandas juveniles parisienses se cuenta el que el nuevo haya de someterse al coito anal por parte del jefe. Algo similar se deja entrever en los ritos de iniciación de un grupo estudiantil de la universidad Cornell (USA). Los candiatos forman un círculo, dándose la cara. Detrás de cada uno de ellos se coloca

gura 112: Derecha: hermes de la antigua Grecia (tomado de Wickler, 1966); centro: demonio
stezando bajo el púlpito de la iglesia romana en Lorch (Alemania); izquierda: figura fálica en el
pitel de una columna en el claustro del convento de St. Remy (Francia). (Dibujos): H. Kacher, tomado
Eibl-Eibesfeldt, 1972 a).

un «senior». Los desnudos candidatos han de inclinarse profundamente, en el cuarto ya oscurecido, ante los «seniores», presentándo-
les la parte de atrás. Echan entonces la mano izquierda hacia atrás,
para recibir de vuelta un clavo que previamente habían untado de
vaselina y entregado a los «seniors». Pero en lugar de esto reciben
un bote de cerveza, se enciende la luz y comienza una fiesta (Tiger,
1969).

Las observaciones muestran que en diversos ritos humanos
pueden detectarse rasgos primatescos del comportamiento de dominio (monta, amenaza fálica) y del comportamiento de sumisión
(presentación del trasero), y con especial claridad también en la
figuras de guardianes antes mencionadas. Pero como el estudio de
este tema es relativamente reciente, nuestro conocimiento de las
figuras fálicas tiene todavía muchas lagunas. Por lo general conocemos sólo las figuras, rara vez el sitio en que se encontraban o su
función comprobada.

En un viaje que realicé hace poco al Japón pude coleccionar
una serie de amuletos que, según la gente, protegen y traen suerte
y que todavía se venden hoy día, por ejemplo como colgantes en

los llaveros. Pueden comprarse en determinados templos y algunos también en las tiendas, y representan (ya sea abierta u ocultamente) los órganos sexuales masculinos. Junto a ellos hay amuletos con representaciones del órgano femenino. Vamos a describir y a interpretar a continuación ambos tipos.

1.   Los amuletos fálicos

Muchos de los cultos fálicos del Japón pueden ser interpretados como ceremonias de la fertilidad. Esto reza especialmente para la anual fiesta de primavera en el santuario de Tagata-Shinto (Aichi).La parte esencial de la ceremonia consiste en llevar un gran falo de madera y otras figurillas fálicas hasta una santidad femenina en el santuario de Tagata. Cuando la procesión llega al santuario, el

Figura 113: Izquierda: figura balinesa para alejar a los demonios, vista de frente y de perfil. La figura hace también las veces de mesita para los sacrificios (según un ejemplar del autor obtenido en Bali); derecha: espantapájaros de Sanur en Bali y figura de guardián de Borneo (tomado de W. Wickler, 1966).

pueblo y los sacerdotes rezan y realizan sacrificios para obtener una buena cosecha (Numazawa, 1959).

Junto a tales ritos, que son evidentemente de la fertilidad, encontramos sin embargo prácticas fálicas mágicas, ejercidas para protegerse de la desgracia. En Japón se colocan falos en las entradas de agua de los arrozales, en la creencia de que con ello se aleja a los insectos perjudiciales (Numazawa, 1959), costumbre ésta que recuerda mucho a los «espantapájaros» fálicos de las plantaciones de arroz de Bali (Eibl-Eibesfeldt y Wickler, 1968; véase también la figura 113). Durante las fiestas de la fecundidad en Izumo y en algunos otros lugares se clavan estacas en los campos, las cuales, según Casal (1963), son «indudablemente» sustitutos de la figura del pene.

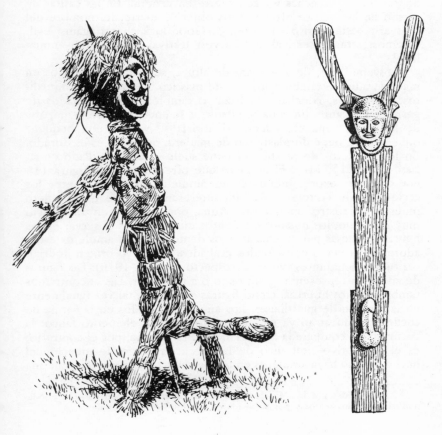

La función protectora de lo fálico entre los japoneses se desprende también de otra serie de costumbres. Así, en caso de inundaciones peligrosas a orillas del mar o en los ríos, los habitantes se colocaban en fila y se abrían los kimonos, para enseñar los órganos sexuales. Pero aquí participaban también las mujeres (véase más abajo). Cuando un niño enfermaba se solían colgar en su cuarto los calzoncillos del padre (momohiki), empapados por las emanaciones de las partes sexuales, con el fin de alejar a los malos espíritus, «pues los malos espíritus temen el puñal masculino, el pene» (Casal, 1963, pág. 76).

En el santuario de Tagata se pueden comprar amuletos masculinos y femeninos, que están considerados expresamente como amuletos protectores. Protegen de enfermedades, pobreza, accidentes, malas cosechas y traen suerte en general. En las cajitas de cartón en las que se ofrecen esos objetos, aparte del nombre del santuario, está escrito en japonés: «Good luck charm against evil, foremost strange festival and harvest festival 15th March annually» [1].

Los amuletos, de 2 a 3 cm de altura, suelen estar tallados en madera, aunque también los hay de plástico. Representan animalitos, cofrecillos, conchas, calabazas o también rostros tallados de gesto amenazante. En la parte posterior se encuentra, en la mayoría de los casos, una corredera. Al abrirla se ve, en una pequeña oquedad, un pene de plástico o de madera, que a veces es dorado. En los amuletos de plástico el pene suele estar atornillado en su base (figs. 115, 116). El amuleto que ofrecemos en la figura 115 era ofrecido expresamente como amuleto protector contra los accidentes de carretera. Resulta interesante el que ese amuleto muestre un rostro amenazante. Aúna, por lo tanto, en un espacio muy reducido, los mismos elementos que pudimos observar en las figuras balinesas para rechazar a los demonios. Los amuletos están adornados a veces con círculos grabados, por cuyo origen podrían ser ojos amenazantes (véase al respecto Koenig, 1970). Las figuras de animales representan a un osito o a un castor. Las encontramos también en los huertos, como figuras de piedra, tal vez igualmente en la función de guardianes. Los amuletos tallados en la forma de cucúrbitas muestran ya en su aspecto exterior elemento fálico; la cucúrbita es equiparada a veces al falo. La concha, por el contrario, es el sustitutivo simbólico de la vulva. Es digno de mención el hecho de que haya amuletos en forma cucúrbitas que encierran una

[1] A K. Izawa y a H. Morsbach les doy las gracias de todo corazón por la traducción de los textos y por su ayuda en la adquisición de amuletos.

Figura 114: Saimirí presentando y cinocéfalo sagrado montando guardia (según D. Ploog y colaboradores, 1963, y W. Wickler, a966).

vulva en su interior, y amuletos en forma de concha en los que se oculta un pene (figs. 117 y 118). En ambos casos se combina así lo masculino con lo femenino. De 19 amuletos coleccionados dos mostraban esa combinación. En la parte siguiente vamos a intentar una interpretación.

Para traer suerte, en los templos se venden además falos de bronce de 2,5 cm de largo. La gente los lleva consigo en carteritas o en una bolsa (fig. 119). En tiempos pasados se vendían por las calles, el día de Año Nuevo, representaciones del miembro masculino (engis) hechas de papel y barro. Por lo general iban rellenas de golosinas. Los vendedores llevaban máscaras de Okame (véase más adelante). Hoy los engi son suplantados cada vez más por el matsutake: la seta de la suerte. La seta, con su parecido al falo, los representa como símbolo (Krauss y Satow, 1965). Cosas parecidas hay en otras culturas (Wickler, 1969, fig. 120).

2. Los amuletos femeninos

Mientras que los amuletos fálicos amenazan a los malos espíritus y los alejan, los amuletos femeninos actúan siguiendo el principio del apaciguamiento, a veces en combinación con una amenaza[2]. Un amuleto femenino adquirido en el santuario de Tagata, por ejemplo, muestra una cabeza de animal, tallada en madera y con actitud amenazante. Si se abre el hocico puede verse en el paladar la representación de una vulva (fig. 121, a, b). Un llavero para el coche, comprado en una tienda en Tokio, muestra la caricatura de un diablo (¿influencia europea?); y en el reverso de la cabeza del diablo, la parte inferior del cuerpo femenino, en una pose que puede ser interpretada como un ofrecimiento sexual (fig. 122 a, b). El apaciguamiento de los espíritus se consigue aquí a través de ese ofrecimiento. Bernatzik fotografió un ademán similar en el baile de una chica de las islas Salomón (fig. 123).

---

[2] La combinación de apaciguamiento y amenaza la encontramos también en la figura balinesa destinada a alejar a los demonios. La figura muestra ciertamente gestos de amenaza y amenaza fálica, pero su parte final es una mesita de sacrificios en la que se ofrecen flores a los espíritus.

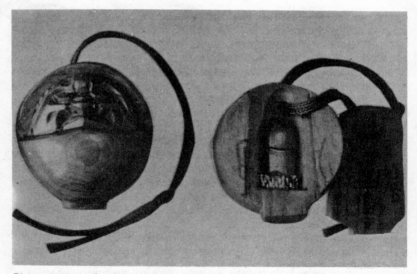

Figura 115: Amuleto japonés. Izquierda: parte anterior con rostro amenazante; derecha: parte posterior con la corredera abierta, mostrando la oquedad con el falo. Altura de la figura: 26 mm. foto autor).

Figura 116: (a) *osito fálico;* (b) *amuleto fálico con forma de recipiente. En ambos casos el falo se atornilla dentro del amuleto. Ambos amuletos muestran figuras de ojos como adorno. Altura de las figuras:* (a) *21mm,* (b) *20 mm. (foto: autor).*

Figura 117: Amuletos en forma de cucúrbita con representaciones masculina y femenina. Altura de las figuras: 42 mm. (foto: autor).

Figura 118: Amuletos en forma de conchas con representaciones masculina y femenina. Altura de las figuras: 25 mm. (foto: autor).

Figura 119: Mascota de bronce en forma de falo para el monedero. Largo 25 mm. (foto: autor).

Figura 120: Hongo de piedra (de W Wickler, 1969).

Figura 121: Amuleto en forma de cabeza de fiera. Al abrir las fauces se ve en el paladar la representación de una vulva. Longitud del amuleto: 22 mm. (foto: autor).

a

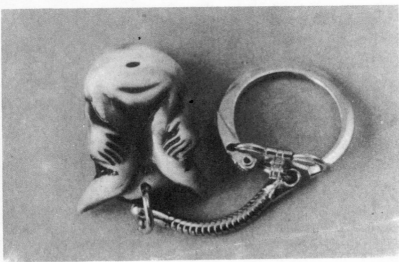

b

Figura 122: Amuleto (colgante para el llavero del coche), parte anterior: mueca amenazante de diablo. Parte posterior: vulva presentada. Los cuernos del diablo son al mismo tiempo las piernas de una mujer con las manos posadas en los muslos. El ademán indicador de las manos recuerda a ciertas posiciones exóticas de baile de los mares del Sur (fig. 123). Altura del amuleto: 32 mm. (foto: autor).

Figura 123: Chica de Owa Raha (Salomón) bailando (según una foto de H. Bernatzik).

Ya dijimos antes que las japonesas enseñan sus vergüenzas cuando hay temporales o inundaciones. La llamada 'fica' (puño con el pulgar asomando entre el índice y el corazón) es un símbolo de la vulva y es también usual en Japón como signo protector.

Como gesto de sumisión, y derivado como ademán de saludo, conocemos la presentación femenina en muchos monos. También los machos les muestran el trasero a los de rango superior en señal de apaciguamiento, como si fueran hembras, y el efecto apaciguante se redobla además entre los cinocéfalos sagrados por el hecho de que también los machos muestran hinchazones coloradas en las nalgas, evidentemente como imitación de las señales femeninas (Wickler, 1967). Habría que investigar si el acto de enseñar el trasero en el hombre tiene aquí una de sus raíces, comprobable todavía en cierta manera como viejo ademán de presentación. La mujer fulbe saluda dándole la espalda al compañero de saludo y haciendo una honda reverencia (Lang, 1926). En la vieja Germania, cuando había tormenta, asomaban las mujeres las desnudas nalgas por la puerta; y todavía hoy en día pueden verse nalgas desnudas, labradas en piedra en las viejas puertas de ciudades y castillos (Wickler, 1969).

Los amuletos femeninos están hechos con frecuencia exteriormente según el principio de los amuletos fálicos, por ejemplo

Figura 124: Amuleto con «apoyo del aguzanieves» y vulva. Largo del amuleto: 30 mm. (foto: autor).

como figurillas de animales, rostros tallados y conchas. Al abrir una corredera se hace visible la vulva. Un amuleto muestra el sekirei-dai —apoyo del aguzanieves—, un cojín que las mujeres se ponen debajo de las nalgas durante el coito y que se mueve de abajo arriba cuando cambia de postura la parte inferior del cuerpo (fig. 124). Aquí se le ofrece amistosamente a los espíritus un aparato adicional. La máscara de Okame se encuentra muy difundida. Esa diosa de la satisfacción muestra un rostro sonriente, de carrillos muy gordos y naricilla respingona (fig. 125). Según la opinión de Krauss y Satow (1965) se trata de las «caderas» de una mujer vistas desde atrás, y aquí Krauss utiliza la palabra «caderas» como eufemismo en vez de trasero. «Filológicamente Okame se asocia directamente a okama, pues okama equivalé a shiri, es decir: nalgas (Krauss, 1965, pág. 26). Las máscaras Okama son vendidas también como colgantes para llaveros de coche. Están configuradas a veces en forma de campanitas. En la parte posterior de los amuletos de Okame se encuentra a veces una ventanilla redonda y transparente, señalada a cada lado por cinco rayitas (fig. 125 b). Miradas sin fijarse mucho, podrían pasar por ramificaciones de un peinado, pese a que no se puede entrever una relación real con los cabellos de la Okame. Si se compara la figura 125 con la 122 b, podrán interpretarse entonces también las rayas de la parte posterior de la máscara Okame como dedos indicadores fuertemente ritualizados, aunque sólo sea porque las «yemas de los dedos» están teñidas de un color oscuro.

Discusión

En el trato con los espíritus muestra el hombre, con gran frecuencia, rasgos arcaicos de comportamiento, que en gran parte ha eliminado ya de su vida cotidiana. La vida religiosa y mágica se muestra completamente conservadora, y de aquí que precisamente el estudio de esos ritos sea realmente instructivo para el etólogo que siga una orientación biológica. Las sorprendentes semejanzas — como en el caso de las figuras fálicas, por ejemplo— en las diversas culturas indican una herencia filogenética común, que hasta compartimos probablemente con algunos otros primates. Todavía queda por aclarar si esa herencia, como mecanismo desencadenador innato, determina nuestra percepción de tal forma que tendemos en todas partes a crear en principio lo mismo para determinados fines. En las esferas motora e impulsora el comportamiento ha tenido que sufrir una rudimentación, puesto que,

a

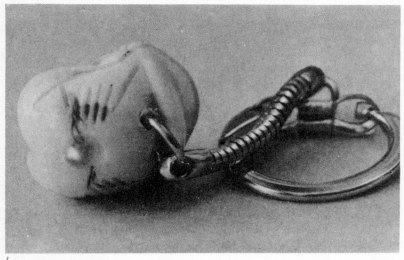

b

Figura 125: Colgante para el llavero del coche. Parte anterior: máscara Okame. Parte posterior con una abertura hacia la que señalan las manos fuertemente estilizadas. Es probable que se trate de un ademán de indicación fuertemente estilizado, comparable al de la figura 122. Altura del amuleto: 26 mm. (foto: autor).

como indicamos en la introducción, sólo se presenta muy raras veces como amenaza directa de monta. La investigación cultural-comparativa de las costumbres religiosas y mágicas, según los puntos de vista biológicos aquí expuestos, se encuentra sólo en sus comienzos. Los amuletos japoneses muestran de qué manera se conservan en la vida moderna los patrones arcaicos de comportamiento. Como la superstición es tenaz, los llaveros para coches de los tipos masculinos y femeninos habrán de seguir todavía mucho tiempo en el mercado. En Bali vi cómo se perfilaba otro desarrollo. Allí están cayendo lentamente en desuso las figuras para rechazar a los demonios. Pero hoy día están encontrando óptima salida entre los turistas, aunque en un formato mucho más manejable: siguen tallándose según el viejo patrón, sólo que, visiblemente, con un cuidado mucho menor. Ignoro si en el Japón se está dando algo semejante.

Los amuletos japoneses tienen exacta contrapartida en el ámbito cultural europeo. Hay amuletos protectores fálicos, y también el efecto protector de la presentación sexual femenina tiene su contrapartida en el ámbito europeo. Muchas de las figuras y amuletos femeninos del arte medieval europeo muestran posturas en las que se enseña la vulva (Hansmann y Krissrettenbeck, 1966). Tales actitudes de presentación sexual han de ser diferenciadas de la «amenaza anal».

Epílogo

A veces se designa al hombre como la «criatura reductora de instintos». Esto es cierto, evidentemente, si con ello se quiere expresar la relación entre lo transmitido culturalmente y lo innato. Pero es falso, probablemente, si se toma de manera absoluta y se piensa que el hombre trae consigo, en la esfera del comportamiento, menos adaptaciones filogenéticas que otros mamíferos superiores. Todo lo contrario; piénsese, por ejemplo, en aquellas adaptaciones filogenéticas que son la premisa de nuestro aprendizaje del idioma. No cabe duda de que es anticientífico y superficial el despreciar la importancia de lo innato en el comportamiento humano, como hace ocasionalmente algún investigador. En qué medida preprograman las adaptaciones filogenéticas el comportamiento humano es algo que nadie sabe (la ideología del determinismo cultural ha estado bloqueando precisamente hasta hace poco la investigación de las bases innatas del comportamiento humano). Sin embargo, gracias a las investigaciones etológicas de los últimos años, sabemos que las adaptaciones filogenéticas determinan de manera decisiva sobre todo el comportamiento social humano (Eibl-Eibesfeldt, 1970 a, 1972 a). En los últimos capítulos hemos señalado de qué manera diferenciada codeterminan también la configuración cultural del hombre. Si queremos comprender el comportamiento humano y dirigirlo en conformidad, hemos de plantear los problemas principales de la etología según la función, los estímulos desencadenadores, los factores motivacionales, el desarrollo juvenil y la filogenia. Pero las ciencias humanas descuidan demasiado a menudo precisamente el aspecto funcional y filogenético. La opinión que surgió de ese doctrinarismo de que el hombre sólo es programado por el aprendizaje es falsa, tan falsa como si se afirmase que el hombre está totalmente preprogramado. Pero ningún biólogo ha defendido nunca un punto de vista tan extremista.

En esta investigación hemos destacado también repetidas veces que el hombre es una criatura cultural por naturaleza. Prosigue su evolución en el ámbito cultural y se encuentra en condiciones, gracias a las adaptaciones culturales, de adaptarse rápidamente a las cambiantes condiciones del medio. Pero para ello trae consigo también toda una serie de adaptaciones filogenéticas que lo preprograman en cierta medida como criatura cultural; en la curiosidad, por ejemplo, tiene un impulso propio que le lleva a buscar por sí mismo nuevas situaciones para aprender de ellas. Por eso se le llama también, siguiendo a A. Gehlen, una criatura curiosa (Gehlen, 1969; Eibl-Eibesfeldt, 1972 a; Hass, 1969). Está preprogramado además para recibir informaciones de sus congéneres, tal como muestran, entre otros, el comportamiento interrogativo del niño pequeño (véase pág. 82) y el aprendizaje según el ejemplo social.

Habría que investigar si la virtud del autodominio no tiene también una base innata. Evidentemente es universal, y la cultura se basa en el autodominio. Presupone, como especial capacidad, el que el hombre pueda independizar también su comportamiento de sus impulsiones (Gehlen, 1969). Esa capacidad para distanciarse, que sólo hace posible la reflexión, es la auténtica raíz de la libertad humana. Los primeros indicios de ello los encontramos en el juego animal (Eibl-Eibesfeldt, 1972 a). La capacidad de distanciamiento en el hombre aumenta con su conocimiento de las causas de su comportamiento. En este sentido, el conocimiento de sí mismo contribuye a la libertad del hombre. La biología ve aquí su contribución fundamental.

BIBLIOGRAFIA

AHRENS, R. (1953): «Beitrag zur Entwicklung des Physiognomie - und Mimiker-kennens», *Z. exp. angew. Psychol.*, 2, 412-454, 599-633.

ANDREE, R. (1878): *Ethnographische Parallelen und Vergleiche*, Stuttgart.

ARDREY, (1966): *The Territorial Imperative*. Nueva York (Atheneum).

BALL, W. Y TRONICK, F. (1971): «Infant Responses to Impending Collision: Optical and Real». *Science*, vol. 171, N.º 3.973, 818-820.

BANDURA, A. y WALTHERS, R. H. (1963): *Social Learning and Personality Development*. Nueva York (Holt, Rinehart and Winston).

BASEDOW, H. (1906): Anthropological Notes on the Western Coastal Tribes of the Northern Territory of South Australia», *Trans. Roy. Soc. South Australia*, 31, 1-62.

BENEDICT, R. (1955): *Urformen der Kultur*. Hamburgo (Rowohlt).

BERKOWITZ, L. (1962): *Aggression. A Social-Psychological Analysis*. Nueva York-Londres (McGraw-Hill).

— y CORWIN, R. y HEIRONIMUS, M. (1963): «Film Violence and Subsequent Aggressive Tendencies». *Public Opinion Quarterly*, 27, 217-229.

BERNATZIK, H. (1944): *Südsee*. 5.ª edición, Viena (Schroll).

— (1947): *Akha und Meau*, tomo 1. Innsbruck (Wagnersche Univ. Druckerei).

BETTELHEIM, B. (1971): *Kinder der Zukunft*. Viena (Molden).

BIGELOW, R. (1970): *The Dawn Warriors: Man's Evolution Toward Peace*. Londres (Hutchinson).

— (1972): «Relevance of Ethology to Human Aggressiveness». *Int. Soc. Sci. J.* Año 23. 18-26.

BIOCCA, E. (1966): *Viaggi tragli Indi Alto Rio Negro-Alto Orinoco*. 4 tomos, Roma (Consiglio Nazionales delle Ricerche).

— (1969): *Mondo Yanaoma*. Bari (De Donato).

— (1970): *Yanoama: The Narrative of a White Girl Kidnapped by Amazonian Indians*. Nueva York (E. P. Dutton).

BISCHOF, N. (1972 a): «The Biological Foundations of the Incest Taboo». *Soc. Sci. Inform.*, 11, 7-36.

— (1972 b): *Inzuchtbarrieren in Säugetiersozietäten*. HOMO, 23, 330-351.

BLURTON-JONES, E. (1972): *Ethological Studies of Child Behaviour*. Cambridge (Univ. Press).

— (1972): *Ethological Studies of Child Behaviour*. Cambridge (Univ. Press).

BOAS, F. (1895, reedición 1970): *The Social Organization and the Secret Societies of the Kwakiutl Indians*. Nueva York (Johnson's Reprint Corp.).

BOWER, T. G. (1971 a): «Slant Perception and Shape Constancy in Infants». *Science*, 151, 832-834.

— (1971 b): «The Object in the World of the Infant». *Sci. Am.*, 225 (4), 30-39.

BOWLBY, J. (1969): *Attachment and Loss*. Vol. I. «Attachment». The Int. Psycho-Analytical Library, 79, Londres (Hogarth Press).

BRIGGS, J. L. (1970): *Never in Anger* Cambridge, Mass. (Harvard Univ. Press).

BROWNLEE, F. (1943): «The Social Organization of the ¡Kung-Bushmen of the North-Western Kalahari». *Africa*, 14, 124-129.

BULLOCK, T. H. y HORRIDGE, G. A. (1965): *Structure and Function in the Nervous System of Invertebrates*. I y II. San Francisco (W. H. Freeman).

CALLAN, H. (1970): *Ethology and Society*. Oxford Monographs on Social Anthropology. Londres (Oxford Univ. Press).

CASAL, U. A. (1963): *Der Phalluskult im alten Japan*. Mitt. Deutsch. Ges. Natur- u. Völkerk. Ostasiens, 44, 72-94.

CHAGNON, N. (1968): *Yanomamö, The Fierce People*. Nueva York (Holt, Rinehart and Winston).

COCCO, L. (1972): *Iyëweiteri, Quince años entre los Yanomamos*. Escuela Técnica Popular Don Bosco, Boleita, Caracas.

COVARUBIAS, M. (1965): *Island of Bali*. Nueva York (A. Knopf).

DEAG, J. M. y CROOK, J. H. (1971): «Social Behaviour and 'Agonistic Buffering' in the Wild Barbary Macaque Macaca sylvana». *Folia primat.*, 15, 183-200.

DENKER, R. (1966): *Aufklärung über Aggression*. Kant, Darwin, Freud, Lorenz. Stuttgart (Kohlhammer).

DeVORE, I. (1965): *Primate Behaviour*. Holt, Rinehart y Winston, Nueva York.

DOLLARD, J., DOOB, L., MILLER, N. y SEARS, R. (1939): *Frustration and Aggression*. New Haven (Yale Univ. Press).

DORNAN, S. S. (1925): *Pygmies and Bushmen of the Kalahari*. Londres, Seeley, Service and Co.

EATON, J. W. y WEIL, R. J. (1955): *Culture and Mental Disorders*. Glencoe.

EIBL-EIBESFELDT, I. (1955): «Der Kommentkampf der Meerechse (Amblyrhynchus cristatus BELL) nebst einigen Notizen zur Biologie dieser Art. *Z. Tierpsychol.*, 12, 49-62. Gotinga (véase también Wiss. Film Encycl. Cinematogr. E 591. Publ. wiss. Film 1964).

— (1964): *Im Reich der tausend Atolle*. Múnich (Piper).

— (1965): *Nannopterum harrisi (Phalacrocoracidae) —Brutablösung*. Gotinga (Encycl. Cinematogr. E 596. Publ. wiss. Film. 1 A, 303-306).

— (1970 a): *Liebe und Haß. Zur Naturgeschichte elementarer Verhaltensweisen.* Múnich *(Piper)*.

— (1970 b): *Fregata minor (Fregatidae)* —*Balz.* Gotinga (Encycl. Cinematogr. E 594 Publ wiss. Film).

— (1971 a): «Eine ethologische Interpretation des Palmfruchtfestes der Waika-Indianer (Yanoama) nebst einigen Bemerkungen über die bindende Funktion von Zwiegesprächen. En: *Anthropos,* 66, (3/4), 767-778.

— (1971 b): «Das Humanethologische Filmarchiv der Max-Planck-Gesellschaft. *Homo,* 22, 252-256.

— (1971 c): «Allgemeine Vorbemerkungen zu den Buschmannfilmen des Humanethologischen Filmarchivs. *Homo,* 22, 256-260.

— (1971 d): «!Ko-Buschleute (Kalahari) - Schamweisen und Spotten. *Homo,* 22, 261-266.

— (1971 e): «!Ko-Buschleute (Kalahari) —Aggressives Verhalten von Kindern im vorpubertären Alter, T. I y II. *Homo,* 22, 267-278.

— (1972 a): *Grundriß der vergleichenden Verhaltensforschung.* 3.ª edic. Múnich (Piper).

— (1972 b): «Die !Ko-Buschmanngesellschaft, Gruppenbindung und Aggressionskontrolle. *Monographien zur Humanethologie,* 1. Múnich (Piper).

— (1972 c): «!Ko-Buschleute (Kalahari) —Frauen mit Säuglingen. Liebkosen und Spielen I und II. *Homo,* 23, 285-291.

— (1973): «The Expressive Behaviour of the Deaf and Blind Born». En: M. v. CRANACH y I. VINE (editores): *Nonverbal Behavior and Expressive Movements.* Londres (Academic Press).

— (en impresión): H F 41 *!Kung-Buschleute (Kungveld) —Geschwister-Rivalität.*

— y H. HASS (1967): «Neue Wege der Humanethologie». *Homo,* 18, 13-23.

— y W. WICKLER (1968): «Die ethologische Deutung einiger Wächterfiguren auf Bali». *Z. Tierpsychol.,* 25, 719-726.

EKMAN, P. (1971): *Emotions in the Human Face.* Nueva York (Pergamon).

EKMAN, P y FRIESEN, W. (1971): «Constants across Cultures in the Face and Emotions». *Journal of Personality and Soc. Structure,* 17, 124-129.

ELEFTHERIOU, B. E. y SCOTT, J. P. (1971): *The Phisiology of Aggression and Defeat.* Nueva York (Plenum Press).

ERIKSON, E. H. (1953): *Wachstum und Krisen der gesunden Persönlichkeit.* Stuttgart (Klett).

ESSER, A. H. (1970): «Interactional Hierarchy and Power Structure on a Psychiatric Ward». En: HUTT, S. J. y HUTT, C. (editores): *Behavior Studies in Psychiatry.* Oxford/Nueva York (Pergamon Press), 25-59.

FELIPE, N. J. y SOMMER, R. (1966): «Invasions of Personal Space». *Social Problems,* 14, 206-214.

FESHBACH, S. (1961): «The Stimulating Versus Cathartic Affects of a Vicarious Aggressive Activity». *J. Abnorm. Soc. Psychol.,* 63, 381-385.

— y SINGER, R. (1971): *Television and Aggression.* San Francisco (Jossey-Bass Publ.).

FREEDMAN, D. G. (1964): «Smiling in Blind Infants and the Issue of Innate vs. Acquired. *J. Child Psychol. Psychiatr.,* 5 111-184

— (1965): Hereditary Control of Early Social Behavior, Determinants of Infant Behavior III». En: *Determinants of Infant Behavior* (B. M. Foss ed.). Londres (Methuen).

FREUD, S.: *Gesammelte Werke*, 18 tomos, Londres, 1950.

GEHLEN, A. (1940): *Der Mensch, seine Natur und seine Stellung in der Welt*. Berlín.

— (1969): *Moral und Hypermoral, eine pluralistische Ethik*. Francfort (Athenäum).

GIBSS, F. A. (1951): «Ictal and Non-ictal Psychiatric Disorders in Temporal Lobe Epilepsy». *J. Nerv. Ment. Dis.*, 113, 522-528.

HALL, E. T. (1966): *The Hidden Dimension*. Nueva York (Doubleday).

HAMBURG, D. A. (1971): *Psychobiological Studies of Aggressive Behavior*. Nature, 230, 19-23.

HANSMANN, L. y KRISS-RETTENBECK, L. (1966): *Amulett und Talisman*. Múnich.

HASS, H. (1968): *Wir Menschen. Das Geheimnis unseres Verhaltens*. Viena (Molden).

HASSENSTEIN, B. (1973): *Verhaltensbiologie des Kindes*. Piper, Múnich.

HEINZ, H. J. (1966): *The Social Organization of the !Ko-Bushmen*. Johannesburg (Univ. of S. Africa).

— (1967): «Conflicts, Tensions and Release of Tensions in a Bushmen Society». *Isma Papers*, 23, Inst. for the Study of Man in Africa.

— (1972): «Territoriality among the Bushmen in General and the !Ko in Particular». *Anthropos*, 67, 405-416.

HELMUTH, H. (1967): Zum Verhalten des Menschen: Die Aggression. *Z. Ethnol.*, 92, 265-273.

HÖRMANN, L. v. (1905): «Der tirolisch-vorarlbergische Weinbau». *Z. Deutsch u. Österr. Alpenver.* XXXVI.

HOKANSON, J. E. y SHETLER, S. (1961): «The Effect of Overt Aggression on Physiological Tension Level». *J. Abnorm. Soc. Psychol.*, 63, 446-448.

HOLST, E. v. (1969): *Zur Verhaltensphysiologie bei Tieren und Menschen II*. Múnich (Piper).

— y SAINT PAUL, U. v. (1960): «Vom Wirkungsgefüge der Triebe». *Die Naturwiss.*, 18, 409-422.

HOWITT, A. W. (1904): *The Native Tribes of Southeast Australia*. Londres/Nueva York.

JOLLY, A. (1972): *The Evolution of Primate Behavior*. Nueva York (MacMillan).

JONES, I. H. (1971): «Stereotyped Aggression in a Group of Australian Western Desert Aborigines». *Brit. J. Med. Psychol.*

JOUVET, M. (1972): «Le Discours Biologique». *La Revue de Médecine*, 16-17, 1.003-1.063.

KLEINPAUL, R. (1888): *Sprache ohne Worte*. Leipzig (W. Friedrich).

KNEUTGEN, (1970): «Eine Musikform un ihre biologische Funktion. Über die Wirkungsweise der Wiegenlieder. *Z. f. experim. und angew. Psychol.*, 17, 245-265.

KOEHLER, O. (1954): «Das Lächeln als angeborene Ausdrucksbewegung». *Z. Menschl. Vererb.— und Konstitutionslehre*, 32, 330-334.

KOENIG, O. (1970): Kultur und Verhaltensforschung. Múnich. (Oltv).

KÖNIG, H. (1925: «Der Rechtsbruch und sein Ausgleich bei den Eskimos. *Anthropos.* 20, 276-315.

KOHL-LARSEN, L. (1958): *Wildbeuter in Ostafrika: die Tindiga, ein Jäger- und Sammlervolk*. Berlín (Reimer).

KORTLANDT., A. (1972): «New Perspectives on Ape and Human Evolution». *Stichting voor Psychobiologie*. Zool. Lab. Amsterdam.

KOSINSKI, J. (1966): *The Painted Bird*. Nueva York.

KOTZEBUE, O. V. (1925): *Entdeckungsreise in die Südsee und nach der Beringstraße zur Erforschung einer nordöstlichen Durchfahrt*. Emprendido en los años 1815-1818, 2 tomos. Viena (Kaulfuß und Kramer).

KRAUSS, F. S. y SATOW, T. (1965): *Das Geschlechtsleben des japanischen Volkes*. Hanau/Main.

KRUIJT, J. (1964): «Ontogeny of Social Behavior in Burmese Red Jungle Fowl (Gallus gallus spadeceus)». *Beha. Suppl.*, 12.

— (1971): «Early Experience and the Development of Social Behavior in Jungle Fowl. *Psychiatr. Neurol. Neurochir.*, 74, 7-20.

KUNZ, H. (1946): *Aggressivität und Zärtlichkeit*.

KUO, Z. Y. (1960/61): «Studies on the Basic Factors in Animal Fighting. *J. Genet. Psychol.*, 96, 201-239; 97, 181-209.

LACK, D. (1943): *The life of the Robin*. Cambridge (Univ. Press).

LAGERSPETZ, K. (1969): «Aggression and Aggressiveness in Laboratory Mice». En: GARATTINI, S. y SIGG, E. B. (eds.): *Aggressive Behavior*. Amsterdam (Excerpta Medica Found.), 77-85.

LANG, K. (1926): «Die Grußsitten». Viena. *Völkerkunde*, 2, 187-205.

LAWICK-GOODALL, J. v. (1967): «My Friends the Wild Chimpanzees». *Nat. Geographic Soc.*, Washington.

LAWLER, L. B. (1962): «Terpsichore. The Story of the Dance in Ancient Greece». *Dance Perspectives*, 13. Nueva York (Johnson's Reprint Corp.)

LEBZELTER, V. (1934): *Eingeborenenkulturen von Süd- und Südwestafrika*. Leipzig (Hiersemann).

LEE, R. B. (1968): «What Hunters do for a Living». En: LEE, R. B. y DeVORE, I. (eds.): *Man the Hunter*. Chicago (Aldine Publishing Comp.), 30-48.

LE MAGNEN. J. (1952): «Les Phénomenes olfacto-sexuels chez l'homme. *Arch. Sci. Psychol.*, 6, 125-160.

LEPENUES, W. y NOLTE, H. (1971): *Kritik der Anthropologie*. Múnich (Hanser).

LERSCH, Ph. (1951): *Gesicht und Seele, Múnich*.

LIVINGSTONE, F. B. (1971): «Auswirkungen des Krieges auf die Biologie der Species Mensch». En FRIED, M., HARRIS, M. y MURPHY, R. (eds.): *Der Krieg, zur Anthropologie der Aggression und des bewaffneten Konflikts*. Conditia Humana. Francfort del Meno (S. Fischer).

LORENZ, K. (1943): «Die angeborenen Formen möglicher Erfahrung». *Z. Tierpsychol.*, 5, 235-409.

— (1950) «Ganzheit und Teil in der tierischen und menschlichen Gemeinschaft.» *Studium Generale*, 3, 455-499.

— (1961): «Phylogenetische Anpassung und adaptive Modifikation des Verhaltens. *Z. Tierpsychol.*, 18, 139-187.

— (1963 a): *Das sogenannte Böse*. Viena (Borotha-Schoeler).

-- (1963 b): «Die 'Erfindung' von Flugmaschinen in der Evolution der Wirbeltiere. *Therap. d. Monats*. 13, Mannheim (Boehringer), 138-148.

— (1969): «Innate Basis of Learning». En PRIBRAM, H. (ed.): *On the Biology of Learning*. Nueva York (Harcourt, Brace and World).

—. (1970): «The Enmity between Generations and its Probable Ethological Causes». *Studium Generale*, 23, 963-997.

LUMSDEN, M. (1970): «The Instinct of Aggression: Science of Ideology? *Futurum,*
    Z. f. Zukunftsforschung, 3, 408-419.
MARK, V. H. y ERVIN, F. K. (1970): *Violence and the Brain.* Nueva York (Harper
    and Row).
MARSHALL, L. (1961): «Sharing, Talking and Giving. Relief of Social Tensions
    among !Kung-Bushmen». *Africa,* 31, 231-249.
— (1965): «The !Kung-Bushmen of the Kalahari Desert». En: GIBBS, J. L. (ed.):
    Peoples of Africa. Nueva York (Holt, Rinehart and Winston).
McGREW, W. C. (1972): *An Ethological Study of Children's Behavior.* Nueva York
    (Academic Press).
MEGITT, M. J. (1962): *Desert People.* Sidney (Angus and Robertson).
MILGRAM, St. (1966): «Einige Bedingungen von Autoritätsgehorsam und seiner
    Verweigerung». *Z. Exp. u. angew. Psychol.,* 13, 433-463.
MONTAGU, A. (1968): *Man and Aggression,* Nueva York (Oxford Univ. Press).
MOUNTFORD, C. P. (1968): *Winbaraku and the Myth of Parapiri.* Adelaide (Rigby).
MOYER, K. E. (1968-69): «Interna Impulses to Aggression». *Trans. of the New
    York Academy of Sciences,* Series II, 31, 104-114.
— (1971 a): «Experimentale Grundlagen eines physiologischen Modells aggressiven
    Verhaltens». En: SCHMIDT-MUMMENDY, A. y SCHMIDT, H. D. (eds.): *Aggressives
    Verhalten.* Múnich (Juventa).
— (1971 b): *The Physiology of Aggression.* Chicago (Markham Press).
MYKYTOWICZ, R. (1966): «Observations on Odoriferous and other Glands in the
    Australian Wild Rabbit, Oryctolagus cuniculus L. and the Hare, Lepus euro-
    paeus», *CSIRO Wildlife Res. (Canberra),* 11, 11-29, 49-64, 65-90.
NEVERMANN, H. (1941): *Ein Besuch bei Steinzeitmenschen.* Kosmosbändchen, Stutt-
    gart (Franckh).
NOBLE, G. K. y BRADLEY, H. T. (1933): «The Mating Behavior of Lizards». *Nat.
    Hist.,* 34, 1-15.
NUMAZAWA, K. (1959): «The Fertility Festival at Tagata Shinto Shrine. Aichi
    Prefectur, Japan. *Acta Tropica,* 16, 193-217.
OHM, Th. (1948): *Die Gebetsgebärden der Völker.* Leiden (Brill).
PALLUCK, R. J. y ESSER, A. H. (1971 a): «Controlled Experimental Modification of
    Aggressive Behavior in Territories of Severely Retarded Boys». *Am. J. of
    Mental Deficiency,* 76, 23-29.
— (1971 b): Territorial Behavior as an Indicator of Changes in Clinical Behavioral
    Conditions of Severely Retarded Boys. *Am. J. of Mental Deficiency,* 76, 284-290.
PASSARGE, S. (1907): *Die Buschmänner der Kalahari.* Berlín (Reimer).
PETERSON, N. (1971): «Buluwandi: A Central Australian Ceremony for the Resolu-
    tion of Conflict». En: BERNDT, R. M. (ed.): *Australian Aboriginal Anthropology.*
    Univ. Western Australia Press, 200-215.
— (1972): «Totemism Yesterday: Sentiment and Local Organization among the
    Australian Aborigines. *Man,* 7, 12-32.
PLACK, A. (1968) *Die Gesellschaft und das Böse.* 2.ª ed. Múnich (List).
PLOOG, D. W. (1964): «Verhaltensforschung und Psychiatrie». En GRUHLE, H. W.,
    JUNG, R., MAYER-GROSS, W. y MÜLLER, M. (eds.): *Psychiatrie der Gegenwart I.*
    Berlín (Springer), 291-443.

— y BLITZ, J. y PLOOG, F. (1963): «Studies on Social and Sexual Behavior of the Squirrel Monkey (Saimiri sciureus)». *Fol. Primat.*, 29-66.

RASA, O. A. E. (1969): «The Effect of Pair Isolation on Reproductive Success in Etroplus maculatus (Cichlidae)».*Z. Tierpsychol.*,26, 846-852.

— (1971): «Appetence for Aggression in Juvenile Damsel Fish». *Beiheft 7 zur Z. Tierpsychol.*, Berlín (Parey).

RATTNER, J. (1970): *Aggression und menschliche Natur.* Olten–Suiza (Walter).

REYNOLDS, V. (1966): «Open Groups in Human Evolution». *Man*, 1, 441-452.

ROEDER, K. D. (1955): «Spontaneous Activity and Behavior». *Sci. Month.* Wash., 80, 362-370.

ROGERS, E. S. (1969): «Band Organization among the Indians of the Eastern Subartic Canada». *Nat. Mus. Canada Bull.* 288, *Anthropol. Ser.*, 84, 21-55.

ROPER, M. K. (1969): «A Survey of Evidence for Intrahuman Killing in the Pleistocene». *Current Anthropol.*, 10, 427-459.

SAHLINS, M. D. (1960): «The Origin of Society». *Sci. Am.*, 204, 76-87.

SAUER, F. (1954): «Die Entwicklung der Lautäußerungen vom Ei ab schallficht gehaltener Dorngrasmücken (Sylvia c. Communis Lathm). *Z. Tierpsychol.*, 11, 1-93.

SBRZESNY, H. (en preparación): *Die Spiele der Buschleute unter besonderer Berücksichtigung ihrer sozialen Funktion.*

SCHALLER, G. B. (1963): *The Mountain Gorilla.* Chicago (Univ. Press).

SCHENKEL, R. (1966): «Zum Problem der Territorialität und des Markierens bei Säugern —am Beispiel des Schwarzen Nashorns und des Löwen». *Z. Tierpsychol.*, 23, 593-626.

SCHJELDERUP, H. (1963): *Einführung in die Psychologie.* Berna (Huber).

SCHJELDERUP-EBBE, Th. (1922): «Beiträge zur Sozialpsychologie des Haushuhns». *Z. Psychol.*, 88, 225-252.

SCHMIDBAUER, W. (1971): «Methodenprobleme der Humanethologie». *Studium Generale*, 24, 462-522.

— (1971 b): «Zur Anthropologie der Aggression». *Dynam. Psychiatrie*, 4, 36-50.

— (1972): *Die sogenannte Aggression.* Hamburgo (Hoffmann und Campe).

SCHMIDT-MUMMENDY, A. y SCHMIDT, H. D. (1971): *Aggressives Verhalten.* Múnich (Juventa).

SCHRAMM, H. E. (1967): *Lmia. Des Ritters Götz von Berlichingen denkwürdige Fensterrede.* Gerlingen–Württ. (Koerner).

SCHULTZE-WESTRUM, Th. (1968): «Ergebnisse einer zoologisch-völkerkundlichen Expedition zu den Papuas». *Umschau*, 68, 295-300.

SCHUSTER, M. (1962): «Waika-Südamerika (Venezuela): Palmfruchtfest». *Encycl. Cinematogr.* Göttingen, E 178.

SCOTT, J. P. (1960): *Aggression.* Chicago (Univ. Press).

SELG, H. (1971): *Zur Aggression verdammt?* Stuttgart (Kohlhammer).

SHEPHER, J. (1971): «Mate Selection Among Second Generation Kibbutz Adolescents and Adults: Incest Avoidance and Negative Imprinting». *Archives of Sexual Behav.*, 4, 293-307.

SIMPSON, C. (1963): *Plumes and Arrows.* Inside New-Guinea. Londres–Sydney (Angus and Robertson).

SKINNER, B. F. (1971): *Beyond Freedom and Dignity.* Nueva York (A. Knopf).

SORENSON, E. R. y GAJDUSEK, D. C. (1966): The Study of Child Behavior and Development in primitive cultures. *Pedriatrics (Suppl.)*, 37, 149-243.

SPENCER, B. y GILLEN, F. J. (1904): *The Northern Tribes of Central Australia*. Londres/Nueva York (Academic Press).

SPITZ, R.A. (1968): «Die anaklitische Depression». En BITTNER, G.y SCHMID-CORDS, E. (eds.): *Erziehung in früher Kindheit*. Múnich (Piper).

STEINER, J. E. y HORNER, R. (1972): «The human gustofacial response». *Israel J. Med. Sci.*, 8 (4).

STEINVORTH de GOETZ, I. (1970): *Uriji jami! Die Waika-Indianer in den Urwäldern des Oberen Orinoko*. Caracas (Asociación Cultural Humboldt).

STREHLOW, T. G. (1970): «Geography and Totemic Landscape in Central Australia. A Functional Study». En: BERNDT, R. M. (ed.): *Australian Aboriginal Anthropology*. Univ. Western Australia Press, 92-140.

SWEET, W. H., ERVIN, y MARK, V. H. (1969): «The Relationship of Violent Behavior to Focal Cerebral Disease». En: GARATTINI, S. y SIGG, E. B. (eds): *Aggressive Behavior*. Amsterdam (Excerpta Medica Found), 77-85.

SZONDI, L. (1969): *Gestalten des Bösen*. Berna (Huber).

TELLEGEN, A., Horn, J. M. y ROSS, G. (1969): «Opportunity for Aggression as Reinforcer in Mice». *Psych. Sci.*, 14, 104-105.

— y HORN, J. M. (1972): «Primary Aggressive Motivation in Three Inbred Strains of Mice». *J. Comp. and Physiol. Psychol.*, 2, 297-304.

THOMPSON, J. (1941): «Development of Facial Expression of Emotion in Blind and Seeing Children». *Arch. Psychol.*, Nueva York, 264, 1-47.

TIGER, L. (1969): *Man in Groups. Nueva York*.

TINBERGEN, N. (1951): *Instinktlehre*. Berlín (Parey).

— (1959): «Einige Gedanken über 'Beschwichtigungsgebärden'. *Z. Tierpsychol.*, 16, 651-665.

TINBERGEN, E. A. y TINBERGEN, N. (1972): «Early Chilhood Autism - an Ethological Approach». *Fortschritte der Verhaltensforschung. Beiheft z. Z. Tierpsychol.*, 10.

TOBIAS, Ph. v. (1964): «Bushmen, Hunters, Gatherers. A Study in Human Ecology». En: DAVIS, D. H. S. (ed.): *Ecological Studies in Southern Africa*. Chicago (Aldine Publishing Comp.).

VALLOIS, H. V. (1961): «The Social Life of Early Man: The Evidence of Skeletons. En: WASHBURN, S. L. (ed.): *Social Life of Early Man*. Chicago (Aldine Publishing Comp.).

VEDDER, H. (1952/53): «Über die Vorgeschichte der Völkerschaften von Südwestafrika. *J. South West Africa Sc. Soc.*, 9, 45-46.

VICEDOM, G. F. y TISCHNER, H. (1943/48): «Die Mbowamb, Band 1. Die Kultur der Hagenbergstämme». En: *Monographien zur Völkerkunde*, 1, Hamburgo.

WALTHER, F. R. (1966): *Mit Horn und Huf*. Berlín (Parey).

WARNER, W. L. (1958): *A Black Civilization*. Nueva York (Harper and Row).

WEIDKUHN, P. (1968/69): «Agressivität und Normativität. Über die Vermittlerrolle der Religion zwischen Herrschaft und Freiheit. Ansätze zu einer kulturanthropologischen Theorie der sozialen Norm». *Anthropol.*, 63/64, 361-394.

WICKLER, W. (1965): «Über den taxonomischen Wert homologer Verhaltensmerkmale». *Die Naturwiss.*, 52, 441-444.

— (1966): «Ursprung und biologische Deutung des Genitalpräsentierens männlicher Primaten». Z. Tierpsychol., 422-437.

— (1967 a): «Socio-sexual Signals and their Intraspecific Imitation among Primates». En: MORRIS, D. (ed): Primate Ethology. Londres (Weidenfeld y Nicolson).

— (1967 b): «Vergleichende Verhaltensforschung und Phylogenetik». En: HEBERER, G. (ed.): Die Evolution der Organismen. Tomo 1, 3.ª ed., Stuttgart (Fischer), 420-508.

— (1969): Sind wir Sünder? Naturgesetze der Ehe. Múnich (Droemer).

— (1971): Die Biologie der zehn Gebote. Múnich (Piper).

— (1972): Verhalten und Umwelt. Hamburgo (Hoffmann und Campe).

WILHEIM, J. H. (1953): «Die !Kung-Buschleute». Jahrb. d. Museums für Völkerkunde in Leipzig, 12, 91-189.

WILKES, CH (1849): Narrative of the US Exploring Expedition during the Years 1838-1842. 2 tomos.

WILLIAMS, J. (1837): A Narrative of Missionary Enterprises in the South Sea Islands. JM Londres (Snow and Leifschild).

WILSON, A. (1968): Social Behavior of Free-Ranging Rhesus Monkeys with an Emphasis on Aggression. (Diss. Univ. Calif. Berkeley, Dept. Anthrop.).

WOODBURN, J. (1968): «Stability and Flexibility in Hadza Residential Groupings». En: LEE, R. B. y DeVORE, I. (eds.): Man the Hunter. Chicago (Aldine Publishing Comp.).

ZASTROW, B. v. y VEDDER, H. (1930): «Die Buschmänner». En: SCHULTZ-EWERTH, E. y ADAM. L. (ed.): Das Eimgeborenenrecht: Togo, Kamerun, Südwestafrika, die Südseekolonien. Stuttgart (Strecker und Schröder).